JUSTICE SANS LIMITES

La Déraison de la raison économique : du délire d'efficacité au principe de la précaution, Albin Michel, 2001.

La Planète uniforme, Climats, 2000.

Critique de la raison économique : introduction à la théorie des sites symboliques (avec Fouad Nohra et Hassan Zaoual), L'Harmattan, 1999.

L'Autre Afrique : entre don et marché, Albin Michel, 1998.

Les Dangers du marché planétaire, Presses de Sciences Po, 1998.

L'Économie dévoilée : du budget familial aux contraintes planétaires (dir.), Autrement, 1995.

La Mégamachine : raison scientifique, raison économique et mythe du progrès, La Découverte, 1995.

La Planète des naufragés : essais sur l'après-développement, La Découverte, 1991.

L'Occidentalisation du monde, La Découverte, 1988.

Faut-il refuser le développement ? Essai sur l'anti-économique du Tiers Monde, PUF, 1986.

Le Procès de la science sociale : introduction à une théorie critique de la connaissance, Anthropos, 1984.

Pratique économique et pratique symbolique, Anthropos, 1981.

Critique de l'impérialisme, Anthropos, 1980.

Le Projet marxiste, PUF, 1975.

Serge Latouche

Justice sans limites

Le défi de l'éthique
dans une économie mondialisée

Fayard

Avant-propos

« Seul le vrai prophète s'adresse sans complaisance au roi et au peuple, et leur rappelle l'éthique[1]. »

Quand sont survenus les attentats du 11 septembre 2001, je travaillais depuis un certain temps déjà à cet ouvrage. Toutefois, je n'avais pas encore trouvé de titre approprié, car je voulais à la fois dénoncer l'imposture de l'éthique économique et poser la question de ce que pourrait être une économie juste dans un monde « globalisé ». Je dois à George W. Bush de m'avoir fourni la formule choc qui résume bien mon propos. En désignant, dans un premier temps, sa riposte sous le nom de code *Enduring Justice* (« Justice infinie » ou « illimitée »), le gouvernement américain soulevait le problème fondamental de ce nouveau siècle, si l'on pense, avec le philosophe Emmanuel Lévinas, que dans un univers dominé par l'économie « la justice ne peut avoir d'autre objet que l'égalité économique[2] ».

Sans doute y a-t-il loin d'une redistribution équitable des richesses à l'échelle mondiale à une opération de bombardement massif sans limite dans le temps et qui entend ignorer les frontières. On peut s'interroger, certes,

---

1. E. Lévinas, *Entre nous : essais sur le penser-à-l'autre*, Grasset, 1991, p. 116.
2. *Ibid.*, p. 46.

sur la légitimité de la vengeance réclamée par une puissance hégémonique et arrogante, blessée, bafouée et humiliée. L'horreur indiscutable de l'événement n'échappe malheureusement à la banalité monstrueuse de notre temps que parce que les victimes se situent dans un pays qui a plus l'habitude d'infliger des blessures que d'en recevoir, et parce que la forme spectaculaire, visionnée en direct sur toutes les chaînes de télévision du monde, n'a pas manqué de frapper les imaginations. Toutefois, l'occasion nous est ainsi fournie de « faire les comptes ». Que signifie faire justice dans une économie mondialisée ? Qui peut se dire victime d'une injustice ? Comment porter remède à l'injustice globale ?

La première question nous confronte au paradoxe éthique de l'économie, la deuxième à l'injustice du monde, et la troisième nous invite à proposer des solutions.

Introduction

L'argent n'a pas d'odeur

« Comme son fils Titus lui reprochait d'avoir eu l'idée d'imposer même les urines, il lui mit sous le nez la première somme que lui rapporta cet impôt, en lui demandant s'il était choqué par l'odeur, et Titus lui répondant négativement, il reprit : "C'est pourtant le produit de l'urine" [1]. »

On connaît la fameuse réplique de l'empereur Vespasien à son fils Titus lui reprochant d'établir un impôt sur ce produit impur et nauséabond qu'est l'urine humaine, utilisée à Rome par les foulons : l'argent, quant à lui, ne pue pas *(pecunia non olet)* ! Il est vrai que l'on ne trouve plus de relents d'ammoniac dans les bonnes espèces sonnantes et trébuchantes et les beaux deniers récoltés par le fisc, pas plus que le sang des esclaves n'entachait les brillants écus entassés par les patrons négriers de Bordeaux ou de Nantes, ou que la sueur des ouvrières à la chaîne des usines délocalisées dans le Sud-Est asiatique ne suinte de la monnaie de banque accumulée sur les comptes des P-DG de Nike ou d'Adidas. Là réside d'ailleurs la merveilleuse alchimie de l'« équivalent général » : la souf-

---

1. Suétone, *Vies des douze Césars*, livres VIII, XXIII, Le Livre de poche, 1990, p. 463.

france et l'injustice ne transparaissent pas dans l'éclat brillant de l'or des Amériques, et encore moins dans la monnaie électronique.

Et pourtant ! Comme pour les mains de lady Macbeth, tous les parfums de l'Arabie arriveront-ils jamais à faire disparaître l'odeur du sang qui émane du *cash* ? Le *numéraire* neutre, anonyme, incolore, inodore et sans saveur des économistes ne peut échapper à une incroyable exubérance de « projections » de la part des peuples. La « glaise maudite » de Shakespeare se décline de mille façons, plus imagées les unes que les autres [1] : le fric, le flouse, les fafs, l'oseille, les radis, les ronds, le pèze, le grain, le blé, le beurre, la braise, le grisbi [2]... La couleur de *notre* argent adopte toutes les nuances de l'arc-en-ciel : du « bel et bon argent » que l'on donne à l'argent sale de la corruption, en passant par le rouge sang des deniers de Judas et le noir des trafics douteux. Son poids aussi varie : de léger-léger pour l'argent que l'on reçoit à plus ou moins lourd pour les sommes qui grèvent nos budgets. Les Africains des milieux populaires lui ont même trouvé des différences de température. Ils distinguent l'argent *chaud* et l'argent *froid* : le premier, que l'on s'approprie au sein des réseaux de la société informelle, s'oppose à la monnaie du Blanc, extérieure et abstraite. Généralement composé de piécettes et de toutes petites coupures (mais aussi parfois de grosses liasses) pleines de sueur et de crasse, il est noué dans le coin d'un pagne et enfoui dans les vêtements, sorti avec précaution et réticences, compté et recompté avec l'espoir d'un rabais. Le second est celui des ONG, de l'assistance technique, des pouvoirs officiels et des firmes transnationales. Il se chiffre en millions et se dilapide dans l'abstrait.

---

1. « Viens, glaise maudite, putain commune à tous les hommes » (W. Shakespeare, *La Vie de Timon d'Athènes*, IV, 3).

2. Ou encore l'artiche, le carbure, le trèfle, la galtouse... Voir « Mots d'argent. Des émoluments ou du "blé" », *Le Monde*, 8-9 avril 2001.

Dès l'origine, l'argent servant d'abord à régler les échanges avec les étrangers est apatride, international, voire mondial. L'obole (pièce de cuivre valant un demi-denier), en usage chez nous jusqu'au XVIIᵉ siècle, vient de l'*obelos* grec à travers l'*obelus* latin. La pièce attique valant un sixième de drachme tire elle-même son nom de la broche de fer ou de cuivre qui constituait l'un des premiers instruments archéo-monétaires. Les dirhams du Maroc font toujours écho à la drachme d'Alexandre, qui circula dans tout le bassin méditerranéen, et bien au-delà, et fut imitée maladroitement par nos ancêtres les Gaulois. Elle remonte à celle des Athéniens, marquée de la chouette de Minerve et faite de l'argent des mines de Laurion. Le dinar algérien, de son côté, renvoie au denier d'or romain, qui a lui aussi régné sur le monde avant le dollar... Ce dernier vient du thaler d'argent de Marie-Thérèse d'Autriche, frappé et utilisé dans le commerce africain pratiquement jusqu'à nos jours, et qui doit lui-même son nom aux mines de Joachimthal en Bohême[1].

En dépit des efforts méritoires et parfois désespérés des économistes pour affirmer la neutralité éthique de la *monnaie* et sa pure fonctionnalité, le commun des mortels ne s'en est pas laissé conter[2]. Pour celui qui a un besoin dramatique d'argent, la monnaie est peut-être un « voile », mais il sert à cacher la violence qui lui est faite dans l'échange marchand[3].

Ne serait-elle qu'un « voile » des relations réelles, comme l'affirment les économistes orthodoxes à la suite

---

1. Notre « sou » vient du *solidum* latin (comme notre « solde »), et les florins hollandais ou hongrois de la fleur des monnaies de Florence, naturellement.

2. On sait que, pour Freud et la psychanalyse, l'argent a une signification excrémentielle, et son usage serait lié à l'analité.

3. Sur cette distinction entre argent et monnaie, voir par exemple J.-J. Goux, « La monnaie ou l'argent », *in* S. Latouche (dir.), *L'Économie dévoilée : du budget familial aux contraintes planétaires*, Autrement, 1995.

de Jean-Baptiste Say (ce que Keynes, grand lecteur de
Freud, a récusé), la monnaie n'en serait pas moins un
témoin à charge de l'injustice de notre monde. Étant la
mesure (et la démesure) de l'échange social, elle est au
cœur du problème de la justice. En elle se cristallise toute
la violence exercée par les uns sur les autres pour les
dépouiller de leurs œuvres et les déposséder de leur part
du monde. La monnaie et l'argent condensent ainsi le
grand défi de la justice en économie dans le monde
actuel. Certes, ce défi n'est pas nouveau, il traverse toute
la modernité, mais la globalisation des marchés, c'est-à-
dire la *marchandisation* généralisée du monde, le pousse
à son paroxysme. Le triomphe planétaire du tout-marché
liquide en effet toute survivance des morales héritées, des
préoccupations éthiques des acteurs sociaux et des déontologies professionnelles qui faisaient contrepoids au
règne absolu de la finance. L'invasion actuelle de l'éthique
apparaît rigoureusement proportionnelle au mépris concret
que l'on voue à ses règles.

L'injustice « ordinaire », tout à la fois véhiculée par
l'argent et occultée par la circulation monétaire, soulève le délicat problème de l'éthique dans les sociétés
modernes, puisque toute visée de justice présuppose une
morale. Or on se trouve en ce domaine face à un paradoxe. La modernité répugne à l'éthique, mais en même
temps celle-ci est omniprésente. La conception *profane*
du monde s'annonce chez Machiavel, qui sort l'art de la
politique du discours moral (voire moralisateur) antérieur
pour l'ancrer dans l'observation concrète. Le projet
moderniste de construire la société sur la seule base de la
raison rejette de fait l'héritage, la tradition, la transcendance, et donc la référence aux valeurs qui ont partie liée
avec la religion. Tout discours explicitement moral semble
volontiers nostalgique d'un monde passé, témoin du projet médiéval de l'édification d'une cité chrétienne au plus

près de la cité de Dieu. Il est à ce titre condamné et rejeté comme obscurantiste et réactionnaire.

Ce n'est pas dire que des tentatives grandioses pour refonder une morale à l'usage des nouvelles générations ont fait défaut. Le protestantisme, l'augustinisme, le rousseauisme, Kant, Rawls, Dworkin et bien d'autres sont là pour témoigner du contraire. Mais, dans le monde protestant où la plupart de ces tentatives voient le jour, la morale, de publique qu'elle était, se restreint à l'intimité secrète du privé et devient l'*éthique*[1]. Une justice formelle est définie par le strict respect des contrats, tandis que l'obligation antérieure de charité disparaît de l'horizon de la vie sociale. La justice se trouve ainsi coupée de la morale. Dans les pays de culture catholique, la morale cherche à se renouveler hors de la tradition religieuse ; une morale laïque tente même de se fonder sur la science. Et pourtant, malgré cette invasion persistante de la morale, l'essentiel se passe ailleurs. Dans la sphère de la pensée la science prend soin de mettre la morale en dehors de son champ, et dans celle de la pratique les affaires sont les affaires. Or les affaires sont de plus en plus la « grande affaire ». Au fur et à mesure que l'économie s'autonomise, puis envahit la totalité de la vie, le domaine de la morale se réduit comme une peau de chagrin.

Le destin de l'utilitarisme est de ce point de vue révélateur. À la prendre au sérieux, cette doctrine est une morale proprement sacrificielle, terriblement exigeante. Le plus grand bonheur du plus grand nombre implique que la collectivité passe avant l'individu, et qu'à l'occasion le « petit nombre » soit sacrifié au grand. Toutefois, au sens vulgaire qui s'est diffusé plus largement, celui d'une

---

1. Sur la distinction entre l'éthique et la morale, ainsi que sur celle entre justice et équité, on se reportera à l'annexe 1.

« morale » de l'intérêt, l'idée est que je suis seul juge de mes plaisirs et que je ne dois pas avoir scrupule à les maximiser. Sous cet angle, l'utilitarisme fait de l'égoïsme le principe même de la vie sociale. Il justifie ainsi une sorte de « loi de la jungle », justement sans foi ni loi, le contraire de ce qui était traditionnellement considéré comme la vie morale. Sans compter que Pangloss-Smith et toute la « science économique » ultérieure se porteront garants, comme nous le verrons, du fait qu'en conséquence tout sera pour le mieux dans le meilleur des mondes possibles ! Le positivisme, l'économisme, le marxisme qui présideront à la naissance des sciences sociales et *satureront* assez largement l'idéologie dominante des temps modernes feront tout leur possible pour exclure et délégitimer l'éthique. Les faits qui sont censés parler d'eux-mêmes, l'histoire dont le sens s'impose à tous et les intérêts bien compris qui composent une harmonie naturelle créent une morale en même temps qu'ils la rendent inutile. Le prince, disait déjà Machiavel, n'appelle pas « juste » ce qui est conforme à l'enseignement de la morale traditionnelle (c'est-à-dire de l'Église), mais ce qui réussit. Son époque, d'ailleurs, abonde en hommes d'État qui multiplient impunément les crimes et les trahisons les plus éhontées : les Visconti, les Médicis, mais aussi les rois de France et d'Espagne. Profonds scélérats, si on les juge à l'aune de la morale que l'on recommande aux particuliers, ils contribuent à la réalisation d'un grand dessein : construire la société moderne. Dès lors, l'efficience du réel est rationnelle et juste. La raison d'État, qu'elle soit politique ou économique, traduit l'état de la raison et constitue la Loi. Le fait l'emporte sur le juste, et même l'institue au besoin. Les sciences sociales de leur côté, pour être sciences, doivent se débarrasser absolument des valeurs. Les économistes, quant à eux, ont fort bien retenu la leçon. En devenant la science de la valeur, l'économie liquide toute préoccupation éthique. Puisque toute valeur a un prix et que seul ce qui est marchand mérite considération, il n'y a plus de valeurs que celles susceptibles d'être cotées en Bourse. Les tenants de cette science ajoutent même effrontément, nous y reviendrons, une apologétique de l'ordre naturel des choses qu'aucun théologien n'aurait osé pousser aussi loin.

Le marxisme, sur ce point, se coule dans le paradigme ainsi dessiné. Comme l'économie politique classique, il pose que la société rationnelle réalise la morale, et donc ne la rend plus nécessaire. Dans la société communiste, il n'y a plus de place pour le mal. Le règne du bien s'installe sans que les hommes nouveaux aient besoin de s'imposer aucune règle contraignante ; l'abondance permet à tous de jouir sans entraves. À la différence de ce que prévoit l'économie politique, toutefois, ce résultat ne se produit pas d'emblée grâce à la main invisible du marché et de la concurrence. L'imposture de l'angélisme libéral est dénoncée, car le jeu économique masque la lutte des classes et la guerre impitoyable d'intérêts antagoniques. Simplement, l'histoire va se charger de dénouer ces contradictions. La classe ouvrière et/ou son organisation (le parti) feront accoucher la nouvelle société en travail dans l'ancienne. Compagne de la religion, opium du peuple, la morale établie est dénoncée comme une invention de la classe dominante pour maintenir les dominés dans l'obéissance et empêcher leur révolte. Et cela est très largement vrai. Aujourd'hui encore, la morale sert amplement à justifier l'injustice et à transformer les victimes en coupables. Comme cela transparaît dans les discours dominants, les chômeurs et les « sous-développés » sont tenus pour responsables de leur sort. La *morale* du révolutionnaire, elle, est encore un machiavélisme sacrificiel teinté d'économisme. Ce dernier ne doit s'embarrasser d'aucun scrupule pour faire triompher la cause du prolétariat. La fin (la société sans classes) justifie les moyens (sabotage, assassinat politique, provocation, mensonge, etc.) [1].

À cette liquidation théorique de la morale par le libéralisme pur et dur et le marxisme révolutionnaire fait écho sa dégénérescence pratique dans le compromis réformiste. L'État-providence mis en place par les social-démocraties, en transformant les aspirations sociales sécuritaires en droits, participe à la « démoralisation » de la société moderne. L'assistance sociale, qui avait perdu sa dimension religieuse originelle, perd sa dimension morale. Seul le droit est jugé compatible avec la dignité du travailleur. Dès lors que les travailleurs renoncent (au moins provisoirement) à renverser l'ordre capitaliste établi, tout en demeurant assez puissants pour se faire craindre et ne pas attendre une amélioration de leur condition de la seule générosité paternaliste du patron, un nouveau *contrat social* s'organise. Il ne s'agit pas tant d'éliminer l'injustice éventuelle du salariat que de stabili-

---

1. Dans son catéchisme révolutionnaire, utilisé par Lénine, Netchaïev est explicite : « Il [le révolutionnaire] méprise l'opinion publique. Il méprise et déteste la morale actuelle de la société. [...] Pour lui est moral tout ce qui contribue au triomphe de la révolution ; immoral et criminel, tout ce qui l'entrave. [...] La nature du vrai révolutionnaire exclut tout romantisme, toute sensibilité, enthousiasme et engouement. Elle exclut même la haine et la vengeance personnelles. La passion révolutionnaire, devenue chez lui une seconde nature, doit à chaque instant être liée à un froid calcul. Partout et toujours, il doit être non pas ce à quoi l'incitent ses penchants personnels, mais ce que lui prescrit l'intérêt général de la révolution. » Ce cynisme s'appuie sur le même calcul utilitariste que celui du capitalisme dominant que l'on combat : « Chaque camarade doit avoir sous la main quelques révolutionnaires de deuxième et de troisième catégories, *i.e.* pas tout à fait des initiés. Ceux-là, il doit les considérer comme une fraction du capital révolutionnaire total mis à sa disposition. Il doit dépenser avec économie sa part de capital, tâchant toujours d'en tirer le plus de profit possible. Il se considère lui-même comme un capital destiné à être perdu pour le triomphe de la cause révolutionnaire » (Netchaïev, cité par A. Caillé, *Le Paradigme du don*, Desclée de Brouwer, 2000, p. 221).

ser un état de fait lié à un certain rapport de forces en en faisant un état de droit. La législation sociale permet au salarié de se prévaloir des lois, et donc d'exiger son dû. Une justice sociale s'instaure qui n'est plus vraiment nourrie par une morale unique. Toute morale n'est peut-être pas absente des visions des différents partenaires sociaux, mais les morales divergent et le compromis social-démocrate ne résulte pas des valeurs communes partagées par tous, bourgeois et prolétaires. « Cet évanouissement de la morale au profit du droit, dans la problématique politique, note François Ewald, est certainement un des éléments les plus importants de l'histoire contemporaine[1]. »

Bien sûr, cette tentative héroïque de la modernité pour passer la morale par pertes et profits échoue[2]. La préoccupation axiologique est en fait omniprésente et l'on pourrait facilement épiloguer sur le paradoxe d'une morale du rejet de la morale. Un fin connaisseur de la pensée économique comme François-Régis Mahieu le reconnaît : « En fait, on peut difficilement imaginer un calcul hors norme, gratuit moralement, qui n'intègre même pas les valeurs minimales d'individualisme ou d'égoïsme que l'on trouve en économie. En fait, un calcul purement hédonistique, "se faire plaisir hors des normes", n'a guère de sens[3]. » Toutefois, le retour actuel des « valeurs » ne concerne pas seulement cette morale « négative » ou « immorale » par défaut. La vie économique impose à tous et à chacun une longue suite de sacrifices. Les contraintes et les obligations de toute nature sont perma-

---

1. F. Ewald, *L'État-Providence*, Grasset, 1986, p. 373.

2. « Il ne faut pas se laisser impressionner, note Lévinas, par la fausse maturité des modernes qui ne trouvent pas pour l'éthique dénoncée sous le nom de moralisme de place dans un discours raisonnable » (E. Lévinas, *op. cit.*, p. 220).

3. F.-R. Mahieu, *Éthique économique : fondements anthropologiques*, L'Harmattan, 2001, p. 211.

nentes. L'efficience est une divinité exigeante qui réclame toutes les énergies, celle des ouvriers comme celle des patrons. Le crédit des banques, des entreprises et des marchands, comme celui des États, repose sur la confiance. Bien qu'impossibles à intégrer dans les contrats, la fidélité, le devoir, la probité sont indispensables au bon fonctionnement des affaires. Cette omniprésence de l'éthique se retrouve aussi du côté de la « contre-société ». Loin de jouir sans entraves, le révolutionnaire lui-même ou ses avatars plus récents, comme le militant antimondialisation, par exemple, font preuve à l'occasion d'un dévouement et d'une abnégation à toute épreuve.

Il n'y a pas lieu de s'étonner de ce paradoxe si l'on se souvient que le père officiel de la science économique, Adam Smith, était avant tout professeur de morale, imprégné d'augustinisme comme toute la tradition écossaise. De leur côté, les fondateurs du positivisme, Saint-Simon et Auguste Comte, sont des moralistes impénitents. Ils en viennent même à refonder une religion de l'humanité pour donner à l'altruisme et à la solidarité nécessaires à toute vie en société un socle inébranlable. Quant à Marx, son souffle prophétique se nourrit de la malédiction aristotélicienne et luthérienne de l'économie. Son œuvre est un anathème sur l'injustice du monde. Seulement, à l'aliénation religieuse à laquelle la morale ancienne se voyait volontiers identifiée s'est substituée une aliénation plus perverse, car plus insidieuse. Le problème du bien et du mal, du juste et de l'injuste, du rapport aux valeurs, quelles qu'elles soient (le beau, le vrai, l'utile, l'honneur, le courage...), n'est pas affronté en tant que tel en théorie, ni assumé en pratique. Son évacuation du domaine de l'économie, d'une part, et la domination de cette dernière sur notre vie, d'autre part, n'y sont bien sûr pas étrangères.

Ultime paradoxe, la philosophie professionnelle, dernier refuge de la morale, dresse un réquisitoire sans appel contre l'économie officielle, mais sans faire de cette condamnation un véritable sujet de réflexion. La plupart des philosophes « continentaux », c'est-à-dire non anglo-saxons, considèrent que l'économie marchande ou capitaliste est le lieu par excellence de l'injustice. C'est tellement évident pour eux qu'ils ne le signalent qu'incidemment au détour d'une phrase et changent très vite de sujet, passant à des choses autrement plus importantes et fondamentales de leur point de vue – comme la question de l'être –, et surtout moins risquées (en tout cas pour leur carrière ou leur réputation...). Cela vaut pour tous les philosophes, de Kant à Lévinas en passant par Hegel et Heidegger. « Les limites de la moralité et de l'amour de soi, note Kant dans sa *Critique de la raison pratique*, sont marquées avec tant de clarté et d'exactitude que la vue même la plus ordinaire ne peut manquer de distinguer si quelque chose appartient à l'un ou à l'autre[1]. » Et d'illustrer l'obéissance à l'amour de soi et l'immoralité flagrante par un homme d'affaires qui ressemble trait pour trait à un des héros de notre temps (chef d'État ou d'entreprise), bref, « un homme actif, infatigable, qui ne laisse passer aucune occasion sans en tirer profit », mais qui « n'hésiterait pas à employer l'argent et le bien d'autrui, comme s'ils lui appartenaient en propre, pourvu qu'il sache qu'il peut le faire sans être découvert et sans rencontrer d'obstacle ». Cet homme peu délicat quant aux moyens n'est pas forcément un « égoïste vulgaire » et peut rechercher sa satisfaction « non en amassant de l'argent ou en se livrant à une sensualité brutale, mais en étendant ses connaissances, en fréquentant une société choisie d'hommes instruits et même en faisant du bien aux indigents ». Il n'est pas sûr que cette « vérité si manifeste » pour Kant de l'immoralité de notre homme soit

---

1. E. Kant, *Critique de la raison pratique*, Félix Alcan, 1906, p. 60.

aussi évidente aux yeux de nos contemporains, tant qu'ils n'en sont pas directement victimes, puisqu'ils n'hésitent pas à réélire des hommes politiques notoirement corrompus et à plébisciter des hommes d'affaires indélicats.

Emmanuel Lévinas, philosophe de l'éthique par excellence, n'est pas en reste : « Mais si la totalité commence dans l'injustice (qui n'ignore pas la liberté d'autrui, mais, dans la transaction économique, amène cette liberté à la trahison), l'injustice n'est pas *ipso facto* sue comme injustice. [...] Cette liberté m'est présentée déjà quand j'achète ou exploite. Pour que je sache mon injustice – pour que j'entrevoie la possibilité de la justice –, il faut une situation nouvelle : il faut que quelqu'un me demande des comptes [1]. »

Le cas de Marx mis à part (mais on ne peut guère le considérer comme un philosophe de profession), ces philosophes se gardent bien de nous dire comment sortir de l'injustice économique flagrante, comment tenter d'échapper à cette écrasante « banalisation du mal ». Quant à la réponse marxiste – l'abolition du système capitaliste par la révolution –, on sait désormais qu'elle n'est satisfaisante ni en théorie, ni en pratique. Chassées par la porte, l'économie et son injustice reviennent par la fenêtre avec une puissance accrue. Il ne suffit pas, en effet, de dénoncer la lutte des classes et la propriété privée des moyens de production. Si tout l'imaginaire économique structurant reste en place – la croyance au progrès, la maîtrise de la nature, le culte de la rationalité –, l'accumulation du capital, l'exploitation, l'aliénation et donc les inégalités et l'injustice se poursuivent de façon encore plus féroce, par certains côtés, sous des apparences modifiées. Les diverses expériences de socialisme réel sont là pour en témoigner.

---

1. E. Lévinas, *op. cit.*, p. 41.

Ainsi, l'éthique et la morale travaillent une société mondialisée qui s'affiche parfois sans foi ni loi (autre que le marché...). Le triomphe de l'économie et de la finance, avec son emblème faussement innocent, l'argent, n'enterre l'inquiétude quant aux valeurs que pour mieux revenir hanter notre vécu quotidien. Cela d'autant plus que la crise écologique pose pour la première fois, et de façon dramatique pour l'humanité, la question d'une répartition équitable des richesses de la nature, d'une part entre les vivants aujourd'hui, d'autre part entre notre génération et celles à venir. Cette crise est peut-être l'occasion de resituer le problème de la justice là où il doit l'être, c'est-à-dire dans le cadre du rapport que nous entretenons avec autrui dans l'échange social.

Nous reprochons à nos parents de nous avoir légué un monde ravagé par les guerres et les conflits de toute nature, souillé par une pollution insupportable. Nous sommes comptables de ce monde devant les générations futures. Malheureusement, si nous ne faisons rien, il est à craindre qu'il n'y ait tout simplement plus personne pour nous accuser de la disparition sinon de la planète, en tout cas de toute vie humaine...

Il importe donc de s'interroger sur la façon de porter remède à l'injustice du monde. Comme on peut s'y attendre, la solution découle assez largement du diagnostic. Il s'agit moins de moraliser l'économie ou d'insuffler de l'éthique dans les affaires que de réintroduire la considération de la justice dans le rapport social et dans l'échange en société. Ce n'est pas, à strictement parler, vers une *économie juste* qu'il faut s'orienter, car l'expression même, qui a quelque chose d'antinomique, est sujette à caution, mais plutôt vers une *société juste*. Ce changement de cap implique une véritable *décolonisation* de notre imaginaire. Repenser l'échange en dehors des logiques économiques, cela suppose de s'interroger non seulement sur le juste prix et le juste salaire, mais aussi sur le rôle des marchés et de l'argent. La dénonciation de l'intégrisme du marché ne signifie pas pour autant qu'il faut liquider de toute forme de marché concret. Il y a une réappropriation concevable et nécessaire de ces rencontres où se négocient certains des rapports entre les hommes. Il en va de même pour l'argent. Étalon de l'iniquité du système marchand, la monnaie ne pourrait-elle être aussi l'instrument d'un commerce équitable et solidaire ? Une fois le veau d'or mis au bas de son piédestal, une véritable réconciliation des citoyens avec l'argent ne pourrait-elle se produire ? Et si, au lieu d'exclure massivement les perdants d'une grande loterie infernale en fonctionnant comme capital, l'argent devenait (ou redevenait ?) un « facilitateur » de l'échange social et du commerce en société [1] ? Sans nécessairement réaliser le rêve utopique de justice sur terre, du moins ne serait-il plus alors l'outil barbare et anonyme d'une injustice mécanique, cumulative et automatique.

---

1. Nous utilisons à dessein le mot « commerce » dans son acception métaphorique, plus large que son sens économique, comme lorsqu'on parle d'une personne d'un commerce agréable. Nous visons par là non pas à économiciser le social, mais au contraire à socialiser l'économique.

PREMIÈRE PARTIE

LE PARADOXE ÉTHIQUE DE L'ÉCONOMIE

« L'économie politique prend alors à tâche de se séparer complètement de la politique et de la morale ; elle aspire à former une science tout à fait positive comme les mathématiques, et, à ce titre, elle réclame pour ses principes le privilège de la certitude absolue [1]. »

La morale et la justice ne nous intéressent pas particulièrement pour elles-mêmes. Toutefois, comme l'échange social tend à être totalement absorbé par le trafic marchand, elles nous interpellent dans la mesure où elles s'insinuent au cœur de la « chose » économique. En cela, notre approche diffère largement de celle d'un Amartya Sen, le plus connu des économistes « moraux ». Ce prix Nobel d'économie plaide en effet pour une correction de l'« éthique de l'efficience » propre à la discipline par l'introduction de normes fondées sur une éthique de la « responsabilité sociale ». Cette dernière s'appuie sur une philosophie de la justice proche de celle de l'Américain John Rawls. L'économie elle-même ne se trouve donc pas

---

1. E. Buret, *De la misère des classes laborieuses en Angleterre et en France*, Paulin, 1840, p. 7.

questionnée frontalement. Or c'est précisément ce questionnement que la mondialisation actuelle rend nécessaire et urgent.

La montée en puissance de discours moralisateurs, en même temps que l'évidente élimination de tout souci de justice dans le fonctionnement de la société mondiale de marché, nous invite à réexaminer les titres de l'économie et de la science économique à la prétention éthique. Pour ce faire, il nous faut reconstruire la généalogie de la discipline pour mettre en évidence son amoralité, voire son immoralité. Le paradoxe entre cette prétention et l'indifférence à l'éthique dans la pratique apparaît de manière plus flagrante encore dans les tentatives pour définir une économie explicitement morale ou dans la philosophie implicite du développement économique.

Chapitre premier

L'impossible neutralité de l'économie

« HORACE : Est-il également vrai que le luxe fait
la prospérité d'une nation et que les vices privés
sont des biens publics, qu'il l'est que la castration
préserve et fortifie la voix ?

« CLÉOMÈNE : Je crois que oui, et que ces deux
cas sont exactement semblables [1]. »

La mondialisation techno-économique, c'est-à-dire
l'ensemble des processus que l'on range habituellement
sous ce vocable (l'émergence d'une domination des
firmes transnationales, la dictature des marchés financiers, la faillite du politique et la menace d'une technoscience incontrôlée), entraîne de façon quasi automatique
une crise morale. Causes et conséquences de la mondialisation des marchés, les firmes transnationales apparaissent comme les « nouveaux maîtres du monde [2] ». Leur
puissance financière leur donne les moyens d'acheter et
de mettre à leur service les États, les partis politiques, les
Églises et les sectes, les syndicats, les ONG, les médias,
les armées, les mafias, etc. Les associations et réseaux

---

1. B. Mandeville, *La Fable des abeilles*, t. 2, 2e partie, Vrin, 1991, p. 95.
2. « Les nouveaux maîtres du monde », *Manière de voir*, novembre
1995.

qui, à tort ou à raison, prétendent leur faire contrepoids sont largement instrumentalisés par les géants de l'économie et de la finance. Il n'y a pas de société civile mondiale. Les forums dits « mondiaux », pour importants et nécessaires qu'ils soient, sont largement limités à des *élites* critiques d'Occidentaux et d'occidentalisés[1]. Il est de plus en plus difficile de faire le partage entre le *lobbying* acceptable et la corruption inadmissible. La faillite retentissante de la firme géante Enron et celle, consécutive, de la prestigieuse maison Arthur Andersen qui certifiait ses comptes ont parfaitement illustré cette situation. Enron a contribué au financement des campagnes électorales des deux candidats à la présidence des États-Unis, mais plus particulièrement à celle de Bush Junior, avec qui elle entretenait des liens particuliers. L'administration fédérale, les autorités de surveillance (en l'occurrence la Securities Exchange Commission, ou SEC) ont longtemps fermé les yeux sur des pratiques douteuses, voire frauduleuses. Grâce à leur bonne connaissance de la situation, les dirigeants d'Enron se sont enrichis de manière scandaleuse aux dépens des actionnaires, appauvris par l'effondrement des cours, et des salariés, qui ont vu leur retraite partir en fumée. L'organisme de certification comptable et d'audit Arthur Andersen, à la fois juge et client, s'est rendu complice de maquillage de bilan, puis de destruction de documents. Un grand nombre d'entreprises sont acculées par la volatilité des marchés financiers à de tels agissements plus ou moins délictueux, qui ne sont

---

1. « Les anthropologues, note Mike Singleton, qui ont non seulement observé de loin, mais participé de près aux manifestations complexes et contradictoires des dynamiques de la société dite civile, sont moins tentés que des théoriciens béats ou des politiciens opportunistes d'y voir une panacée ou une dernière planche de salut à l'endroit d'une mondialisation de plus en plus immonde » (M. Singleton, « Patrimoine (in)humain ? », in *Patrimoine et Co-développement durable en Méditerranée occidentale*, Tunis, octobre 2001, p. 126).

condamnés que lorsque les conséquences s'avèrent fâcheuses. Ainsi, en dépit des déclarations de George W. Bush promettant une moralisation, le scandale des pratiques plus que douteuses du vice-président Dick Cheney quand il était P-DG d'Haliburton, première entreprise mondiale de recherche pétrolière, entre 1995 et 2000, a pu être neutralisé grâce à la nomination à la tête de la SEC d'un obligé du Président[1]. La nécessité de « codes de bonne conduite » fondés sur une morale universelle minimale à définir apparaît de plus en plus évidente à l'opinion. De tels codes devraient s'imposer à ces géants dans leurs comportements entre eux et surtout avec les autres, renforçant les limites posées par la seule « loi du marché ». En France, les affaires Danone et Marks & Spencer, au printemps 2001, avec le lancement d'un mot d'ordre de boycott, ont médiatisé le problème de la justice entre salariés, capitalistes et actionnaires, tout comme les négociations sur les PMA (pays moins avancés, ou « pays pas moyen d'avancer », comme disent les Africains...), devenant par la magie du verbe chiraquien les PPE (« prochains pays émergents »), soulèvent la question des justes rapports entre consommateurs du Nord et producteurs du Sud.

Aspiration, nostalgie ou nécessité, l'éthique est à la mode. Les chaires universitaires et les colloques sur le thème se multiplient : éthique dans l'entreprise, éthique de la vie politique, comités d'éthique, etc. Il y a plus de 500 « cours d'éthique » *(business ethics)*, souvent sponsorisés par de grandes entreprises, sur les campus américains[2]. Près de 80 % des entreprises américaines et 77 % des entreprises japonaises se sont dotées de codes de

---

1. Voir E. Leser, « Haliburton, le problème de Dick Cheney », *Le Monde*, décembre 2002.
2. J.-M. Dumay, « Enseigner l'éthique des affaires », *Le Monde*, 27 septembre 1994.

déontologie [1]. Décidément, l'éthique est un bon investissement en termes de communication !

Cette omniprésence de l'éthique dans un monde
dominé par l'économie est un phénomène dont il importe
de prendre la mesure pour mieux saisir le lien entre la
morale et l'économie, et cerner les fondements du paradoxe éthique de l'économie.

L'OMNIPRÉSENCE DE L'ÉTHIQUE

La lecture des journaux témoigne de ce que l'on pourrait appeler l'« obsession de l'éthique ». Dans *Le Monde*
du 8 mai 2001 – date choisie au hasard –, on la croise à
toutes les lignes et on la trouve accommodée à toutes les
sauces. En première page, un article intitulé « Le Président, les Français et Amélie Poulain », signé Raphaëlle
Bacqué, nous apprend que, pour préparer sa campagne
électorale, Jacques Chirac, cherchant les mots et les slogans susceptibles de séduire les Français, résume sa
vision de l'avenir sous la formule à la fois abstraite et
ambitieuse : « Ce siècle sera celui de l'éthique. » D'où un
programme virtuel : « L'écologie version Chirac ? Elle est
humaniste. L'État ? Il doit être *au service des citoyens* et
de l'économie *solidaire*. » On passe ensuite (page 5) aux
aveux du général Aussaresses sur la torture érigée en système pendant la guerre d'Algérie, sujet qui soulève d'innombrables problèmes éthiques, de la justice instituée à
la repentance d'État.

Retenons plutôt en page 6 l'article de Jacques Isnard,
« La gestion de leurs carrières suscite la grogne des
agents de la DGSE ». On y cite le dernier bulletin

---

1. Contre 35 % en Allemagne et quelques unités en France... Voir
G. Even-Granboulan, *Éthique et Économie*, L'Harmattan, 1998, p. 258.

intérieur du Centre d'entraide sociale et culturelle (CESC), qui sert de médiateur entre la direction et nos James Bond. « La société française, est-il diagnostiqué, connaît un déclin de certaines valeurs fondamentales qui n'osent même plus être affichées. Ainsi, le patriotisme, le sens du devoir, le dévouement, l'honneur, l'altruisme ou l'engagement pour une cause sont autant de mots qui paraissent désuets et qui ne sont plus prononcés pour ne pas être ringard. » Les responsables du CESC considèrent que « ces valeurs sont progressivement remplacées par l'institutionnalisation des bilans individuels et des profils de carrière ». Dit plus brutalement, ce sont les motivations économiques ou matérielles qui sont déterminantes.

En page 7, c'est une expérience dans le domaine de la recherche sur le sida qui suscite une « controverse éthique ». La question posée porte sur la méthodologie adoptée. « Bénéficiant de la collaboration de plusieurs multinationales pharmaceutiques et pouvant engager des travaux avec des unités voisines de l'Inserm et du CNRS [...], j'ai décidé de bâtir un programme expérimental original », souligne le professeur niçois Pierre Dellamonica, interrogé par Jean-Yves Nau. Seulement, les associations qui défendent les intérêts des malades du sida ont dénoncé ce projet dès qu'elles en ont connu les détails. Les dangers encourus par les cobayes humains et les conditions financières douteuses de l'expérimentation montrent en outre la défaillance des comités de protection des personnes et du ministère de la Santé. En page 8, sous la même signature, un article s'intitule : « Des chercheurs américains sont accusés d'avoir conçu des enfants au patrimoine génétique modifié ». « Nous sommes une nouvelle fois, comme dans le cas de la micro-injection de spermatozoïdes, face à des chercheurs qui réalisent *non pas des essais sur l'homme, mais bien des essais d'hommes*, a déclaré au *Monde* le professeur Jean-François Mattei, généticien, spécialiste des questions de bioéthique et président du groupe DL à l'Assemblée nationale. Et nous nous rapprochons chaque jour un peu plus de la thérapie germinale, qui consistera à modifier les caractéristiques du génome des cellules sexuelles pour *améliorer* le patrimoine héréditaire de certains êtres humains. »

Passons sur une banale affaire de mise en examen pour détournement de fonds publics, sur les questions éthiques soulevées par la candidature de Silvio Berlusconi au poste de président du Conseil italien ou sur celles, moins explicites mais réelles, posées par les fusions entre Carrefour et Promodès, entre Novartis et Roche ou entre Paribas et Bancwest, pour nous intéresser au débat explicite provoqué par le succès de *Loft Story* (page 17). La Conférence des évêques de France est montée au créneau. « *Loft Story* est une belle illustration des errances vers lesquelles peut conduire la recherche débridée du profit [...]. Les jeunes gens mis en scène sont traités comme les cobayes d'un savant fou qui aurait entassé quelques souris et quelques rats dans une boîte à chaussures, sans se préoccuper de leur devenir. » La direction de Suez, principal actionnaire du groupe qui contrôle M6 après l'allemand Bertelsmann, s'en lave les mains, tout en se les frottant. « Dès lors qu'il n'y a pas de critiques du CSA [Conseil supérieur de l'audiovisuel], le conseil de surveillance de M6 n'a pas à s'immiscer dans les programmes de la chaîne [...]. Nous n'avons pas à nous poser de problème à propos de *Loft Story* », et la direction a réitéré son « soutien à Nicolas de Tavernost, président du directoire de M6, qui est un excellent manager. [...] Nous leur avons demandé de faire quelque chose de bien, d'efficace et de conforme à l'image de la chaîne. Ils s'en sont parfaitement acquittés. C'est un formidable succès. [...] Si on considère que l'arrivée de ce type d'émission était inéluctable après son succès partout en Europe, le fait d'avoir été les premiers à la diffuser est un grand avantage ». Le personnel et les actionnaires sont ravis. « Je me frotte les mains car mes actions de M6 remontent », déclare un journaliste.

Sans porter de jugement de valeur, on voit d'emblée que tous ces dossiers constituent des entrées pour notre sujet, et l'on pourrait à partir de chacun d'eux soulever à peu près l'ensemble des questions qui nous intéressent, surtout si nous en suivions les épisodes suivants, comme dans le cas de *Loft Story*. Mais il se trouve que le 8 mai est aussi le jour du supplément économique hebdomadaire. Celui-ci complète notre panorama, déjà assez vaste, des problèmes éthiques qui agitent la société contemporaine et mettent tous, directement ou indirectement, l'économique en cause. La couleur est annoncée d'emblée par le titre : « Et maintenant... le droit d'ingérence économique ». « La société civile, écrivent Laurence Caramel et Serge Marti, est désormais une force avec laquelle il faut compter. D'une certaine façon, à travers les actions de boycottage menées contre certaines entreprises, à travers l'émergence d'un commerce éthique, d'un épargnant comme d'un consommateur *citoyens*, la multiplication des labels sociaux, environnementaux... elle dénonce le vide juridique sur les nouveaux enjeux liés à la mondialisation. » En page II est évoquée la création d'un tribunal pénal pour les crimes et délits graves commis contre l'environnement. Par ailleurs, on apprend que des tribunaux populaires déclarent la dette du tiers-monde hors la loi. Pour Jubilée Sud, l'ONG qui coordonne la campagne, il s'agit de faire « évoluer l'approche du problème non plus sous l'angle de la charité mais sous celui de la justice en établissant les chaînes de la responsabilité ».

Plus loin, Jean-Louis Bianco écrit une tribune intitulée « Une mondialisation en quête de règles ». Un autre

article signé Marie-Béatrice Baudet est consacré aux
recours que les travailleurs peuvent adresser à la Cour de
justice européenne de Luxembourg en cas de licenciement
injustifié ou de conditions de travail injustes et inéqui-
tables. Enfin, dans un article intitulé « Les droits de
l'homme frappent à la porte du libre-échange », des
juristes engagés déclarent que « le droit international ne
peut être subordonné au droit des affaires ». Rebondissant
sur les déclarations de Lionel Jospin dans son discours de
Rio, la Fédération internationale des droits de l'homme
dénonce « la schizophrénie des États ratifiant des traités
qu'ils s'empressent de violer [...]. Les mêmes États reconnaissent au sein de l'Organisation mondiale de la santé
que l'admission de tous les peuples aux connaissances
[...] médicales est essentielle pour atteindre le plus haut
degré de santé, et ils signent l'accord sur la propriété
intellectuelle au sein de l'Organisation mondiale du
commerce (OMC) qui limite l'accès aux médicaments
dans les pays en développement ». Philippe Texier, juge
à la Cour de cassation, confirme cette contradiction : « La
plupart des pays membres de ces institutions [celles de
Bretton Woods] ont ratifié le pacte de 1966 sur les droits
économiques et ils ne doivent pas l'oublier. Or certaines
obligations liées au plan d'aide du Fonds monétaire international sont totalement contraires au pacte. Un plan
d'ajustement structurel (ou PAS) par exemple se caractérise par des privatisations importantes, une réduction, très
souvent, des budgets sociaux, le paiement de la dette extérieure... Or nous constatons dans neuf cas sur dix, à travers les rapports que nous présentent les pays membres,
que ces plans ont pour conséquence de rendre plus vulnérables des populations déjà vulnérables. »

Effectivement, l'accord sur la propriété intellectuelle
au profit des firmes pharmaceutiques transnationales qui
détiennent les brevets imposé par l'OMC empêche les

pays du Sud de commercialiser des copies bon marché de médicaments indispensables. On sait que lors du sommet de l'OMC à Doha, en décembre 2001, suite à un mouvement d'opinion hostile aux firmes en procès contre l'Afrique du Sud à propos des remèdes contre le sida, une brèche a été ouverte dans le système. Pour autant, le problème n'est pas résolu dans son ensemble.

Dans le même temps, le démantèlement des systèmes publics de protection sociale (hôpitaux, dispensaires), exigé par les plans d'ajustement structurel au nom de la rigueur budgétaire, prive les plus démunis d'accès aux soins. Le résultat est le recul de l'espérance de vie que l'on observe ces dernières années en Afrique. En Zambie, par exemple, le taux de mortalité infantile a augmenté de 54 % au début de la décennie 90 [1].

Cette montée en puissance du souci de l'éthique est directement liée à la mondialisation et à la décomposition de la société moderne qui l'accompagne. L'omniprésence quasi obsessionnelle de ce thème dans les préoccupations contemporaines révèle précisément un déficit problématique d'éthique. Elle révèle l'urgence d'un *sursaut* (réarmement moral, renouveau, invention postmoderne, etc.), mais elle est ambiguë. D'une part, elle canalise les déficits du politique (crise du fonctionnement des démocraties) et de l'ordre mondial (« gouvernance » pour le moins chaotique) et les détourne vers un repli sur la sphère du privé, dont témoignent aussi bien la multiplication des sectes que l'adoption de chartes éthiques plus ou moins contraignantes par les entreprises. Dans ce sens-là, la montée de l'éthique contribue à vider un peu plus le politique de sa substance. Le débat médiatique, en effet, a tendance à se focaliser sur le divorce entre éthique et poli-

---

1. Voir J.-M. Harribey, *La Démence sénile du capital : fragments d'économie critique*, Éd. du Passant, 2002, p. 226.

tique. La revendication d'un retour de l'éthique dans la politique occupe le devant de la scène, sans conséquences concrètes. D'autre part, la mondialisation étant *économicisation* du monde, la question centrale est celle de la moralité de l'économie, c'est-à-dire de sa capacité à réaliser une justice planétaire. L'élimination de la morale de l'économie aboutit à son élimination de la vie sociale. Il n'y a alors plus d'instance pour dire la justice, ni auprès de qui protester contre l'injustice.

À Francfort, sur la place du Vieux-Marché, face à l'hôtel de ville et au palais impérial, à l'ombre désormais des tours arrogantes de la Commerzbank et de la Banque centrale européenne, on peut encore voir une statue de la justice. Il en est de même sur la place Saint-Marc à Venise et dans toutes les villes marchandes anciennes. La justice trônait au centre de la cité, parce que rendre justice à tous était considéré comme la condition même de l'ordre social et politique. Bien que cette justice fût trop souvent bafouée, c'était elle et non la banque qui était centrale, c'était elle et non le cours de la Bourse qui restait l'idéal et l'objectif des républiques urbaines. Le village planétaire, à l'inverse, est de plus en plus régi par la seule loi du marché. L'ORD (Organisation de règlement des différends à l'OMC) arbitre les plaintes pour entorse à cette loi, mais il n'y a pas de recours pour les victimes...

OÏCONOMIQUE ET CHRÉMATISTIQUE

La question éthique de l'économie est tout simplement de savoir si l'économie est une *bonne* chose. L'économie, c'est la vie économique, la division du travail, l'échange national et international, la spéculation boursière, le change des devises, la concurrence et la loi du marché, la croissance et l'exploitation effrénées des richesses natu-

relles et des capacités humaines, ou encore le développement illimité des forces productives. Est-ce que tout cela
participe du bien et contribue à la réalisation de la justice ?
Il existe une abondante littérature sur la question de
la moralité de l'économie[1]. Les réflexions sur ce thème
apparaissent dès l'émergence d'une classe particulière de
marchands, et donc dès l'autonomisation relative de la
circulation monétaire. La malédiction de l'argent, évoquée précédemment, cristallise les doutes quant à la
valeur morale de l'activité économique qui accompagne
le capitalisme, depuis son origine dans les cités marchandes italiennes ou flamandes jusqu'à ses développe-
ments actuels. Un examen, même superficiel, des textes
sur le sujet montre immédiatement que les condamnations
des aspects les plus financiers de la spéculation marchande l'emportent largement sur les jugements positifs.
Pour comprendre l'accusation d'immoralité adressée à
l'économie, il faut revenir à l'antique « malédiction » portée contre elle par Aristote. On sait que, pour embryon-
naire que soit à son époque l'activité économique, le
Stagirite condamne sous le nom de « chrématistique » ce
qui en constitue l'essence pour nous, c'est-à-dire la
recherche du profit grâce aux relations marchandes et à
travers elles. Le rapport d'échange *naturel* M-A-M (mar-
chandise-argent-marchandise), qui consiste à vendre ses
surplus pour acheter ce dont on a besoin, se corrompt en
rapport marchand A-M-A' – c'est-à-dire acheter le moins
cher possible pour revendre le plus cher possible et gagner
de l'argent grâce à l'intermédiation du commerce, et ce
renversement lui paraît éminemment condamnable, non
seulement parce que antinaturel, mais plus encore parce

---

1. On se limitera ici à une seule référence, le volumineux dossier intitulé « Éthique et économie. L'impossible (re)mariage ? », *Revue du
MAUSS*, La Découverte, n° 15, 1ᵉʳ semestre 2000.

que anticivique. Faire de l'argent avec de l'argent, directement par l'usure ou indirectement par l'échange, n'est pas seulement contraire à la fécondité des espèces, c'est un objectif inconciliable avec la poursuite du bien commun. Inéluctablement, en faisant commerce de denrées pour gagner de l'argent, on est détourné de la recherche du bien public, qui doit être la principale préoccupation du citoyen. Surtout, on est poussé à tromper le fournisseur et le client sur la qualité ou la valeur des biens, à profiter, le cas échéant, de leurs faiblesses et de leurs besoins, et donc à aller à l'encontre de la *philia*, cette « amitié » politique qui doit régner entre membres d'une même cité et qui en constitue le ciment. Un monde de *gagnants* (et de perdants...) n'est pas compatible avec la citoyenneté telle que l'entendaient les Anciens, encore moins avec l'*isonomia* (l'égalité) et, bien entendu, la justice.

Sans doute le bien d'Aristote n'est-il pas notre bien. Nous, modernes, n'avons plus le sens politique qui fondait son éthique. Nous exigeons, en particulier, infiniment plus de liberté privée. Il en résulte que, si le seul jeu des intérêts privés ne peut suffire à fonder la solidarité de la société (nationale ou autre), celle-ci exige un minimum d'altruisme et de bienveillance. Il ne peut être question d'en revenir à la cité d'Aristote. Il semble exclu de fonder le vivre ensemble des sociétés modernes sur l'exigence d'une sympathie particulière des citoyens entre eux. Toutefois, les idéaux du bien commun et de la justice restent tout de même les nôtres, et ce sont bien eux qui sont en cause dans le rapport marchand, qui concerne le rapport des hommes entre eux et le rapport de l'homme à la nature. Les sociétés modernes sont donc confrontées au défi de la coexistence des rapports marchands et de la justice. Cependant, depuis le XVIIIe siècle, l'économie s'est définitivement *émancipée* de la morale. Dès lors, la question ne devrait plus avoir lieu d'être posée. N'aspirant qu'à une rationalité instrumentale, la science économique ne serait qu'une *praxéologie* : une science du comportement et de l'action rationnelle.

Pure technique, l'économie, comme l'outil, ne serait selon cette vision des choses ni bonne ni mauvaise[1]. À l'instar de la médecine, avec laquelle elle partage plus d'un trait, l'économie soignerait bien ou mal le corps social suivant la compétence et la probité de celui qui la met en œuvre. Dans le cas présent, cette *neutralité éthique* de la science rejaillirait en quelque sorte sur sa mise en pratique concrète. Seulement, qui est le médecin dans ce cas ? Le savant dans son laboratoire, l'expert du gouvernement ou le capitaliste qui lance une entreprise ? La vie économique est dominée par la recherche de l'efficience dans la production et la satisfaction des besoins matériels, cela aussi bien de la part du consommateur que de celle de l'industriel qui combine les facteurs de production ou du financier qui fait travailler son portefeuille. Cette activité concrète quotidienne, elle aussi instrumentale, échapperait en elle-même à la morale, à la différence du reste de la pratique dans laquelle elle est enchâssée. Le mot d'ordre libéral du laisser-faire est de ce point de vue assez éloquent. Alors que toute action est assujettie à des lois et à des normes (respectées ou non, c'est une autre affaire...) et soumise par ailleurs au jugement de l'opinion publique, voire de la conscience même de l'acteur, selon le critère à géométrie variable du bien ou du mal, la vie économique ne connaîtrait que les lois du marché et les contraintes de la technique.

Les lois *ordinaires* traduisent dans le droit une volonté de contraindre les comportements dans le sens du minimum de justice que la société ou ses représentants consi-

---

1. « La théorie économique est conventionnellement a-morale, parce qu'elle repose sur une société naturelle d'individus égoïstes » (F.-R. Mahieu, *op. cit.*, p. 7).

dèrent comme conforme au bien de tous et de chacun.
Les « lois économiques », elles, se résument à la liberté
d'offrir et de demander. L'économie, selon ses « supporters », peut certes dévier vers le mal, et c'est l'économie
criminelle, mais plus généralement elle se déroule en
dehors de préoccupations éthiques. Les *affaires* comprises
au sens large, celles de la ménagère ou du labeur professionnel, ne sont *communément* ni véreuses, ni charitables.
Le consommateur qui achète les produits normalement en
vente dans le commerce n'entreprend pas un acte répréhensible, même s'il s'agit d'alcool, de cigarettes ou de
revues pornographiques. En revanche, il commet une
fraude s'il achète de la drogue clandestinement, et fait
acte de charité s'il va dans une boutique d'Artisans du
monde acheter du café Max Havelaar à un prix supérieur
au prix courant. De même, l'entrepreneur qui paie ses
ouvriers et ses employés régulièrement déclarés au tarif
en vigueur, achète et vend de manière transparente et
déclare au fisc ce qui doit l'être est à l'abri de tout reproche.
Les lois *ordinaires* définissent les frontières des délits et
des crimes ; tout ce qui n'est pas prohibé est donc licite. Si,
dans la tradition latine, il existe une zone grise entre ce qui
n'est pas explicitement défendu et ce qui est recomman-
dable, dans le monde anglo-saxon, est juste tout ce qui n'est
pas interdit. De plus, l'honnêteté, la probité sont des valeurs
sûres pour les marchands, elles conditionnent la confiance.
Il y a donc toutes chances, affirment les libéraux, pour que
la rigueur du calcul économique fasse pencher la balance
du bon côté. Bien sûr, par l'utilisation qui est faite de la
richesse, elle peut en outre servir à faire le bien. George
Soros se présente ainsi lui-même comme un spéculateur
milliardaire *et* philanthrope.

Il est même possible – au moins à la marge, nous y
reviendrons – de pratiquer l'économie de marché de
manière « alternative ». Les banques et la finance

éthiques, les CIGALEs (Clubs d'investisseurs pour une gestion alternative locale de l'épargne), le microcrédit, les entreprises sociales, voire écologiques ou solidaires, entendent prouver que les bonnes actions ne sont pas incompatibles avec les bonnes affaires. Et c'est quelquefois vrai. Cependant, les milieux d'affaires sérieux ne voient pas cela d'un bon œil. Le devoir de l'entreprise est de faire du profit, non du *social*. C'est un débat récurrent qui a opposé et oppose toujours les *purs* libéraux et les patrons chrétiens ou simplement humanistes. Les lois supposées impitoyables de la concurrence ne permettraient pas, selon les premiers, de faire du sentiment. Vouloir humaniser l'économie, la rendre solidaire ou équitable, pourrait laisser penser que l'économie *normale* n'est pas vraiment neutre, puisqu'il serait sous-entendu qu'elle pourrait par défaut se révéler asociale, inhumaine, non solidaire et inéquitable ! Et bien sûr polluante... Le juste est déjà satisfait par le respect des règlements en vigueur. À la limite, il pourrait l'être par le seul jeu des forces du marché sans aucune intervention de l'État, voire sans État du tout. Tant et si bien que, dans le même temps qu'on affiche sa *neutralité éthique*, on sous-entend plus ou moins lourdement que l'économie est bonne. C'est là la quadrature du cercle de l'économie libérale confrontée à la réalité. Ainsi, quand Claude Bebear, P-DG d'Axa à l'époque, décida de doubler unilatéralement les primes d'assurances pour les enfants handicapés, il évoqua la rigueur insensible de la loi du marché : « Je suis une compagnie d'assurances. Je fais des profits, je ne fais pas de solidarité [1]. » Toutefois, l'opinion publique lui rappela qu'il lui fallait démontrer que la mesure était bien

---

1. *Le Monde*, 18 février 2000, cité par P. Labarde et B. Maris, *Malheur aux vaincus : ah ! si les riches pouvaient rester entre riches*, Albin Michel, 2002, p. 43.

conforme à l'intérêt général. L'effet désastreux de cette décision sur l'image de marque de la compagnie le condamna bientôt à faire machine arrière. L'entreprise ne peut laisser croire qu'elle est inhumaine, sous peine de se mettre en péril.

BERNARD MANDEVILLE OU LE TOURNANT DE LA PHILOSOPHIE MORALE OCCIDENTALE

Pour comprendre cette position étonnante, ce privilège d'*extramoralité* de l'économie (et, en même temps, le paradoxe de sa « béatification »), il faut remonter au moment où se sont mises en place les conditions de l'institution du savoir économique comme science. Le premier acte de cette histoire est constitué par le tournant de Mandeville, le deuxième par le retournement smithien, le troisième par l'optimisation néoclassique. La crise éclate, peut-on dire, au XVIIe siècle, du côté du monde marchand puritain, avec Bernard Mandeville et sa célébrissime *Fable des abeilles*. La prospérité et la vertu sont pour cet auteur rigoureusement incompatibles : soit la ruche est prospère mais vicieuse, soit elle est vertueuse mais pauvre.

Même si l'on peut voir – à raison – chez Boisguilbert et ses inspirateurs jansénistes (Nicole et Arnauld) des précurseurs du libéralisme, de la main invisible, de l'harmonie naturelle des intérêts, et donc de la possibilité de concevoir l'optimum social en congédiant l'éthique – en l'occurrence les obligations morales de la cité chrétienne –, Bernard Mandeville représente bien le tournant de la philosophie morale et politique occidentale en portant à son paroxysme, dans sa vie et dans son œuvre, la tension entre exigence morale et bonheur terrestre [1]. L'ambi-

---

1. Sur la vie du personnage, se reporter à l'annexe 2. Voir aussi notre livre *L'Invenzione dell'economia*, Arianna Editrice, Bologne, 2001, chap. 3 : « L'idea di mercato da Boisguilbert ai fisiocratici ».

guïté extraordinaire du personnage et celle non moins problématique de son message expliquent sans doute le succès de scandale que son œuvre principale, *La Fable des abeilles*, a reçu. En dépit (et peut-être plus encore en raison) des malentendus qu'elle autorisait, cette œuvre constitue un moment décisif.

En poussant à l'extrême un augustinisme rationnel, Mandeville rend la morale chrétienne établie insoutenable, assurant ainsi, peut-être à son insu, la prospérité du vice. De là à le présenter comme un apologiste de ce vice particulier qu'est l'amour de soi bien compris, c'est-à-dire un égoïsme éclairé, il n'y a qu'un pas, qu'il est difficile de ne pas franchir.

L'augustinisme radical de Mandeville aboutit en effet à démontrer les infortunes terrestres de la vertu. L'homme déchu est totalement livré à l'esclavage et à la tyrannie de son amour-propre (d'ailleurs commun aux hommes et aux bêtes !). La recherche de son intérêt, de son plaisir, la satisfaction de ses passions passent avant toute autre considération, et en particulier avant la raison. Ses vertus ne sont le plus souvent que des vices déguisés, selon la leçon du maître de Mandeville, La Rochefoucauld. Dès lors, la morale établie, celles des bons sentiments à la Shaftesbury, n'est qu'un tissu de mensonges et d'hypocrisies. Le système d'Anthony de Shaftesbury (1671-1713), dit de la « sociabilité », reposant sur l'idée de l'existence d'un instinct moral (qui deviendra chez Smith la sympathie), ne suppose pas une abnégation de soi. Pour lui, en effet, « l'identification de l'intérêt privé et de l'intérêt général se fait spontanément, à l'intérieur de chaque conscience individuelle, par le fait du sentiment de sympathie qui nous intéresse immédiatement au bonheur de notre prochain : et c'est ce qu'on peut appeler le principe de fusion des intérêts[1] ». La vertu véritable, pour Mande-

---

1. E. Halévy, *La Formation du radicalisme philosophique*, PUF, t. 1, 1995, p. 22.

ville comme pour les augustiniens, exige au contraire une lutte impitoyable contre soi-même, et c'est de l'hypocrisie de considérer la mondanité comme vertueuse. La tyrannie des passions qui domine l'homme de Mandeville étant presque totale, sauf chez les natures d'exception, ce que l'on appelle communément « moralité » n'est pas du tout la maîtrise de ces passions par une raison quasi impuissante, mais leur équilibre « heureux », donc une falsification du produit.

La dénonciation des fausses vertus, thème favori des augustiniens, illustré par le frontispice de la première édition des *Maximes* de La Rochefoucauld – l'amour de la vérité arrachant le masque aimable d'un Sénèque horriblement grimaçant –, est aussi l'obsession du docteur diabolique *(man-devil)*. Il vilipende inlassablement la « rouerie », les stratagèmes secrets, la dissimulation, le travestissement des vices. Les ruses de l'amour-propre sont telles que le sujet peut de bonne foi ignorer les motifs *impurs* de ses bonnes actions et se leurrer lui-même. Ce que l'on peut espérer de mieux, finalement, pour l'humanité déchue, c'est que l'amour-propre soit « éclairé ». Chacun recherchant son intérêt égoïste, il peut s'ensuivre un bien-être collectif. Ce n'est pas pour me faire plaisir que le paysan, l'artisan et le commerçant cherchent à me procurer ce dont j'ai besoin au meilleur prix, c'est pour s'enrichir à mes dépens ; et j'ai intérêt à faire comme eux. Alors l'anarchie difforme et monstrueuse du jeu des passions débridées sera remplacée par un ordre naturel prospère et, somme toute, satisfaisant, même si la motivation des agents reste impure. « Une superstructure magnifique peut être édifiée sur des fondations pourries et indignes[1]. » Ainsi est assurée la prospérité de la ruche, c'est-à-dire « le plus grand bonheur pour le plus grand

---

1. B. Mandeville, *op. cit.*, t. 2, p. 60.

nombre » recherché par Francis Hutcheson, auteur de la formule qui deviendra le mot d'ordre de l'utilitarisme. Les Églises instituées, et au premier rang l'Église catholique romaine, sont les propagatrices intéressées de cette gigantesque escroquerie de la morale du semblant. La charité qu'elles prêchent et dont elles tirent profit n'est en réalité qu'une forme déguisée et subtile d'intérêt. Celui qui donne obéit à un calcul de vanité ou spécule sur l'au-delà. Finalement, pour Mandeville, cette morale « papiste » est tout simplement « la progéniture politique que la flatterie et l'orgueil ont engendrée à eux deux[1] ». La simulation est omniprésente. La traque de l'amour-propre implique celle de la fausse charité et la lutte contre l'assistance aux pauvres, mais on chercherait en vain dans ce système une place pour une *vraie* charité. Il faut laisser les pauvres subir les lois naturelles dans leur intérêt bien compris, et surtout se flatter de l'abondance d'enfants de pauvres méritants élevés dans la résignation, car ils sont « le plus grand et le plus étendu des bienfaits qui viennent de la société ». La dénonciation de l'hypocrisie, de la fausse charité, tourne ici à une nouvelle hypocrisie, qui consiste à feindre de faire le bonheur des miséreux en leur refusant toute assistance. Un extrait du dialogue d'Horace et Cléomène est significatif. Horace : « Rien, dit l'auteur, ne pousse les pauvres au travail que leurs besoins ; à ces besoins il est sage de subvenir, mais il serait fou de porter remède[2]. » Cléomène : « Je crois que cette maxime est juste, et qu'elle n'est pas moins faite pour le réel avantage des pauvres qu'elle ne l'est visiblement pour le bien des riches. Car parmi les travailleurs, ceux-là seront toujours les moins malheureux en soi, comme ils seront les plus utiles au bien public, qui, étant

---

1. *Ibid.*, p. 25.
2. Repris *ibid.*, t. 1, 1ʳᵉ partie, p. 213 et 280.

de naissance et d'éducation viles, se résigneront de bon cœur à leur situation, et, se contentant de voir leurs enfants leur succéder dans la même condition vile, les endurciront dès la petite enfance au travail et à la soumission, ainsi qu'à la nourriture et au vêtement le meilleur marché ; tandis que, au contraire, cette espèce de travailleurs sera toujours la moins utile aux autres et eux-mêmes seront les plus malheureux, qui, mécontents du travail qu'ils ont à faire, passent leur temps à murmurer et à se plaindre de la bassesse de leur condition, et qui, sous prétexte de prendre un vif intérêt au bien-être de leurs enfants, cherchent à les faire instruire par la charité des autres ; et on constate que, dans cette dernière classe de pauvres, la plupart sont des gens paresseux et ivrognes qui, menant eux-mêmes une vie de dérèglement, ne s'occupent pas de leur famille et ne demandent, autant qu'il est en eux, qu'à débarrasser leurs épaules du fardeau de fournir aux besoins de leurs marmots[1]. »

En outre, serait-elle possible, cette vertu aurait sur la vie matérielle des individus et des États les conséquences les plus fâcheuses. Un véritable désintéressement, un altruisme authentique, une charité chrétienne vraie fondée sur la renonciation à ses passions, en admettant même qu'ils puissent exister, seraient la ruine de l'industrie et du commerce. Le luxe péricliterait ; le chômage se développerait. Dans le meilleur des cas régnerait un équilibre frugal très spartiate. Le respect scrupuleux de l'éthique évangélique ne donne que « le contentement et l'honnêteté », mais pas l'abondance matérielle. Or à cela Mandeville ne semble pas vraiment se résigner...

En soulignant la prospérité naturelle du vice, tout particulièrement sous la forme de l'intérêt égoïste, Mandeville

---

1. Il poursuit : « Mais cette bienfaisance universelle qui partout enlèverait le travailleur indigent à sa bassesse ferait autant de mal à l'ensemble du royaume qu'en ferait un pouvoir tyrannique qui, sans raison, arracherait les riches à leur loisir et à leur opulence » (*ibid.*, t. 2, p. 287).

se fait le propagandiste *de facto* de ce qui sera la main invisible. L'opulence anglaise illustre parfaitement cette prospérité de l'égoïsme bien compris. La convoitise et la vanité en sont les ressorts. La division du travail rend chacun nécessaire à tous et constitue le lien social sous la seule contrainte de l'intérêt. Le paysan travaille pour le forgeron, le menuisier, le cordonnier ou le notaire dont il a besoin, et tous font de même pour lui. Si le gouvernement reste nécessaire, il devient quasi automatique une fois la « machine sociale » bien en place. Ce n'est pas seulement la recherche anxieuse du profit par des agents économiques égoïstes, calculateurs, mais respectueux des lois civiles qui est source de dynamisme économique, ce sont tout autant les vices les plus crapuleux, et jusqu'aux crimes. Ici se marque la *démesure* du démoniaque docteur qui embarrassera tant ses continuateurs libéraux, ne reconnaissant nulle frontière entre une économie « normale » et l'économie criminelle. L'ivrognerie et la débauche font marcher le commerce et l'industrie. Il n'est pas jusqu'aux meurtres qui n'aient leur utilité dans la perspective du bien-être matériel de la ruche. L'incendie de Londres, ce terrible fléau, n'a-t-il pas été à l'origine d'une expansion sans précédent de l'activité économique ?

Notre moraliste anticipe donc la conception marchande de la richesse et les paradoxes de la comptabilité nationale, selon lesquels faire et défaire, c'est toujours vendre et acheter, donc croître. Un critique moderne écrit : « Imagine un gigantesque incendie de forêt qui brûle des réserves considérables de bois précieux, rejette dans l'atmosphère d'énormes quantités de gaz carbonique responsable du réchauffement de la planète par effet de serre, prive des hommes de leur habitat et de leurs moyens de subsistance, provoque l'érosion des sols et détruit pour des décennies l'harmonie du paysage [...]. Au niveau économique, cette catastrophe aura contribué à un accroissement brutal du PNB (et donc censément à une élévation quantifiable de la richesse nationale) égal au coût des moyens de secours mis en œuvre : pompiers, personnels soignants, essence des véhicules d'intervention, reconstruction, entretien et renouvellement des matériels de lutte contre l'incendie, rémunération des employés des pompes funèbres... Plus il y aura de morts, plus le pays s'enrichira [1]. » Ce sont exactement les retombées qu'a eues le grand incendie de Londres, mais la dénonciation de ce scandale par Mandeville ne va pas du tout dans le sens de la critique de l'économie par les écologistes modernes. Il se garde bien de proposer une autre vision d'une société heureuse [2]. Il se contente d'une délectation cynique dans le constat de l'immoralité. Bien sûr, notre Machiavel de l'économie déplore hautement cette situation, mais l'objectivité scientifique oblige à constater que la « richesse des nations » obéit à d'autres lois que la morale des particuliers. Ne faut-il pas alors se résigner aux desseins insondables de la Providence ?

Le rapprochement avec les paradoxes développés à la même époque par Donatien Alphonse François, marquis de Sade, en particulier dans son livre *Justine ou les malheurs de la vertu*, s'impose. Pour Sade, on le sait, l'obéissance à la nature justifie toutes les passions et toutes leurs conséquences, fussent-elles criminelles. Tandis que Justine, se voulant vertueuse, connaît les pires avanies, Juliette, la débauchée cynique, se voit récompensée par toutes sortes de prospérités. Seulement, le divin marquis

---

1. H.-R. Martin, *La Mondialisation racontée à ceux qui la subissent*, Climats, 1999. p. 14-15.

2. « Une personne heureuse, note le même Hervé-René Martin, ne consomme pas d'antidépresseurs, ne consulte pas de psychiatres, ne tente pas de se suicider, ne casse pas les vitrines des magasins, n'achète pas à longueur de journée des objets aussi coûteux qu'inutiles, bref, ne participe que très faiblement à l'activité économique de la société » (*ibid.*, p. 15).

n'a que faire de justifier le désordre du marché, à la différence du diabolique petit-bourgeois. C'est le désordre du monde qui est magnifié par Sade en une sorte d'anarchoaristocratisme (comme on parle d'anarcho-capitalisme pour l'ultralibéralisme). Il n'y a pas pour lui d'harmonie naturelle des vices (ou des intérêts).

En vérité, quel que soit le degré, bien difficile à tester, de sincérité de Bernard Mandeville dans ses protestations vertueuses, l'Angleterre de son temps a déjà choisi, en attendant que ce choix soit ratifié par l'Occident dans son ensemble, puis par la planète entière à l'heure de la mondialisation... La réussite mondaine l'emporte sur les exigences de l'éthique. Il ne reste plus, conformément à la théorie de la simulation de Mandeville lui-même, qu'à habiller ce choix des oripeaux de la morale pour lui donner une allure acceptable et moins crapuleuse. C'est à ce travail que s'emploieront avec succès Francis Hutcheson, David Hume et Adam Smith. L'action qui procure « le plus grand bonheur » au « plus grand nombre de personnes », affirme le premier, ne peut être mauvaise. Si l'utilité est au fondement de la vertu, comment qualifier de vice ce qui est utile ? s'interroge le second dans son essai sur le raffinement dans les arts[1]. Enfin, noyant le *self-love* (l'amour de soi) dans l'eau de rose de la sympathie, Smith exclut habilement la morale de l'économie, tout en l'exaltant par ailleurs. Les affaires sont les affaires. L'homme scrupuleux peut s'y adonner sans crainte puisqu'il contribue ainsi à l'objectif éminemment moral du *bien commun* et qu'il lui reste toute la sphère de la vie privée pour déployer ses bons sentiments. « La doctrine d'Adam Smith, écrit Elie Halévy, c'est la doctrine de Mandeville exposée sous une forme non plus paradoxale et littéraire, mais rationnelle et scientifique[2]. » Toutefois,

---

1. D. Hume, *Sur le raffinement des arts* (1741).
2. E. Halévy, *op. cit.*, p. 114.

pour être habilement maquillé, le paradoxe n'en est pas moins au cœur de ce fondement de l'économie.

LE RENVERSEMENT DES VALEURS : DOCTEUR ADAM ET MISTER SMITH

Comment réussir à déconnecter le *business* de la morale ? Tel est le défi posé à l'économie politique naissante et, à travers elle, au capitalisme triomphant. Adam Smith va s'y employer avec succès grâce à deux artifices : premièrement, séparer arbitrairement une sphère « privée », domaine de la vie morale, et une sphère économique (c'est l'objet de la *Théorie des sentiments moraux* de 1759) ; deuxièmement, exonérer la sphère économique du soupçon d'immoralité en montrant que la poursuite de l'intérêt personnel engendre normalement le bien commun à travers la main invisible (c'est l'objet de *Recherches sur les causes et la nature de la richesse des nations* de 1776).

Il y a en effet chez Adam Smith une scission entre le domaine de la morale et celui de l'économie, voire un double étalon moral fondé sur l'ambiguïté de l'amour de soi, au point qu'on a pu opposer ses deux personnalités, celle du moraliste et celle de l'économiste. « L'amour de soi est un principe qui ne peut jamais être vertueux, à quelque degré qu'il se trouve, et quelque direction qu'il donne à nos actions. Il devient vicieux quand il devient contraire au bien général. Tant qu'il n'a d'autre effet que d'inspirer à chaque homme le soin de son propre bonheur, il est purement innocent[1]. » L'économie, dominée par

---

1. A. Smith, *Théorie des sentiments moraux*, t. 2, part. VII, sect. II, chap. 3, Barrois l'Aîné, 1830, p. 181-182. (Par la suite, nous désignerons cet ouvrage par *TSM.*)

l'*innocent* souci de soi, est ainsi hors morale (hors la *vraie* morale, en tout cas) [1].

Dans le domaine de la vie domestique ou privée, en revanche, en dehors de l'activité productive et marchande, règne la *vraie* morale, fondée sur la sympathie et exaltant les valeurs traditionnelles du désintéressement. Cette morale *naturelle* doit être encouragée par le sage législateur et renforcée par les enseignements de la religion. Toutefois, ces derniers ne doivent pas non plus perturber l'ordre naturel, c'est-à-dire le commerce et les activités marchandes (l'attaque vise en particulier le catholicisme, qui persiste à prohiber le prêt à intérêt et à vouloir réglementer les prix et les salaires, imposer des jours fériés et chômés, au nom de la morale). Comme dans le domaine des affaires règne un autre étalon de valeurs, la justice, même issue de la morale de la sympathie, ne doit pas se mêler des affaires de l'économie.

Cette position était intenable et n'a pas été tenue. D'abord, la mondialisation la fait voler en éclats en mar-

---

1. Ce renversement est bien décrit par A.O. Hirschman : « La littérature du XVIIᵉ siècle abonde en ouvrages qui traitent des passions humaines, mais l'avarice y est toujours jugée "la plus infâme de toutes", et nulle part ne s'y dessine la moindre velléité de disputer à l'appât du lucre le premier rang qu'il occupe, parmi les péchés capitaux, depuis la fin du Moyen Âge. Or à peine l'a-t-on baptisé "intérêt" que l'amassage de l'argent, rentré sous cette étiquette dans la compétition avec les autres passions, se voit couvert de fleurs et même appelé à combattre des penchants longtemps considérés comme bien moins coupables » (*Les Passions et les Intérêts : justifications politiques du capitalisme avant son apogée*, PUF, 1980, p. 42). Il poursuit : « Pour s'expliquer un tel renversement, il ne semble pas qu'on puisse se contenter d'alléguer que l'emploi d'un terme nouveau, relativement neutre et inexpressif, a permis d'effacer ou d'atténuer l'opprobre qui s'attachait aux appellations traditionnelles. La démonstration faite ici apporte un argument plus probant, à savoir qu'à l'époque considérée le terme "intérêt" comporte en fait – et confère du même coup à l'activité lucrative – un sens *positif* et *curatif* qu'il doit à son association intime et toute récente avec l'idée d'adopter des méthodes plus éclairées dans la conduite des affaires tant privées que publiques » (*ibid.*).

chandisant absolument tout. Ensuite, elle condamnait les
agents à un véritable dédoublement de personnalité. C'est
ce que note finement Philippe Chanial : « Affirmer que
les individus agissent selon un certain système de motivations lorsqu'ils prennent des décisions de nature morale
et selon un autre lorsqu'ils décident sur un marché
conduirait à adopter un postulat schizophrénique sur le
comportement humain, tantôt altruiste, sensible au bien
d'autrui, voire au bien commun, tantôt fondamentalement
égoïste et orienté exclusivement vers la maximisation de
leur bien-être[1]. » Important l'hypothèse de l'*Homo œconomicus* dans la totalité du champ social, les ultralibéraux
à la Buchanan et autres Becker ont au moins le mérite de
restituer sa cohérence au comportement[2].

Pour Smith, les affaires économiques obéissent aussi à
un ordre spontané, mais d'une autre nature : il est fondé
sur l'utile. Les activités économiques ont donc *leur* justice, d'un ordre « objectif » qui échappe aux sentiments
moraux et que la sagesse et la prudence commandent de
ne pas troubler. Dans le fond, l'utilité collective, l'intérêt
du public tiennent lieu de morale dans le domaine *matériel*. « Personne n'a jamais douté que ce qui tend au bonheur du genre humain ne fût moralement bon[3]. »
Aphorisme osé et abusif qui justifierait toutes les exac-
tions et fraudes, dont les résultats s'avéreraient béné-
fiques en fin de compte. Seulement, comme l'économie
est « l'essence même de la modernité[4] », c'est le monde
de l'économie qui tend à occuper tout l'espace et à élimi-

---

1. P. Chanial, *Justice, don et association : la délicate essence de la
démocratie*, La Découverte, 2001, p. 51.
2. James Buchanan et Gary Becker ont tous deux obtenu un prix Nobel
d'économie pour avoir étendu le calcul économique à la totalité des activités et des comportements humains.
3. A. Smith, *TSM*, p. 180.
4. J.-P. Dupuy, *Le Sacrifice et l'Envie : le libéralisme aux prises avec
la justice sociale*, Calmann-Lévy, 1992, p. 11.

ner de ce fait toute vie morale au sens de la *Théorie des sentiments moraux*. Dans l'univers déjà mondialisé de Smith, les détenteurs de capitaux échappent ainsi à toute régulation et à toute loi. Le laisser-faire, autre nom de la loi de la jungle, devient l'ordre naturel juste. « Le propriétaire des fonds est proprement un citoyen du monde, écrit-il, et n'est pas nécessairement attaché à un pays particulier. Il aurait tendance à abandonner le pays où il serait exposé à des investigations vexatoires pour le charger d'un impôt écrasant, et il déplacerait ses fonds dans quelque autre pays où il pourrait faire ses affaires ou jouir de sa fortune plus à son aise. En déplaçant ses fonds, il mettrait fin à toute l'industrie qu'il avait entretenue dans le pays qu'il a quitté. Ce sont les fonds qui cultivent la terre, qui emploient le travail. Un impôt qui tendrait à les faire quitter un pays particulier tendrait fort à tarir toutes les sources de revenu, tant du souverain que de la société. Leur déplacement diminuerait nécessairement plus ou moins non seulement les profits des fonds, mais encore la rente de la terre et le salaire du travail[1]. » On reconnaît là précisément le comportement discutable et discuté des Danone et autres Marks & Spencer, qui ferment une usine ici pour en ouvrir une autre là, sans s'embarrasser outre mesure du destin des « licenciés » ni de l'impact de cette décision sur la vie locale ; et cela sans que les pertes soient avérées, mais simplement en fonction de marges de profit ou même des réactions du CAC 40 (l'indice boursier). Mais, pour Smith comme pour les partisans de la mondialisation heureuse, il est illusoire de vouloir *moraliser* le monde des affaires, dans le sens de la morale de la vie privée.

---

1. A. Smith, *Enquête sur la nature et les causes de la richesse des nations*, livre V, chap. II, PUF, 1995, p. 958. (Sauf indications contraires, nos citations renvoient à cette édition, avec une traduction due à Paulette Taïeb, et nous la désignerons par la suite par *RDN*.)

Aussi, la *Richesse des nations* a été retenue, non sans raisons, comme le livre fondateur de l'économie politique, sinon de la science économique, et cela en dépit des efforts de son auteur même pour ancrer la vie morale hors des intérêts économiques, dans la *sympathie*[1]. La *tradition* économique anglo-saxonne a fait preuve d'un instinct sûr en se revendiquant de Mister Smith, l'économiste, oubliant au passage les élucubrations du moraliste Docteur Adam... C'est que, si l'analyse proprement économique est en effet incertaine (théorie des prix très floue, théorie du commerce international sommaire, distinction embrouillée entre travail productif et improductif, etc.), la métaphysique propre à la vision *économiciste* du monde n'est nulle part exposée avec tant d'assurance, ni telle qu'on la retrouve aujourd'hui d'une part chez les tenants de l'ultralibéralisme économique comme Milton Friedman ou Friedrich Hayek, d'autre part dans les philosophies sous-jacentes aux plaidoyers pour la mondialisation des marchés (*Reaganeconomics*, thatchérisme et leurs séquelles), à savoir : l'affirmation d'un ordre spontané, la croyance en la main invisible – l'*invisible hand* devenue la *hidden hand* des manuels américains – et ses conséquences libertariennes : libre-échange total, concurrence absolue, flexibilité sans limite des salaires, État minimal.

---

1. Cette fondation est à bien des égards paradoxale. Dans un essai brillant, Murray Rothbard, le chef de file des libertariens ou anarcho-capitalistes, a montré qu'avec sa théorie de la valeur-travail et son moralisme récurrent Adam Smith avait plutôt fait régresser la science économique et représentait un véritable recul par rapport à Richard Cantillon, aux sensualistes français comme Étienne Bonnet de Condillac, et surtout par rapport au physiocrate dissident Anne Robert Jacques Turgot. M. Rothbard, *An Austrian Perspective on the History of Economic Thought*, t. 1 : *Economic Thought before Adam Smith,* Aldershot, Edward Elgar, 1995. Voir aussi P. Simonnot, « Un désastre nommé Adam Smith », *Le Monde*, 23 mai 1996.

L'expression « main invisible » ne se trouve qu'une fois dans la *Richesse des nations*[1]. Mais le thème est récurrent dans toute l'œuvre, et on la rencontre déjà dans la *Théorie des sentiments moraux* et dans les écrits antérieurs. Il s'agit, en effet, de la croyance en un *ordre social naturel* (sujet largement développé par les physiocrates et à l'origine de leur slogan du « laisser-faire »), mais fondé sur une vision individualiste de la société. Autrement dit, ce qui est postulé n'est autre qu'une *harmonie naturelle des intérêts particuliers*. De ce point de vue, le passage le plus important de la *Richesse des nations* est sans conteste le très célèbre apologue du boucher, du boulanger et du brasseur, et cela bien que l'expression « main invisible » n'y soit pas utilisée. En revanche, le *self-love*, le souci de soi, y occupe une place centrale, puisque c'est à lui et non à la bienveillance de mes fournisseurs que je dois de faire un bon repas[2].

Il y a ainsi deux volets dans le thème de la « main invisible » : celui de l'*ordre social naturel* et celui de la concordance des intérêts particuliers. Le premier trouve sa source dans l'*epistêmê* de l'époque. Empiristes et rationalistes se rejoignent autour d'une vision *mécaniste* du monde : c'est la grande *machine*. L'univers est une gigantesque horloge avec des rouages et des ressorts. On connaît la fameuse réplique de Laplace à Napoléon l'interpellant sur le rôle de Dieu dans son système : « Sire, je n'ai pas eu besoin de cette hypothèse. » Tout est là ! Grand architecte ou grand horloger, Dieu – ou la Providence – n'a nul besoin de se mêler de la Création une fois

---

1. Livre IV, chap. II, *op. cit.*, p. 513.

2. « Ce n'est pas de la bienveillance du boucher, du brasseur ou du boulanger que nous attendons notre dîner, mais du souci qu'ils ont de leur propre intérêt. Nous ne nous adressons pas à leur humanité, mais à leur amour-propre, et nous ne leur parlons jamais de nos propres besoins, mais de leurs avantages » (A. Smith, *RDN*, livre I, chap. II, p. 16).

les ressorts montés. On trouve des antécédents anciens à cette vision, en particulier chez les philosophes stoïciens. Il semble d'ailleurs que ce soit à Cicéron (*De divinatione*, livre II) qu'Adam Smith ait emprunté l'expression « main invisible de Jupiter », utilisée dans son traité d'astronomie et constituant la première occurrence du thème dans son œuvre [1]. Au XVIIIe siècle, l'idée d'un ordre naturel est partagée quasiment par tous.

Pourquoi la société y échapperait-elle ? L'homme, même raisonnable, n'est-il pas d'abord un animal ? Or l'animal, selon Descartes, assez largement suivi, n'est qu'une machine. La Mettrie n'aura guère de mal à étendre cette vision d'un animal-machine à l'homme lui-même [2]. Vaucanson, avec ses automates, proposera des illustrations qui fascineront ses contemporains. « On veut que l'univers ne soit en grand que ce qu'une montre est en petit, déclare Fontenelle, exposant la conception cartésienne, et que tout s'y conduise par des mouvements réglés, qui dépendent de l'arrangement des parties [3]. » Adam Smith affectionne particulièrement la métaphore de la machine sociale : « Comment on peut faire pour que tous les ressorts de la machine du gouvernement agissent avec plus de souplesse et d'harmonie, sans se heurter les uns les autres, et sans se nuire mutuellement dans leurs mouvements [...]. Mettre en mouvement une machine si complète et si bien ordonnée [4]. » Voilà ce à quoi se résume l'art de la politique, dont l'économie est le noyau à l'époque moderne.

---

1. Id., « The history of astronomy », in *Essays on Philosophical Subjects*, Oxford, Clarendon Press, 1980, p. 33-105. Voir aussi A. Macfie, « The invisible hand of Jupiter », *Journal of the History of Ideas*, n° 4, 1971. Cf. A.M. Iacono, *Tra individui e cose*, Rome, Manifestolibri, 1995, p. 74 et suiv.

2. J.O. de La Mettrie, *L'Homme-Machine* (1737).

3. B. Le Bovier de Fontenelle, *Entretiens sur la pluralité des mondes habités* (1686), p. 51.

4. A. Smith, *TSM*, t. 1, part. IV, chap. 2, p. 344.

Et puis, ajouteront les non-cartésiens, est-il si raisonnable que cela, cet homme ? Pascal en doute. Les moralistes augustiniens, dont Adam Smith se fait l'écho, voient plutôt en lui le *jouet* des passions. Ainsi, le monde social n'attend plus que son Galilée et son Newton[1]. La force de gravitation de l'univers social, ou le ressort de la mécanique politique qui détermine les lois du mouvement social, n'est autre que l'intérêt. Il est la force motrice des atomes sociaux que sont les individus isolés. Il ne peut en effet se comprendre, se percevoir et s'évaluer qu'à partir de l'individu.

De là l'importance du deuxième volet du thème de la main invisible : la concordance des intérêts particuliers. Chez les physiocrates, il fallait encore un despote éclairé pour présider au bon fonctionnement de la machine. Le grand perfectionnement apporté par Adam Smith réside précisément dans l'octroi d'une totale autonomie aux différents rouages. Ceux-ci sont mis en mouvement par cette force *naturelle* dont chacun est doté : l'intérêt. Smith signale son apport précis sur ce point : « M. Quesnay, qui était lui-même médecin, et un médecin très spéculatif [...], ne semble pas avoir pensé que dans le corps politique, l'effort naturel que fait constamment chaque homme pour améliorer sa propre condition est un principe de conservation capable de prévenir et de corriger à bien des égards les mauvais effets d'une économie politique dans une certaine mesure à la fois partiale et oppressive[2]. » On reconnaît là les attaques contre le « système mercantile » de ses prédécesseurs qui, tel Colbert, préconisaient l'intervention de l'État et un protectionnisme offensif – attaques qui seront renouvelées par les libéraux jusqu'aux actuels

---

1. « L'inspiration mécaniste et l'inspiration janséniste ne s'excluent pas, bien au contraire », note G. Faccarello dans *Pierre de Boisguilbert : aux origines de l'économie politique libérale*, Anthropos, 1987, p. 86.
2. A. Smith, *RDN*, livre IV, chap. VIII, p. 769.

partisans de la mondialisation heureuse. Si l'on présuppose une société naturellement individualiste, une association contractuelle à but lucratif d'atomes individuels, le libre jeu des intérêts particuliers engendre le bien-être de tous – et, pour tout dire, l'objectif même des utilitaristes : le plus grand bonheur pour le plus grand nombre. La concurrence, qui au XIXe siècle trouvera son fondement naturaliste dans la loi de la jungle (la concurrence des espèces de Darwin), est élevée au rang de providence. Ce point de vue révolutionnaire n'est nouveau que par sa radicalité. Il est l'aboutissement de la réflexion ancienne des moralistes sur l'équilibre des passions, laquelle trouve son origine chez saint Augustin[1]. Le coup de force de Smith, c'est d'affirmer qu'une seule passion rassemble toutes les autres et les domine : l'intérêt. L'intérêt smithien est la version matérielle et quasiment monétaire de l'amour-propre *(self-love)* des moralistes. Il est quantifiable, évaluable, calculable, monnayable et, pour tout dire, *ontologiquement* économique (et non par accident). La meilleure politique, c'est bien le laisser-faire ; elle seule est conforme à la justice. « La loi devrait toujours confier aux gens le soin de leur propre intérêt, puisque dans leur situation locale ils sont généralement capables de mieux en juger que le législateur ne le peut[2]. » C'est

---

1. Voir nos articles « Utilitarisme noble et anti-utilitarisme des nobles : l'ambiguïté du duc de La Rochefoucauld », *Revue du MAUSS*, La Découverte, n° 6, 1995, et « Augustinisme et utilitarisme : le retournement éthique de l'*amor sui* », colloque de Lille des 25 et 26 janvier 1996 (actes à paraître).

2. A. Smith, *RDN*, livre IV, chap. V, p. 600. L'originalité d'Adam Smith n'est pas tant dans ce coup de force, car celui-ci avait été largement préparé avant lui, et tout particulièrement par Helvétius, mais dans la fusion entre cette vision proprement utilitariste et la problématique de l'*ordre social naturel*. Déjà, l'ordre collectif, selon Adam Fergusson, cité et repris par Friedrich Hayek dans sa conception de l'ordre spontané, est « le résultat de l'action des hommes mais non de leurs desseins » (J.-P. Dupuy, *op. cit.*, p. 16).

ainsi que, de fil en aiguille, on aboutit à la déréglementation de l'aviation civile par Reagan, à la privatisation des chemins de fer britanniques par Thatcher, et aux catastrophes aériennes et ferroviaires subséquentes...

Anticipant même le grand mythe contemporain du développement pour tous, Adam Smith règle la question sociale par un *trickle down effect*, appelé aussi « effet de percolation » ou « effet de retombées », dû à la main invisible. « Et tous ceux qui satisfont à ses plaisirs et à son luxe [ceux du riche] tirent de lui cette portion de choses nécessaires à la vie qu'ils auraient en vain attendues de son humanité ou de sa justice. [...] Une main invisible semble les forcer à concourir à la même distribution des choses nécessaires à la vie qui aurait eu lieu si la terre eût été donnée en partage[1]. »

Les lois morales (règles de conduite) sont comme les lois juridiques destinées à régler la conduite des sujets, mais pas en matière économique, domaine où la convenance coïncide exactement avec le laisser-faire... Dans tout cela, c'est de convenances qu'il s'agit, des convenances qu'il faut respecter dans la vie sociale, tandis que les convenances de la vie des affaires exigent la stricte économie, c'est-à-dire le calcul des intérêts sans souci d'une quelconque moralité. En effet, « un négociant est regardé par ses associés comme un imbécile, lorsqu'il ne se remue pas pour faire ce qu'on appelle un *bon coup*, ou pour obtenir quelque gain extraordinaire. C'est cette adresse et cette activité qui distinguent l'homme capable et entreprenant de celui qui ne l'est pas[2] ». Le jeune Franck Riboud, en fermant une usine Danone pas très rentable pour faire grimper le cours des actions, se révèle un habile homme. S'il s'était abstenu par souci du bien

---

1. *TSM*, t. 1, part. IV, chap. 1, p. 340.
2. *Ibid.*, p. 318.

commun, il aurait été un incapable sanctionné comme tel par les actionnaires.

Le résultat de la manœuvre smithienne est de renverser en quelque sorte la charge de la preuve et de bouleverser le poids du soupçon. Gagner de l'argent par le commerce au sens large (y compris l'industrie et la spéculation) n'a rien d'immoral, sauf preuve du contraire (dérive criminelle, trafic notoirement réprouvé, tricherie...). Ainsi, avec Smith, à la suite du jansénisme et du piétisme augustinien, il s'est produit dans le rapport de la morale avec la théorie économique un *renversement* comparable à celui qui s'est produit un ou deux siècles auparavant entre protestantisme et capitalisme[1]. La justice dans l'échange et le commerce se trouve en même temps affirmée et évacuée. Cette double conclusion, contradictoire parce que excessive, fait problème. Toutefois, elle se trouvera encore renforcée avec l'optimum des néoclassiques.

L'INSOUTENABLE CONTRADICTION DE LA NEUTRALITÉ ÉTHIQUE DE LA SCIENCE ÉCONOMIQUE : LA TENTATIVE POUR SORTIR DE L'APORIE

La théorie économique se fonde donc sur l'indifférence éthique. Et c'est ainsi que le débat sur le luxe, porté par

---

1. Les analyses de Max Weber, souvent déformées jusqu'à la caricature, montraient bien que le développement du capitalisme n'était pas le résultat du protestantisme. Luther, en particulier, s'oppose fortement au monde marchand, à l'argent et à l'intérêt. Même dans sa version calviniste et puritaine, le protestantisme vise la construction d'une Jérusalem terrestre, non d'un consortium industriel... C'est la torsion due à une sécularisation de l'éthique puritaine qui engendre l'esprit du capitalisme. L'abandon du projet religieux entraîne une laïcisation et une profanation des valeurs du renoncement aux jouissances et de l'inquiétude du salut au profit de l'épargne à investir et du travail productif. Le renversement du pessimisme augustinien en optimisme de l'optimum économique produit dans la théorie quelque chose de comparable.

la philosophie morale, disparaît au xixe siècle avec la domination de l'idéologie économique. L'inutile, le super-flu, le luxe se trouvent recyclés dans des fonctions de préférence individuelle et n'expriment finalement que du plus ou moins utile. C'est l'apothéose de la morale utilita-riste selon laquelle l'utilité se mesure en référence à la conséquence des actions, et non à l'intention préalable. Le jugement moral ou la délibération politique deviennent étrangers aux préoccupations des économistes.

La prétention arrogante du marché mondial à réaliser le bien commun, et donc à accomplir une mission éthique, est-elle définitivement jugée ? On a pu le penser après la brillante démonstration de Smith et de l'économie poli-tique triomphante. Pourtant, rien n'est moins sûr. D'une part parce que les faits sont têtus, et d'autre part parce que, à vouloir trop prouver, on détruit la force de la démonstration. La montée du chômage et de l'exclusion au cœur même des pays riches, l'accroissement de l'iné-galité mais aussi l'augmentation de la violence, de la corruption, de la pollution et des destructions de l'envi-ronnement concomitantes à la « globalisation » des marchés amènent à s'interroger et à réexaminer sur de nouvelles bases la validité de la théorie de la neutralité morale de l'économie. Pour que celle-ci soit crédible, il faut non seulement que l'harmonie des intérêts soit posée en dogme, mais qu'elle se vérifie dans les faits.

Dans la fable smithienne du boucher, du brasseur et du boulanger, qui fournira le repas au chômeur, au clochard, à l'exclu social ? S'il s'adresse au *self-love* des riches, à leur amour de soi, le pauvre diable devra se proposer de laver leur voiture pour une pièce qui n'assurera peut-être même pas sa subsistance, et sûrement pas celle de sa famille, s'il a commis l'impertinence d'en fonder une... Aura-t-il plus de chance en s'adressant à leur sentiment de fraternité humaine ? Rien n'est moins sûr. « Il n'est personne, si ce n'est un mendiant, ajoute Smith après l'histoire du boucher, pour dépendre principalement de la bienveillance de ses concitoyens[1].» Et comment, si les emplois précaires procurent à tous des revenus au-dessous du seuil de pauvreté, y aurait-il encore de la place pour la bienveillance ?

Ainsi, dans l'un comme dans l'autre cas, notre homme sera au mieux un RMIste (assisté par le revenu minimum d'insertion), délégitimé socialement, exclu des formes de la socialité normale. Les libertariens seuls, ces intégristes du libéralisme économique, ont l'aplomb d'affirmer que de tels chômeurs sont volontaires et que leur existence n'entame pas le dogme de l'harmonie des intérêts, puisqu'il s'agit d'un dogme... On aurait toujours affaire à une préférence pour le loisir ou à un calcul pour une formation rentable. « On devrait se féliciter de la croissance du taux de non-travail (ce qu'on désigne en général par le terme à contenu émotif "chômage"), écrit ainsi le professeur Pascal Salin, dans la mesure où il correspond à un investissement, c'est-à-dire à une décision des individus de gagner moins (donc de consommer moins) maintenant, de manière à gagner plus dans le futur [...]. Tout investissement, en effet, représente le sacrifice d'une consommation présente de manière à pouvoir consommer plus dans le futur[2]. »

---

1. La traduction de P. Taïeb est : « Il n'y a qu'un mendiant pour choisir de dépendre principalement de la bienveillance de ses concitoyens » (A. Smith, *RDN*, livre I, p. 16).
2. P. Salin, « Pourquoi le chômage ? », *L'Économie*, n° 1373, 9 avril 1979. « Vu sous cet angle, écrit Joseph Stiglitz, le chômage de la grande crise des années 30, quand une personne sur quatre était sans emploi, a dû résulter d'un désir irrépressible de loisirs [...], et découvrir pourquoi ceux qui en jouissaient avaient l'air si tristes, voilà un beau sujet pour les psychologues, mais, selon le modèle standard, ces questions ne relèvent pas du champ de l'économie » (J.E. Stiglitz, *La Grande Désillusion*, Fayard, 2002, p. 64).

En outre, la concurrence et le marché, qui, dans la logique de la main invisible, nous fourniraient notre dîner aux meilleures conditions, ont des effets désastreux sur l'environnement. Rien ne vient naturellement limiter le pillage des richesses naturelles, dont la gratuité permet d'abaisser les coûts, ni restreindre les rejets polluants qui permettent de reporter la charge sur la collectivité (externalisation). L'ordre naturel n'a pas davantage sauvé le dodo de l'île Maurice ou les baleines bleues que les Fuégiens (habitants de la Terre de Feu). Seule l'incroyable fécondité naturelle des morues risque de leur épargner le sort des baleines ! Le pillage des fonds marins et des ressources halieutiques semble irréversible. Certains experts de la Banque mondiale se réjouissent de la disparition de ces ressources non produites : l'humanité, en remplaçant la prédation des ressources naturelles par la production industrielle de substituts (en l'occurrence l'élevage massif de télapia par aquaculture), sortirait enfin de la préhistoire... Le gaspillage des minéraux se poursuit de façon irresponsable. Les chercheurs d'or individuels, comme les *garimpeiros* d'Amazonie ou les grosses sociétés australiennes en Nouvelle-Guinée, ne reculent devant rien pour se procurer l'objet de leur convoitise ; dans notre système, tout capitaliste, et même tout *Homo œconomicus,* est une espèce de chercheur d'or. Cette exploitation n'est pas moins violente ni dangereuse quand il s'agit de « fourguer » nos ordures et nos déchets solides, liquides et gazeux dans la nature, alors transformée en poubelle. L'accaparement de la nature par les pays riches atteint des degrés insupportables en privant les autres pays et leurs habitants de leur *juste part.* La privatisation du vivant est l'ultime étape du processus de monopolisation des « biens naturels ».

Il n'est pas excessif de penser que les pays du Nord ont accumulé une dette écologique énorme envers ceux du Sud. Si l'on prend en effet comme indice du « poids » environnemental de notre mode de vie son « empreinte » écologique en superficie terrestre nécessaire, on obtient des résultats insoutenables tant du point de vue de l'équité en matière de droits à puiser dans la nature que du point de vue de la capacité de régénération de la biosphère. En prenant en compte les besoins de matériaux et d'énergie, ceux requis pour absorber déchets et rejets de la production et de la consommation, et en y ajoutant l'impact de l'habitat et des infrastructures nécessaires, les chercheurs travaillant pour le World Wide Fund (WWF) ont calculé que l'espace bioproductif par tête de l'humanité était de 1,8 hectare. Or un citoyen des États-Unis « consomme » en moyenne 9,6 hectares, un Canadien 7,2, un Européen moyen 4,5. On est donc très loin de l'égalité planétaire, et plus loin encore d'un mode de civilisation durable, qui nécessiterait de se limiter à 1,4 hectare par personne, en admettant que la population actuelle reste stable [1]. On peut discuter ces chiffres, mais ils sont malheureusement confirmés par un nombre considérable d'indices. Par exemple, pour que l'élevage intensif fonctionne en Europe, il faut qu'une surface équivalant à sept fois celle de ce continent soit employée dans d'autres pays à ce que l'on appelle des « cultures en coulisses », c'est-à-dire à produire l'alimentation nécessaire aux animaux ainsi élevés sur un mode industriel [2]. Les rapports de consommation comparée d'énergie et de rejets de gaz à effet de serre sont encore plus flagrants. Les économistes passent le plus souvent la question sous silence, mais peu ont le front de soutenir que l'ordre écologique mondial engendré par l'économie libérale est équitable.

---

1. G. Bologna (dir.), *Italia capace di futuro*, Bologne, WWF-EMI, 2001, p. 86-88.
2. V. Shiva, *Le Terrorisme alimentaire : comment les multinationales affament le tiers-monde*, Fayard, 2001, p. 97.

Il faut donc revisiter l'éthique implicite de l'économie. Derrière l'apparente neutralité *axiologique*, celle-ci dévoile son imposture à un *double* niveau : celui de l'appréhension de la « réalité » comme économique à travers l'appareil conceptuel, et celui du « préjugé » sur cette *réalité*[1]. Dans le premier cas, l'appareil conceptuel issu du champ sémantique constitutif de l'économique (« besoin », « rareté », « utilité », « valeur », « production », « travail », etc.) met en place tout un imaginaire et transforme insidieusement le jugement de fait en jugement de valeur. Ces concepts, en effet, ne sont pas donnés par une réalité « naturelle », ils ne sont pas purement et simplement descriptifs d'un état de choses qui irait de soi. Ils ne font sens que sur la base de présupposés naturalistes, hédonistes et individualistes issus des Lumières[2]. Un vieux proverbe dit que, quand on a un marteau en tête, on voit tous les problèmes sous forme de clous. Les hommes modernes se sont mis un marteau dans la tête, et c'est l'économique. Toutes nos préoccupations, toutes nos activités, tous les événements sont vus à travers le prisme de l'économique. Autrement dit, la « réalité » est déjà perçue à travers une certaine interprétation – économique – du monde, qui ne manque ni de grandeur, ni de pertinence, mais qui est tout à fait contestable et discutable. Pourtant, les économistes en concluent que la réalité économique, pourvu qu'elle soit le résultat du libre jeu des seules forces économiques, est la plus *efficiente*, c'est-à-dire représente la construction du meilleur des mondes possibles.

Cette conclusion est renforcée par le deuxième volet de l'artifice économiste, qui consiste non seulement dans la construction d'une sphère autoréférentielle de concepts

---

1. Voir notre article « Éthique et esprit scientifique », *L'Homme et la Société*, vol. 2, n° 84, 1987.
2. Voir l'annexe 3.

vides, mais dans le *préjugé* moral positif imposé à cette réalité. Il s'agit là d'un glissement plus insidieux encore selon lequel l'efficience s'identifie au bien (Efficience = Avoir = Bonheur = Bien). Si avoir plus de produits matériels ou marchands à sa disposition est désirable, alors maximiser leur fabrication au moindre coût est un objectif en soi. Ainsi, produire plus de valeurs marchandes, c'est réaliser le bien commun, donc le Bien. La réalité du « bien » de l'être que propose l'objectif du bien-être ne repose pas sur une *qualité de la vie* mais sur une *quantité* de marchandises, posées comme utiles du fait même de leur production et de leur consommation. Le développement économique (durable, humain, social ou non) proposé en finalité est un volume de « choses » ; le bien-être n'est rien d'autre qu'un bien-avoir. L'économie moderne désenchante le monde en expulsant les valeurs des objets. En réduisant l'univers des créatures à celui d'une production d'utilités, le marché mondial dégrade l'éthique elle-même. Le Bien se fond dans les biens et se confond avec eux. On n'échappe pas à un utilitarisme vulgaire.

Le travail sémantique fait sur le concept d'utile par les économistes est un élément important du dispositif en même temps qu'un révélateur des ambiguïtés éthiques de la science économique. L'utile, en effet, ne s'oppose pas à l'inutile ou au superflu, ce qui supposerait un jugement moral ; il doit être apprécié en fonction de ses conséquences sur le bonheur, indépendamment de la moralité de l'agent qui exécute. « Je considère l'utilité comme le critère absolu dans toutes les questions éthiques, déclare John Stuart Mill, mais ici l'utilité doit être prise dans son sens le plus large : se fonder sur les intérêts permanents de l'homme en tant qu'être susceptible de progrès [1]. » Walras ira encore plus loin : « Nécessaire, utile, agréable

---

1. J.S. Mill, *De la liberté*, Gallimard, 1990, p. 76.

et superflu, tout cela, pour nous, est seulement plus ou moins utile. Il n'y a pas à tenir compte ici de la moralité ou de l'immoralité du besoin auquel répond la chose utile et qu'elle permet de satisfaire. Qu'une substance soit recherchée par un médecin pour guérir un malade, ou par un assassin pour empoisonner sa famille, c'est une question très importante à d'autres points de vue, mais tout à fait indifférente au nôtre [1]. » L'utilité, ainsi conçue de manière abstraite et subjective, a perdu tout sens moral. Comme le remarque Jean-Joseph Goux, « c'est une opération radicale de démoralisation (mais qui installe la souveraineté ontologique du désir) qui intervient ; d'autant plus totalitaire qu'elle ne laisse intact aucun des dehors qu'on voudrait pouvoir lui opposer [2] ».

En fait, il est impossible d'assimiler pleinement le fait et le droit. L'efficience, à travers toutes sortes de positions complémentaires et alternatives (élitistes, évolutionnistes), doit être imposée comme bien à côté du corpus économique par un coup de force insidieux destiné à permettre à celui-ci de fonctionner [3]. Par exemple, qu'il faille moins de cannes pour obtenir le même poids de sucre renvoie au fait « brut » de la productivité physique accrue. En soi, ce n'est ni un bien, ni un mal. Ce peut être un moyen d'obtenir plus de sucre au final pour nourrir les enfants, et alors c'est un bien. Mais ce peut être un moyen d'exporter plus de sucre, de faire baisser les cours, avec des conséquences dramatiques pour les producteurs et les enfants, et alors c'est un mal. De plus, il peut y avoir

---

1. L. Walras, cité par J.-J. Goux, « L'utilité, équivoque et démoralisation », *Revue du MAUSS*, La Découverte, n° 6, 2ᵉ semestre 1995, p. 114.

2. *Ibid.*, p. 117.

3. Les interminables analyses de Hayek sur ce point, dénoncées par Alain Caillé, sont révélatrices. « Critique de Hayek », *Bulletins du MAUSS*, nᵒˢ 9 et 10, 1ᵉʳ et 2ᵉ trimestres 1984, repris dans « Critique de la raison libérale critique », in *Splendeurs et Misères des sciences sociales : esquisse d'une mythologie*, Droz, 1986.

toutes sortes de dommages collatéraux à prendre en
considération : la bagasse appauvrie sera moins nourris-
sante pour les animaux, la charge de travail sera probablement accrue, etc. Si le procédé est rentable, le patron
sucrier sera enrichi, mais tout le monde ne s'en trouvera
pas mieux, et rien ne prouve même que le plus grand
nombre n'en sera pas plus malheureux. En dehors de
l'imaginaire économique, il est impossible de poser en
axiome que *plus* est nécessairement *mieux*.

Ainsi, tout le problème de la genèse de la science économique, de Smith à Walras, a été de résoudre en quelque
sorte la quadrature du cercle : comment réconcilier la vie
morale et la vie des affaires, ou, pour le dire de façon
hexagonale, trois siècles après les Anglo-Saxons, avec
Mitterrand : comment réconcilier les Français avec l'argent ? Il s'agit toujours de conjurer l'antique malédiction
qui, depuis Aristote et saint Thomas d'Aquin, pèse en
Occident sur le monde économique.

Toutefois, même si la main invisible réalisait le bien
commun, l'*Homo œconomicus* qui maximise son intérêt
sans souci d'autrui n'agirait pas de manière juste et
morale, mais bien de façon injuste et immorale (au moins
implicitement), en payant un salaire inférieur à ce qui est
décent ou normal (sous prétexte que c'est celui du
marché), en achetant un bien à un prix « inégal » ou inéquitable produit de façon « injuste » (mais qui correspond
au marché), en utilisant et accaparant la nature au détriment du reste du monde, sans souci des générations
futures et sans respect pour les sources de la vie, sous
prétexte qu'il s'en est décrété maître et seigneur. Dans le
meilleur des cas, le bien commun serait réalisé par la
masse et l'interaction des multiples actions injustes et
immorales. Vices privés, bénéfices publics. En admettant
qu'il en soit bien ainsi, ce qui est plus que douteux, s'au-
toriser à sortir de la morale serait d'autant plus illégitime

que toute la vie sociale est susceptible d'entrer dans le jeu du marché avec la marchandisation du monde. L'existence, fondamentale pour Smith, d'une sphère de la vie morale s'évanouirait avec le triomphe de l'empire des affaires. La conséquence ultime de l'élimination de la morale de l'économie et de l'invasion par l'économie de la totalité de la vie de la planète, c'est qu'il n'y a plus de véritable frein à l'injustice réelle, c'est-à-dire à l'inégalité économique.

Chapitre deux

L'oxymore de l'économie morale

« L'une des leçons de l'économie sociale est
qu'elle se nourrit d'utopies alternatives tout en se
construisant comme économie régulatrice [1]. »

Dès l'origine du capitalisme, sinon avant, dès l'apparition des rapports marchands et de la « chrématistique »
(pensons à La *République* de Platon), l'« horreur économique » a suscité des projets pour tenter d'en sortir plus
ou moins radicalement – ce sont les divers systèmes
socialistes utopiques, romantiques ou scientifiques. Le
plus souvent, il s'agit de neutraliser les effets *négatifs* de
la *machine* économique, l'injustice et les inégalités, tout
en en conservant le *cœur*, l'efficience et l'abondance, et
ce sont les différentes formes de réformismes.

En réalité, la domination de l'imaginaire économique,
dès le moment où celui-ci s'est mis en place, a empoisonné l'esprit au point de vouer à l'échec tous les systèmes prétendant en abolir les effets sans s'attaquer à la
racine du mal. L'expérience du marxisme et du socialisme
réel, de ce point de vue, est éloquente ; nous ne nous y
appesantirons pas, ce n'est pas ici notre objet. En

---

1. J.-F. Draperi, « De nouvelles relations entre l'économie et la société », *RECMA*, n°s 275-276, 2000, p. 8.

revanche, l'échec relatif et mille fois répété des tentatives
« réformistes » pour humaniser l'économie en douceur
n'a pas découragé les faiseurs de systèmes. La question
de la morale et de la justice est au centre de tous ces
projets. Acte étant pris de l'injustice (ou du déficit de
justice) et de l'immoralité (ou de l'amoralité) de l'économie, il s'agit de réintroduire un peu ou beaucoup
d'éthique pour rendre le plat comestible. Ces louables
efforts viennent de personnes plus ou moins bien inten-
tionnées, des provenances les plus diverses : Églises,
mouvements citoyens, voire patrons sociaux. Il peut s'agir
d'une ruse, d'un effet de semblant, d'une stratégie
cynique, mais aussi d'une recherche passionnée et authentique. C'est pourquoi il est légitime de distinguer les tentatives récurrentes de moralisation de l'économie menées
de 1848 à nos jours de celles plus ambitieuses auxquelles
nous assistons actuellement, consistant à construire une
économie plurielle à partir d'une réflexion plus poussée sur
la solidarité. Même si, dans l'ensemble, ces démarches
conduisent à une impasse, outre la mise en évidence des
problèmes qui restent incontestables, elles apportent des
éléments qui devraient contribuer à trouver des solutions et
dessiner l'esquisse d'une « alternative » à la mondialisation libérale et au capitalisme *globalisé*.

DU PATRONAGE À L'ENTREPRISE CITOYENNE : L'ENFER DES BONNES INTENTIONS [1]

L'actuelle mondialisation nous rejoue un air connu,
celui du capitalisme sauvage du XIXᵉ siècle. Comme au

1. Cette section doit beaucoup à la thèse de G. Azam (« De l'économie
sociale au tiers-secteur », avec pour sous-titre « Les théories économiques
à l'épreuve de la coordination marchande ») et aux discussions avec son
auteur. Les deux premiers paragraphes, tout particulièrement, peuvent et
doivent être considérés comme le résultat d'un travail commun.

XIXe siècle, on assiste aux tentatives ambiguës pour humaniser ou civiliser une économie de marché déchaînée. En ces temps-là, déjà, la bonne société n'était pas totalement insensible à la misère des classes laborieuses ni à la menace représentée par les mêmes, rebaptisées « classes dangereuses ». Du paternalisme du patronat chrétien des débuts de l'industrialisation à l'entreprise citoyenne et éthique d'aujourd'hui, on retrouve plus ou moins les mêmes ingrédients sous des formes diverses.

Le patronat chrétien et l'économie sociale : le temps des philanthropes

L'affaire commence sous la Restauration. Pour en finir avec l'anonymat des relations marchandes menaçant l'ordre social, on préconisa au début du XIXe siècle le patronage et, plus généralement, une attention, de la part des classes favorisées, au sort des victimes, reposant sur le développement de toutes formes de liens personnels. Le titre de l'ouvrage de Jean-Marie de Gérando paru en 1820, *Le Visiteur du pauvre*, est tout un programme. On est dans le droit-fil de la tradition du « trait de bienfaisance » des Lumières, héritée de l'Ancien Régime[1]. « Riches, encore un coup, comprenez votre véritable dignité. Ce ne sont pas seulement vos libéralités qu'on demande ; vous êtes appelés à une tutelle, à une tutelle libre de votre choix, mais réelle et active. Ce n'est pas assez de vos dons, c'est votre personne qu'on invoque, c'est votre magistrature qu'on vous confère[2]. »

Ces liens personnels créés par des visites régulières doivent permettre de distinguer le véritable indigent, tra-

---

1. M. Sajous-Doria, « La bienfaisance ressuscitée », in *Des mots en liberté : mélanges Maurice Tournier*, t. 1, ENS, 1998, p. 27-30.
2. J.-M. de Gérando, *Le Visiteur du pauvre* (1820), Éd. Jean-Michel Place, *Les Cahiers de Gradhiva*, n° 15, 1991, p. 10.

vailleur et économe, qu'il est nécessaire d'aider, du misérable oisif, imprévoyant et débauché : « Ce n'est pas chez vous, c'est sur les lieux qu'il faut aller voir l'infortune, la voir face à face. Ce mode de secours donne au pauvre plus que des bienfaiteurs, il lui donne ses guides [1] », écrit encore le baron de Gérando. Il s'adresse alors aux couches bourgeoises et petites-bourgeoises, qui doivent jouer le rôle de citoyens éclairés en patronnant les pauvres et en les moralisant. Il s'agit également d'enseigner aux ouvriers le sens de la prévoyance et de l'épargne afin qu'ils puissent améliorer leur situation. Aristote reprend du service de la façon la plus inattendue, car on multiplie les livres d'*œconomie* domestique [2]. Il faut apprendre aux femmes des ouvriers à gérer un maigre budget en économisant sur tout et en proposant des menus sains, variés et bon marché, avec recettes à l'appui... L'économie s'apparente alors à l'économat. Par ailleurs, les académies et sociétés savantes spécialisées multiplient les enquêtes sur la condition ouvrière, tandis que les économistes distingués proposent des remèdes au paupérisme. Bien sûr, les critiques romantiques du libéralisme, comme Jean-Charles Léonard Sismonde de Sismondi ou les premiers socialistes, s'en mêlent, mais, curieusement, les autres aussi, fussent-ils libéraux comme Frédéric Bastiat ou Charles Dunoyer. Ces économistes revendiquent le qualificatif « sociaux » en raison de ces préoccupations humanitaires partagées. C'est qu'avant 1848 le « grand partage », au sein du mouvement libéral, entre libéralisme politique et libéralisme économique n'est pas encore achevé [3]. Beaucoup de libéraux conséquents cherchent la

---

1. *Ibid.*, p. 18.
2. En 1930 encore, Hatier réédite pour la dixième fois une *Économie domestique* pour l'enseignement ménager à l'usage des élèves de 2ᵉ année de primaire supérieur.
3. « La rupture décisive dans l'histoire du courant libéral français interviendra après le coup d'État de Louis-Napoléon Bonaparte en 1852. En faisant allégeance à ce nouveau régime, autoritaire en matière politique

façon de libérer *aussi* les ouvriers de l'asservissement et de l'avilissement industriels.

Ainsi, de façon inattendue, la morale chassée de l'économie politique par la porte avec Adam Smith revient par la fenêtre du social. On sait que Smith a écrit : « Il n'est personne, si ce n'est un mendiant, pour dépendre principalement de la bienveillance de ses concitoyens [1]. » Mais, à côté de la mendicité que le philosophe de Glasgow laisse à la « bienfaisance » privée, il y a l'effroyable situation des travailleurs, qui justifie une intervention morale et, précisément, selon les philanthropes, une « moralisation des ouvriers ». « L'amélioration des mœurs, écrit Charles Dunoyer, ajoute aux pouvoirs de l'industrie ; les progrès de l'industrie amènent ceux de la morale [2]. » On voit même naître toute une « économie politique chrétienne [3] ». La doctrine sociale de l'Église joue un rôle déterminant dans le paternalisme du XIXe siècle. En 1848, Mgr Veuillot évoque la « sainte usine », Léon Harmel, en 1889, l'« Usine chrétienne ». Libéral, mais chrétien convaincu, Eugène Buret, qui inspirera Marx, va plus loin et dénonce l'inhumanité du capitalisme naissant. « Maintenant, écrit-il, je le demande à tous ceux qui ont étudié la science que nous examinons, quel est l'homme, quel est le chrétien qui

---

mais libéral et industrialiste en matière économique, les économistes libéraux accepteront la dissociation du libéralisme politique et du libéralisme économique » (F. Vatin, « Le travail, la servitude et la vie : avant Marx et Polanyi, Eugène Buret », *Revue du MAUSS*, La Découverte, n° 18, 2e semestre 2001, p. 239).

1. Voir *supra*, p. 60, note 1.

2. C. Dunoyer, « Introduction », *De la liberté du travail*, Librairie Leroux, Liège, p. 6.

3. Le vicomte Jean-Paul Alban de Villeneuve-Bargemont publie en 1834 son *Économie politique chrétienne ou Recherches sur les causes du paupérisme*. Pierre Rosanvallon, dans son livre *Le Libéralisme économique : histoire de l'idée de marché* (Seuil, 1987), regroupe sous le nom d'« École de l'économie politique chrétienne » Gérando, Villeneuve-Bargemont, Buret, Droz et Duchâtel.

ne reculerait devant l'application entière du système économique prêché dans les livres de l'école anglaise [1] ? »

Pour traiter des ravages physiques et moraux de l'organisation nouvelle du travail décrits dans maintes enquêtes, dont la plus fameuse est celle du docteur Villermé [2], les économistes sociaux, attachés à la liberté du marché du travail, sont favorables à des mesures paternalistes et répressives, confiées aux chefs d'entreprise. Frédéric Le Play, conseiller du prince sous l'Empire, se fait le théoricien de ce *patronage* destiné à renouer les liens sociaux, c'est-à-dire d'une œuvre de socialisation et d'éducation dans le cadre de l'entreprise. Il s'accorde sur ce point avec l'économiste Michel Chevalier [3], également partisan du patronage, vu comme un instrument de régénération sociale : « Presque au même degré que la famille et plus que la famille, écrit Le Play, le patronage constitue un des éléments essentiels de toute société. Il est dans la nature de l'homme, en effet, que certaines individualités s'élèvent au-dessus des autres par leur vertu et leurs talents. L'intérêt des masses, la satisfaction du plus noble sentiment que puissent éprouver ceux qui parviennent au sommet de la hiérarchie sociale exigent que ces derniers exercent autour d'eux une active direction et une puissance tutélaire [4]. »

---

1. Cité par F. Vatin, art. cit., p. 243.
2. Louis René Villermé (1792-1863), chargé par l'Académie des sciences morales et politiques d'enquêter sur la situation des classes ouvrières, publie en 1840 un *Tableau de l'état physique et moral des ouvriers dans les fabriques de coton, de laine et de soie.*
3. Michel Chevalier (1806-1879) succéda à Pellegrino Rossi à la chaire du Collège de France. Il est tout à fait représentatif de l'économiste type Second Empire, alliant des principes libéraux à une conception d'un État fort et brillant, en souvenir d'un passé proche des saint-simoniens.
4. F. Le Play, cité *in* E. Levasseur, *Histoire des classes ouvrières et de l'industrie en France de 1789 à 1870*, Arthur Rousseau, 2e édition, 1904, p. 669. Et Levasseur de conclure : « Ainsi toute l'école d'Économie Sociale recommandait-elle, après le maître, le patronage » (*ibid.*, p. 669).

Après 1848 et jusqu'à la III⁰ République, le courant de l'économie sociale se concentre sur les moyens d'administrer la « question sociale », selon le modèle paternaliste de Le Play. Le patronage, dans la lignée de la pensée de cet auteur, renvoie non pas à l'ordre du travail, mais à la vie privée du travailleur, que l'épargne a pour vocation de protéger, tout comme le maintien des femmes au foyer et la construction de logements sociaux.

Le Play donne à l'économie sociale en France sa première forme institutionnelle en la faisant figurer aux Expositions universelles – celle de 1855, d'abord –, sous la dénomination de « Galerie domestique », ensuite avec la création en 1856 de la Société d'économie sociale [1]. C'est sous son égide que seront organisées les expositions ultérieures. Commissaire de l'Exposition universelle de 1867, il lance le « Dixième Groupe » : environ 600 candidats, essentiellement des institutions patronales, participent à un concours destiné à primer ceux qui ont œuvré à établir « l'harmonie entre personnes coopérant aux mêmes travaux [2] ». Les expositions sont l'occasion de mettre en scène toute cette philanthropie. Les réalisations des patrons chrétiens (catholiques et protestants) sont effectivement spectaculaires. À l'exemple des Schneider au Creusot, des Michelin à Clermont-Ferrand, la vie du personnel est prise en charge de la naissance à la mort. Maternités, crèches, écoles, logements, terrains de sport, sociétés musicales (les fanfares), caisses de secours, de retraite, lieux de culte et jusqu'aux cimetières, tout est

---

1. La Société d'économie sociale enregistre dès sa création l'adhésion de Jérôme Bonaparte, prince Napoléon, rallié à l'Empire après avoir soutenu le régime issu de la révolution de 1848. C'est autour de sa personne que se constitue le Cercle du Palais-Royal. Son conseil d'administration est présidé par le docteur Villermé.

2. Cité par M. Rebérioux, « Naissance de l'économie sociale », *La Revue de l'économie sociale*, n⁰ 1, juillet-septembre 1994.

ordonné et réglé de façon quasi militaire ou monacale avec une stricte hiérarchie. Ce modèle paternaliste se propage dans le nord et l'est de la France comme dans toute l'Europe. Toutefois, les délégués ouvriers élus, venus visiter l'exposition, ne manifestent qu'un enthousiasme très modéré face au spectacle du patronage patronal. Celui-ci suscite même la méfiance ouvrière à l'égard de l'économie sociale.

Le paternalisme est raillé indirectement à la fin du XIXᵉ siècle par Thorstein Veblen en des termes très sévères. Parlant des fondations pieuses et sociales des grands capitaines d'industrie, il écrit : « L'intention déclarée du donateur est de faire à l'homme une meilleure vie dans un domaine particulier, qui est précisé dans ses dernières volontés [...]. En pareil cas, il n'est pas rare que la dépense soit dirigée vers le gaspillage honorifique – pas assez rare pour qu'on en soit surpris ni même pour qu'on en sourie. Une part appréciable de ces fonds s'en va dans la construction d'un édifice parementé de quelque pierre esthétiquement inqualifiable mais coûteuse, recouvert de détails saugrenus et disparates, et destiné, comme le signalent ses murs crénelés, ses portails massifs et ses abords stratégiques, à évoquer certaines méthodes de l'âge barbare[1]. » On est encore loin, au niveau symbolique, de l'idée de citoyenneté dans l'entreprise...

Le temps des coopératives

À la fin du XIXᵉ siècle, face, entre autres, à la montée du socialisme et du fait de l'épuisement du modèle paternaliste, on assiste à une nouvelle tentative de conciliation de la morale et de l'économie sous des formes moins religieuses : coopératisme et solidarisme. L'économiste

---

1. T.B. Veblen, *Théorie de la classe de loisir*, Gallimard, 1979, p. 230.

libéral John Stuart Mill participe à cette laïcisation de la philanthropie. La nécessité de réforme se lit dans sa critique sévère de la philanthropie et dans ce qu'il appelle la *theory of dependence and protection* (« théorie de la dépendance et de la protection »). Il dénonce dans cette théorie le fait que la désaffection pour le présent prenne la forme de l'affection et du regret pour les liens de dépendance passés, à l'œuvre dans les communautés traditionnelles. En effet, les classes laborieuses désormais instruites ne peuvent supporter de tels liens de dépendance personnelle : « Sur les classes ouvrières ouest-européennes, il peut au moins être affirmé comme certain que le système patriarcal ou paternaliste de gouvernement est un de ceux auxquels [les ouvriers] ne veulent plus être assujettis [1]. » À vrai dire, les coopératives ouvrières de production sont l'aboutissement logique du paternalisme compris au sens strict. « La plupart des dominés, écrit un journaliste de l'époque, sont incapables de se diriger seuls [...]. Il faut instruire les ouvriers pour qu'ils trouvent ou comprennent peu à peu les moyens d'améliorer par eux-mêmes leur condition, [...] les amener insensiblement au point de pouvoir se passer d'appui [2]. » Ainsi, à terme, le patronat paternel doit céder la place à l'autogestion des adultes devenus majeurs.

Par ailleurs, l'avènement du marginalisme, à partir de 1871, avec l'Autrichien Carl Menger, l'Anglais William Stanley Jevons et surtout le Français Léon Walras, modifie quelque peu la donne. Dans le système de Walras, il y a une réversibilité possible des rapports sociaux. Tous les hommes sont des agents économiques, formellement égaux, dotés de facteurs de production (capital, terre, tra-

---

1. Cité par E. Levasseur, *op. cit.*, p. 501.
2. Cité par F. de Bry, « Le paternalisme entrepreneurial, égoïsme éclairé ou altruisme rationnel ? », *in* F.-R. Mahieu et H. Rapoport (dir.), *Altruisme : analyses économiques*, Economica, 1998, p. 162.

vail). Tous peuvent en louer les « services producteurs »
et combiner ceux-ci pour en tirer un revenu optimal. Le
travailleur peut lui-même louer les services du capital et
se faire entrepreneur. Walras, qui prend sa théorie très au
sérieux, porte un grand intérêt à la question de l'épargne
salariale, source possible d'émancipation pour les
ouvriers, en particulier à travers la création de coopératives. En cette fin de siècle, la pensée coopératiste dominante repose sur cette idée que la réversibilité du
producteur et du consommateur est au fondement même
de l'équilibre social. Dans la mouvance de la sociologie
de Durkheim, le compromis recherché entre efficacité
économique et justice sociale prend la forme de ces nouvelles institutions : coopératives ouvrières de production,
et surtout coopératives populaires de consommation.
Cependant, l'idéal coopératif se dégrade à grande vitesse.
Plus encore que le paternalisme, le coopératisme est
condamné à se battre sur deux fronts : contre le libéralisme et contre le socialisme étatique. L'échec ou l'im-
puissance du mouvement à développer un secteur
significatif d'entreprises autogérées provoque un retour
progressif à un paternalisme conçu avant tout comme un
rempart contre le socialisme. L'émancipation de la classe
laborieuse s'éloigne au profit d'un pâle réformisme, atté-
nuant l'injustice de la servitude salariale par une participation assez illusoire aux sociétés coopératives et par
l'octroi de quelques améliorations de détail dans la vie
quotidienne. En effet, à partir du premier Congrès de la
coopération tenu en 1885 et pendant une vingtaine d'années, la direction de l'Union des coopératives revient de
fait à la tendance libérale, portée en particulier par Fougerousse [1], ou encore par l'économiste Frédéric Passy. Fina-

---

1. A. Fougerousse était un entrepreneur lyonnais de travaux publics. Vice-
président de la Société pour la propagation du Crédit populaire (inspiré par la
formule de Schultze-Delistzsch en Allemagne), secrétaire général adjoint de

lement, ce coopératisme-là finira par rejoindre l'ancien paternalisme de la première économie sociale. « C'est aux classes élevées, écrit Fougerousse, à fournir ces éléments indispensables [à la réforme sociale]. Que les hommes de bien, jouissant de la fortune et du loisir, organisent donc des sociétés de consommation au profit des ouvriers... Ce sera pour les gens riches l'occasion de faire le bien à peu de frais et pour les pauvres une source abondante d'épargne sans sacrifice[1]. »

En dépit des efforts de son aile gauche, bien représentée par Marcel Mauss, le mouvement coopératiste reste prisonnier de l'impératif économique. Ce sont d'ailleurs des économistes qui sont à sa tête. Dans les années 20, l'économiste Charles Gide devient le théoricien du mouvement : « Pour le moment et depuis qu'il existe, le programme coopératiste marche sur le terrain le plus solide de la pratique commerciale ; il s'applique à être *business*, comme disent les Anglais, une affaire, une affaire qu'il faut mener avec l'esprit des affaires[2]. » Les solutions préconisées par le mouvement coopératiste et par le patronage pour réconcilier la morale et l'économie présentent aussi d'étranges voisinages. Dans tout cela, il s'agit de moraliser les hommes, ouvriers ou patrons, non de moraliser l'économie dans ses mécanismes. On tente plus de pallier les conséquences du jeu économique que de le remettre, sinon marginalement, en question.

---

la Société internationale des études pratiques d'économie sociale de Le Play depuis 1882, il devint secrétaire général de l'Union des coopératives en 1885. Sa conception de la coopération est très inspirée du patronage social.

1. Cité *in* J. Gaumont, *Histoire générale de la coopération en France,* Fédération nationale des coopératives de consommation, t. II, 1923, p. 111.

2. C. Gide, *Le Programme coopératiste et l'Économie politique libérale,* Association pour le développement de la coopération, 1923-1924, p. 13.

Un cas de récurrence de la morale :
l'économie de communion

Alors que, dans le cadre de la théorie économique, la question sociale est toujours abordée sous l'angle de la recherche d'une conciliation entre intérêt et justice, son expression concrète change de forme au tournant du siècle. Elle est désormais posée en termes politiques d'affrontement de classes par les partis socialistes. Le syndicalisme ouvrier, reconnu à partir de 1884, est lui-même marqué, surtout en France et jusqu'à la Première Guerre mondiale, par le socialisme associationniste et par un certain anarcho-syndicalisme, qui fait du syndicat de base la structure d'organisation globale de la société et de la grève générale une arme politique privilégiée. S'ouvre alors une troisième période, très différente, celle de l'État-providence, qui trouvera son apogée pendant les Trente Glorieuses. Le problème de la justice sociale est alors moins posé et pensé en termes de réconciliation de l'économie et de la morale qu'en termes de rapports de forces et d'équilibre de puissance entre les différents acteurs. Pour autant, la problématique de l'économie morale ne disparaît pas totalement pendant l'ère de la régulation keynésio-fordiste. Il subsiste une économie sociale résiduelle et certaines expérimentations continuent de s'inscrire dans la doctrine sociale de l'Église. Puis, avec le démantèlement de l'État-providence sous les coups de boutoir de la mondialisation des marchés financiers et du retour en force du libéralisme, on voit resurgir la misère dans les pays du Nord, et l'on entend formuler des propositions pour y porter remède qui ressemblent étrangement à celles évoquées précédemment. L'économie de communion est une expérience qui renoue ainsi de façon quasi caricaturale, à un siècle de distance, tant avec la réflexion de l'« économie politique chrétienne » qu'avec la pratique du patronat philanthrope. Ce n'est pas tout à fait un hasard, mais bien la conséquence d'un contexte qui n'est pas sans rappeler, mondialisation néolibérale aidant, celui du premier XIXᵉ siècle. Mais, ici, la formule porte à son paroxysme la tension entre la morale évangélique et la loi du marché. « Le grand défi du projet de l'économie de communion, écrit l'un de ses supporters, est de vérifier si l'entreprise parvient à survivre et à subsister sur le marché tout en suivant la "logique du don" préconisée par l'économie de communion [1]. »

Ce projet a vu le jour en 1991 à l'initiative de Chiara Lubich, une Italienne qui avait lancé pendant la Seconde Guerre mondiale, dans le nord de l'Italie, une œuvre d'assistance : le mouvement des Focolari. L'idée consiste à développer des entreprises efficaces et bien gérées, à dégager des bénéfices pour les partager, tout en créant des emplois. Le partage se fait en trois : une part va au fonctionnement de l'entreprise, une autre à l'assistance aux personnes les plus démunies du Nord comme du Sud, la troisième à la formation en vue de développer la culture du don et de favoriser l'essaimage de la formule. Comme l'explique un de ses membres : « Aux chefs d'entreprise dont je fais partie Chiara Lubich propose de produire, avec compétence et créativité, des produits utiles et de bonne qualité, de travailler dans la transparence, de payer les impôts, de ne pas verser de pots-de-vin, de ne pas polluer l'environnement et de ne pas faire de concurrence déloyale. Elle propose d'utiliser les bénéfices produits pour, d'une part, développer l'entreprise, mais aussi pour partager librement avec les pauvres, et pour diffuser la culture du don [2]. » L'objectif explicite, là encore, est bien d'« humaniser l'économie ». Le terme « communion »

---

1. Mouvement des Focolari, *Économie de communion : dix ans de réalisations*, Nouvelle Cité, 2001, p. 43.
2. *Ibid.*, p. 27-28.

doit s'entendre, d'après la fondatrice elle-même, comme
« communion entre ceux qui disposent de moyens financiers et d'un certain pouvoir économique et ceux qui n'en
ont pas ; communion entre tous les acteurs impliqués dans
l'activité de l'entreprise [1] ».

Le projet ne touche donc pas vraiment l'économie en
son cœur productif. L'entreprise est supposée être tournée
« par définition vers la recherche du profit ». Même si
certains parlent de « véritables structures de péché [2] »
pour désigner le jeu économique dominant, ce n'est que
dans un second temps que la morale évangélique ou la
solidarité humaine laïque interviennent, avec la mise en
commun du profit « dans une perspective de communion [3] ». La déclaration d'un couple d'acteurs du mouvement est très éclairante sur ce point : « Ensemble, nous
décidons alors de créer une société pour tirer profit de
mon activité de consultant et de celle de nos amis. Notre
but est d'assurer un revenu suffisant pour nos familles et
aussi, comme pour toute entreprise, de faire des bénéfices. Les bénéfices réalisés sont alors utilisés en partie
pour garantir la pérennité et la croissance de l'entreprise.
Nous voulons aussi mettre de côté un capital qui puisse
servir à lancer dans notre pays, en Afrique ou en Amérique du Sud, une petite entreprise du même type [4]. »
Comme on le voit, le profit ou le bénéfice ne fait pas
vraiment problème et n'est pas questionné. Est-il juste ?
Est-il moral ? Il est un indice d'efficience, et l'esprit du
temps impose son évidence moralement inquestionnable.

Il en résulte que le message évangélique ne touche
absolument pas le fonctionnement du marché ni ses
logiques. Le patron chrétien ou solidaire doit naviguer au

1. *Ibid.*, p. 19.
2. *Ibid.*, p. 182.
3. *Ibid.*, p. 20.
4. *Ibid.*, p. 105.

mieux et, s'il est croyant, avec l'aide de Dieu. Ici, la formule doit être prise à la lettre, puisque Dieu constitue un « partenaire invisible » mais actif. « Il ne faut pas oublier non plus, déclare la fondatrice, un élément essentiel qui n'a cessé d'accompagner le développement de l'économie de communion pendant toutes ces années : dans ces entreprises, on laisse à Dieu la possibilité d'intervenir, jusque dans l'activité économique concrète. Et on peut toucher du doigt que chaque fois qu'on agit à contre-courant, ce qui est déconseillé dans le monde des affaires, il intervient par une entrée d'argent exceptionnelle, une chance à saisir, une nouvelle collaboration, l'idée d'un produit à succès[1]... » L'harmonie des intérêts, pilier de l'idéologie économique, est ainsi réalisée, non pas *naturellement* par l'égoïsme des hommes (encore que celui-ci ne soit pas frontalement remis en cause, puisqu'il reste implicitement présent au cœur du mécanisme économique...), mais par la main invisible de Dieu (ce qui n'est qu'un retour à la case départ, à la « main invisible de Jupiter » du premier Smith...). En revanche, la redistribution du profit obéit à un engagement de partage (libre). La charité, encore une fois, vient remédier à l'injustice, sans que le problème de la justice économique ait été posé[2]. Le devoir héroïque de morale s'impose aux chefs d'entreprise du mouvement. « Le choix de ne réaliser aucune prestation au noir nous donne une grande paix, déclare l'un d'eux, mais c'est une décision qu'il faut renouveler chaque jour car les tentations sont grandes quand les clients le réclament[3]. » Il faut réussir le grand écart « entre la concur-

---

1. *Ibid.*, p. 20.
2. Et pourtant, saint Thomas d'Aquin disait déjà que la miséricorde sans la justice est la mère de la dissolution du corps social. Voir F. Bellino, *Giusti e Solidali : fondamenti di etica sociale*, Rome, Dehoniane, 1994, p. 61.
3. Mouvement des Focalari, *op. cit.*, p. 78.

rence et le respect de l'autre ». Pour autant, l'économie n'est pas moralisée. Il ne s'agit que de montrer que, « dans le cadre d'une économie de marché, une *autre* manière d'agir est possible [1] ».

Certes, il est fait abondamment référence à une autre logique que celle du marché, la culture du don, à Marcel Mauss et au MAUSS (Mouvement anti-utilitariste dans les sciences sociales), l'association éponyme, et même à l'auteur de ces lignes... Cette « culture du don » fait aussi l'objet de séminaires de formation pour les employés, les actionnaires et leurs proches [2]. Il semble même que, pour certains, le retour du don, ou du contre-don pour rembourser la dette ainsi créée, soit un objectif important, en dépit des plaidoyers pour un don pur et gratuit. La logique du « Il est intéressant d'inculquer aux autres le désintéressement, car on pourrait un jour se retrouver en situation d'en avoir besoin » n'est pas totalement absente... L'anecdote suivante en témoigne : « Un jour, une consultante est venue nous demander du travail parce qu'elle en avait absolument besoin, déclare un couple d'entrepreneurs. Voyant son potentiel, nous l'avons initiée et formée. Puis, l'année dernière, elle nous a dit qu'elle voulait garder pour elle la totalité du chiffre d'affaires qu'elle traitait, et elle a démissionné pour se mettre à son compte. Cet incident nous a fait comprendre qu'il nous faut faire une formation plus approfondie à la culture du don [3]. »

Cependant, la « culture du don » évoquée a peu de chose à voir avec le système des « prestations somptuaires agonistiques » analysé par Marcel Mauss, qui domine dans les sociétés segmentaires de chasseurs-cueilleurs [4].

---

1. *Ibid.*, p. 29.
2. *Ibid.*, p. 113.
3. *Ibid.*, p. 125.
4. Sur cette distinction, voir M. Hénaff, *Le Prix de la vérité : le don, l'argent, la philosophie*, Seuil, 2002.

Elle reste davantage une affaire privée qu'une logique d'échange social alternative concomitante ou complémentaire à celle de l'économie et du marché. Le don est posé comme pure gratuité beaucoup plus que comme une règle de fonctionnement social reposant sur la réciprocité intéressée (mais pas exclusivement fondée sur l'intérêt). « Seul l'acte du don gratuit, sans intérêt, est le vrai don », déclare Vera Araùjo, coresponsable de l'économie de communion au Brésil. Cette idée est reprise par tous les Focolari, même si la réciprocité est aussi évoquée comme un leitmotiv de façon problématique. Il y a réciprocité, disent-ils, puisque « ceux qui sont dans la nécessité donnent leurs besoins [1] ». Par cette opération sémantique, le pauvre n'est plus un assisté mais un partenaire. On touche là à la limite du détournement de concept, voire de l'imposture, car la symétrie entre donateur et donataire est purement fictive.

Incontestablement, ça marche ! Depuis des années, plus de 700 entreprises (de petites dimensions, le plus souvent) fonctionnent selon ce schéma de par le monde. Toutefois, il faut bien comprendre qu'il n'est pas nécessaire d'en appeler au miracle pour expliquer l'indéniable réussite de certains Focolari. Celle-ci résulte plus simplement de la « mutualisation » des adhérents, formule qui a démontré à maintes reprises son efficacité contre la rationalité économique au cours des temps modernes, dans les contextes les plus divers. Constituant une « niche » qui fonctionne

---

1. Cette déclaration orale est détaillée dans l'ouvrage des Focolari comme suit : « Le lien entre ceux qui donnent et ceux qui reçoivent est un rapport d'égalité et de dignité. Les uns et les autres donnent ; les uns et les autres vivent la culture du don. Le chef d'entreprise donne de l'argent ; ceux qui reçoivent donnent leurs besoins, avec dignité. On peut donc parler d'une communion qui se réalise par le don réciproque entre les uns et les autres. On écarte ainsi le danger d'envisager l'économie de communion comme une œuvre de bienfaisance ou de philanthropie » (Mouvement des Focolari, *op. cit.*, p. 156).

sur la réciprocité, les membres de l'association peuvent partiellement se défendre contre la violence de la guerre économique. L'associé invisible est ici facilement identifiable, comme dans l'informel africain ou l'univers des entreprises alternatives : c'est la coopération. La solidarité crée la barrière de protection nécessaire face à la concurrence meurtrière. La confiance et la bienveillance ont des effets positifs bien repérés qui engendrent un cercle vertueux, renforçant les liens entre les divers acteurs du milieu (clients, fournisseurs, et même institutions financières)[1]. Cette analyse est d'ailleurs confirmée par un économiste membre du groupe : « Peut-être moins apparents, mais tout aussi importants, sont les réseaux de solidarité mis en place : réseaux de proximité constitués sur une base territoriale dans les zones d'activité des cités-pilotes, réseaux de relations humaines et techniques connectant les entreprises de l'économie de communion à l'échelle plus large des relations intercontinentales nouées entre entreprises du Nord et celles du Sud[2]. » Le même évoque le « capital relationnel » engendré « non seulement par le climat interne de l'entreprise, mais aussi par les relations externes que ses dirigeants ont su développer ». Sans doute faut-il voir là la communion « élevée

---

1. J. et C. Grévin, « Libres de donner. L'économie de communion », *Feu et lumière*, n° 181.
2. Mouvement des Focolari, *op. cit.*, p. 181. Un sympathisant, auteur d'une thèse sur l'économie de communion, confirme ce diagnostic : « La conclusion principale de mes recherches me permet d'affirmer que la force collective des entreprises analysées tient à la grande cohésion de leurs dirigeants, la similitude de leurs objectifs et à la coopération entre les entrepreneurs étudiés et les instigateurs du projet global. J'en déduis que si l'économie de communion veut se consolider, ce ne peut être qu'au prix d'une coopération encore plus intense, d'une organisation collective plus structurée et d'une mondialisation plus systématique des relations économiques entre les unités de base » (*ibid.*, p. 147).

au rang de *catégorie économique* », selon la formule bien problématique de Vera Araùjo [1].

Ainsi, l'économie de communion peut, dans certains contextes, offrir des similitudes avec une organisation alternative au trafic social, mais cela n'est pas son objectif et elle ne s'en donne pas les moyens. Bien au contraire, elle peut être instrumentalisée pratiquement et idéologiquement pour désamorcer la contestation légitime de la mondialisation. Les déclarations de sympathie et de soutien du professeur d'économie Luigino Bruni, de la Bocconi – la grande école milanaise de formation des cadres italiens –, ont au moins le mérite de lever le masque : « Il n'est pas vrai que marché et solidarité soient antithétiques. Le marché peut lui-même devenir lieu de rencontre et de communion [2]. » Les idéologues du marché, Denis Kessler (vice-président de choc du syndicat des patrons, le MEDEF) en tête, ne disent pas autre chose, contre toute évidence. L'affirmation repose sur la confusion entretenue entre le marché de la théorie économique et les petits marchés concrets des places urbaines. Il est douteux que cela suffise à satisfaire les aspirations des millions de victimes du marché tel qu'il est mis en œuvre par les firmes transnationales. Plus intéressante est l'expérimentation de solutions alternatives au commerce social, que nous étudierons en troisième partie.

---

1. *Ibid.*, p. 203. Un économiste libéral pur jus comme Gary Becker a sur ce point des idées plus claires : « Même si les participants à une transaction marchande peuvent être hautement altruistes, ils agissent comme s'ils étaient égoïstes et maximisent leur gain monétaire [...]. Ils expriment leur altruisme par des transferts liquides non liés à des transactions marchandes, comme c'est dramatiquement illustré par les énormes contributions charitables des capitaines d'industrie prétendument égoïstes, à la fin du XIXᵉ siècle et au début du XXᵉ » (G. Becker, « Altruism in the family and selfishness in the market place », *Economica*, vol. 48, février 1981, p. 11).
2. Lu sur le site Internet italien des Focolari (www. focolari.org).

La quadrature du cercle de la démocratie dans l'entreprise

« Citoyens dans la cité, les travailleurs doivent l'être aussi dans l'entreprise », proclamait la loi Auroux du 4 août 1982. En ces temps, infiniment lointains, où les socialistes de gouvernement prétendaient « changer la vie », l'éthique n'était guère à la mode, mais la justice se pensait déjà à travers le beau thème de la démocratie dans l'entreprise. Bien sûr, nous pouvons soupçonner qu'une entreprise démocratique est un défi, sinon une contradiction dans les termes. Elle ne peut se concevoir que dans la dissidence et l'univers alternatif. Toutefois, la vogue de l'éthique s'est emparée de l'expression, au profit du capital, en la vidant de son contenu subversif et en la transformant en « entreprise citoyenne [1] ». L'entreprise citoyenne serait celle qui se soucie de valeurs : un zeste d'écologie, une pincée de social, une cuillerée de culturel, un parfum d'équitable et un soupçon de solidaire... C'est ce même cocktail que l'on retrouve aujourd'hui au niveau global sous le terme « développement durable », auquel se rallient naturellement les mêmes entreprises citoyennes. Le développement durable se définit en effet désormais, depuis le sommet qui lui a été consacré à Johannesburg en août 2002, comme tout à la fois « économiquement efficace, écologiquement soutenable, socialement équitable, démocratiquement fondé, géopolitiquement acceptable, culturellement diversifié », bref, le merle blanc [2]. Cela n'est pas sans rappeler le développement « humain »

---

1. Évoquée aussi par les Focolari dans Mouvement des Focolari, *op. cit.*, p. 203.

2. C. Aubertin, « Johannesburg : retour au réalisme comercial », *Écologie et Politique*, n° 26, 2002. La formule est peut-être de Dominique Plihon, actuel président du conseil scientifique d'ATTAC, qui l'utilise sans guillemets et au premier degré dans « Une autre mondialisation », *Revue du MAUSS*, La Découverte, n° 20, 2ᵉ semestre 2002, p. 108.

des Focolari, auquel il est fait explicitement référence dans le type d'hybridation recherché entre le don et le marché.

Spécialiste de la gestion, Françoise de Bry s'est livrée à une analyse fine du discours sur l'entreprise citoyenne [1]. Sa conclusion est que l'entreprise citoyenne n'est qu'une forme renouvelée du vieux paternalisme. Il s'agit encore d'en appeler à la « responsabilité sociale » de l'entreprise. Les valeurs traditionnelles de la famille et de la morale sont remplacées par celles de l'éthique et de la culture d'entreprise. Les objectifs sont toujours de fixer la main-d'œuvre, de contourner les syndicats, de contrôler le personnel à l'intérieur et à l'extérieur de l'entreprise, et bien sûr d'accroître, grâce au climat positif, l'efficacité de l'entreprise. Seules nouveautés : permettre plus de flexibilité et améliorer l'image. Le paternalisme transparaît dans les nouvelles méthodes de gestion des ressources humaines, comme le management participatif (cercles de qualité, groupes d'échange et de progrès), dans le marketing social et dans l'appel à la culture d'entreprise comme ensemble de valeurs partagées et de références communes (l'« esprit maison »). Le paternalisme matériel ne se réalise plus par la prise en charge de la naissance à la mort, mais au sein des institutions sociales : logements, retraites complémentaires, participations (symboliques), stock-options. Le paternalisme moral se traduit par une invasion de l'éthique (chartes de bon comportement) en lieu et place de la lutte morale contre l'ivrognerie et la paresse. Le paternalisme politique, enfin, s'est donné une façade plus démocratique : les patrons et leurs obligés se font toujours élire localement ou nationalement, mais désormais ils le font au nom de la citoyenneté de l'entreprise, et non plus de leur supériorité « naturelle ».

---

1. F. de Bry, *op. cit.*

Au final, les résultats sont très comparables. Le salarié peut gagner un indéniable bien-être matériel et moral, mais au prix d'une dépendance économique et psychologique accrue, avec un risque de perte d'identité personnelle et sociale. Le paternalisme d'entreprise, en effet, ne peut dépasser sa contradiction fondamentale : son incapacité à élever le « salarié-mineur » à l'autonomie de l'adulte (ce qui, avec l'émancipation des subordonnés, représenterait la fin du patronat et du capitalisme[1]). Dans ces conditions, le personnel infantilisé ne peut s'affirmer que dans la révolte violente contre le « patron castrateur », lorsqu'il prend conscience de sa frustration[2]. Paradoxalement, on a constaté que les grèves sont plus nombreuses dans les entreprises pratiquant le paternalisme que dans les autres, même si certains employés sont retenus par la crainte, le respect ou la peur de manquer de reconnaissance. Pour l'entreprise, le résultat est la paix sociale alliée à de meilleures performances, à condition d'y mettre le prix, sans exclure à terme le risque de réactions violentes

L'entreprise citoyenne, enfin, participe le cas échéant à des associations complémentaires, voire les suscite, prenant ainsi pied dans la nébuleuse de l'économie solidaire et du tiers secteur – un terme que nous allons expliciter un peu plus loin. Le fait que le travail social ne consiste plus seulement à « visiter le pauvre », comme l'exprimait

---

1. « Le propre de la famille n'est-il point, en effet, écrit Jean Lacroix, de faire que les enfants, qui n'existent d'abord que par les parents, existent enfin par eux-mêmes et se posent mutuellement dans l'être sur un plan d'égalité ? La puissance paternelle, qui implique inégalité et pouvoir, se détruit en somme chaque jour, se donnant pour but de réaliser la société des égaux entre frères et sœurs. [...] Le paternalisme, forme déguisée de l'autorité égocentrique, doit disparaître. Il doit céder la place à l'autorité qui coopère, en hissant chaque individu à la dignité paternelle » (J. Lacroix, *Force et Faiblesse de la famille*, Seuil, 1957, p. 20).

2. F. de Bry, *op. cit.*, p. 186.

le baron de Gérando, mais à « coproduire » des « projets », traduit davantage une extension du social à partir de la famille qu'une modification réelle dans la prise en charge et la conception de la pauvreté. En quoi, en effet, la « prise en charge collective des problèmes quotidiens » autrefois dévolue à la famille et désormais renvoyée à la société civile serait-elle, sur le fond, très différente du paternalisme du XIXᵉ siècle que l'État-providence avait refoulé ? Si le social n'est plus que l'extension de la « maisonnée », chargée des problèmes quotidiens, selon les termes de Françoise Collin et de Hannah Arendt, alors toutes les formes de paternalisme ou de maternalisme sont autorisées[1]. Dans tout cela, la justice ne trouve pas son compte, et la référence quasi obsessionnelle à l'éthique sert plutôt à noyer le poisson[2].

MALAISE DANS L'ASSOCIATION, OU LES AMBIVALENCES DE L'ÉCONOMIE PLURIELLE ET SOLIDAIRE[3]

Pierre Leroux et les socialistes dits « associationnistes » ont pensé trouver dans l'*association* de citoyens libres et égaux, mettant en commun leurs capitaux et leurs compétences, la formule permettant de dépasser les impasses de l'individualisme et du socialisme, de l'anarchie et de l'autoritarisme, de la propriété privée et du communisme. L'un

---

1. F. Collin, « Du privé et du public », *Les Cahiers du GRIF, Spécial Hannah Arendt*, Deuxtemps Tierce, 1986.
2. « *Exit* l'entreprise citoyenne. *Exeunt* les "comités d'éthique" privés, les "chartes d'éthique" et les "indices éthiques". Les premiers ne sont guère mieux que les syndicats maison, les deux derniers de la cuisine maison. Ah, mais on peut s'enrichir avec bonne conscience ! » (P. Labarde et B. Maris, *op. cit.*, p. 143).
3. Cette section reprend largement notre contribution à J.-L. Laville *et al.*, *Association, démocratie et sociétés civiles*, La Découverte-MAUSS-CRIDA, 2001.

des résultats lointains de leur réflexion et de leur action a
été la reconnaissance du droit d'association à but non
lucratif, sanctionnée par la loi de 1901. Cette conquête
importante des sociétés démocratiques modernes, contraire
à l'esprit individualiste de la Déclaration des droits de
l'homme et du citoyen de 1789, mais vouée à un très
large succès (si l'on en juge par le nombre d'associations
déclarées au Journal officiel...), n'a pas pour autant réalisé les rêves de ses premiers promoteurs. L'idée originelle
réapparaît parfois aujourd'hui dans un contexte fort différent de celui de 1848, où elle a vu le jour[1]. Mais cette
reproposition, incontestablement séduisante dans l'optique d'une conciliation de l'économie et de la morale,
laisse insatisfait. Il vaut la peine d'expliciter les raisons
du malaise qu'elle provoque pour cerner l'ampleur du
défi de la justice économique.

L'association, entendue au sens large, y compris avec
les coopératives et les mutuelles, est peut-être un moyen
intéressant (parmi d'autres) de contribuer à construire un
monde plus juste libéré du carcan économiste. Des associations de joueurs de pétanque aux sociétés savantes, en
passant par les crèches parentales autogérées, les régies
de quartier ou les réseaux d'échange de savoir, des
myriades de petites « démocraties » gouvernent nos loisirs ou certains aspects matériels de notre vie quotidienne.
Si certaines se consacrent même à la production, à la col-
lecte et à la gestion de l'épargne ou à l'assurance, l'absence d'un fonctionnement véritablement démocratique et
la modestie de leur emprise sur la vie des affaires nous
laissent à penser qu'elles ne constituent sûrement pas *la*
solution pour remédier aux maux du système. Plus exactement, le dispositif « technique » de l'association ne

---

1. « Une seule solution, l'association ! », *Revue du MAUSS*, La Découverte, n° 11, 1er semestre 2000.

porte pas vraiment atteinte à l'imaginaire économiste dans ses racines mêmes.

Les raisons du malaise

C'est au fil de la lecture du journal *Le Monde* que les raisons du malaise s'éclairent, comme quoi « la prière de l'homme moderne », selon la belle formule de Hegel, est encore parfois source de lumière...

Le premier épisode concerne la publication, dans l'édition datée du 27 octobre 1998, de l'interview du *bon* M. Camdessus, chrétien bien-pensant, ami de Jacques Delors et ci-devant directeur général du Fonds monétaire international (FMI), avant de prendre une retraite bien méritée comme conseiller du pape. Ses déclarations mettent en évidence toute l'ambiguïté de la solution associationniste. Ce « bureaucrate socialiste français », selon les Américains, injustement accusé en France d'être « un ultralibéral aux mains des Américains », se révèle en effet un chaud partisan de l'économie « plurielle ». « Pour ce qui nous concerne, au FMI, écrit-il, nous n'avons jamais changé. Ma "théorie" a toujours été celle des trois mains : la main invisible du marché, la main de la justice (c'est celle de l'État) et la main de la solidarité. » Il ajoute : « Il faut que les trois mains puissent travailler ensemble. Je suis convaincu qu'alors il peut y avoir convergence entre les intérêts de chaque pays et ceux de la communauté internationale dans son ensemble [1]. » Quelle différence entre ce programme et le « tripôle » ou « tripode » proposé par l'économie plurielle : marché, État, tiers secteur, soit l'échange, la redistribution et la solidarité ? Les références à l'œuvre de Karl Polanyi [2] se retrouvent tout

---

1. *Le Monde*, 27 octobre 1998.
2. K. Polanyi, *La Grande Transformation : aux origines politiques et économiques de notre temps*, Gallimard, 1983.

autant dans cette reprise des trois formes historiques de circulation des biens que dans celle de l'idée de *réenchâssement* de l'économie dans le social. La croyance en une convergence des intérêts « bien compris » des différents acteurs dans la plupart des analyses de l'économie « plurielle » respire le même optimisme volontaire que les déclarations de l'ex-directeur du FMI.

L'idée d'un *réenchâssement* de l'économie dans le social est en effet au cœur des projets d'une économie plurielle, solidaire, ou de l'économie sociale. Le *réenchâssement* est compris comme le retour, la réinvention ou la réhabilitation, à côté du marché, de deux autres secteurs : l'économie publique et le « tiers-secteur » – cette dernière expression, véritable concept fourre-tout, recouvrant le monde associatif, le bénévolat et les entreprises *alternatives*. Il est remarquable que ce tiers-secteur repose lui aussi sur trois pieds : un pied marchand, un pied étatique, un pied familial et/ou solidaire. Il n'est pas un pôle homogène de réciprocité, mais déjà une synthèse des trois, et peut-être l'image de ce que devrait être une économie plurielle. Comme avec les poupées russes, on est en présence d'une structure emboîtée. Le tiers-secteur a la même figure que l'économie plurielle, mais le pôle familial peut lui aussi ressortir à la même formule hybride, et ainsi de suite. Référence explicite est faite alors, dans toute la littérature sur l'économie solidaire, aux trois modèles d'intégration de Polanyi : l'échange ou les marchés, la redistribution, et la réciprocité ou l'entraide mutuelle [1].

---

1. *Ibid.* Toutefois, Polanyi ne considère pas cette liste comme exhaustive. Par ailleurs, comme l'a souligné Paul Veyne, la redistribution est elle aussi un concept fourre-tout qui comprend les largesses féodales ou les banquets du Bigman comme la sécurité sociale. « Le marché est un, écrit-il, la redistribution est multiple » (P. Veyne, *Le Pain et le Cirque : sociologie historique d'un pluralisme politique*, Seuil, 1976, p. 70).

La lecture d'une tribune de Roger Sue, théoricien de l'économie plurielle, dans *Le Monde* daté du 2 mars 1998 souligne encore un peu plus l'ambiguïté de la solution proposée. « Relever ce défi d'une grande économie sociale, écrit-il, suppose aussi que l'on se persuade que, loin de s'opposer, associations et entreprises peuvent jouer de leurs complémentarités en faveur d'un développement social et économique équilibré. » Il s'explique : « Si la réduction du temps de travail se traduit pour partie par une plus grande participation à la vie associative où les individus peuvent accroître leurs compétences personnelles et relationnelles, les entreprises en seront bien évidemment aussi les bénéficiaires. » Voilà qui est heureux. Reste alors à conclure triomphalement : « Si les individus s'emparent collectivement de la "production" de la ressource humaine dans les associations, tout en construisant un véritable partenariat avec les entreprises pour éclairer les forces aveugles du marché, se dessine alors un nouvel horizon pour la démocratie. Celui de la démocratie économique. » Comme une bonne nouvelle n'arrive jamais seule, la même édition du *Monde* nous apprend que Denis Kessler a beaucoup apprécié *La Troisième Voie* (*The Third Way*, le dernier livre du professeur Anthony Giddens, le talentueux conseiller de Tony Blair) : « Sincèrement, Tony, j'aime votre livre [...], mais ce n'est pas un nouveau socialisme que vous nous proposez, plutôt un nouveau capitalisme. Tony, votre troisième voie me plaît, parce qu'elle n'est pas de gauche. On pourrait tout aussi bien lui donner comme slogan "le libéralisme à visage humain", ou "le marché plus des sentiments". »

Ainsi, selon l'évangile Camdessus-Sue-Kessler-Giddens, la guerre sociale est terminée et il n'y a pas de vaincus. Tout le monde a gagné. Si la lutte des classes s'achève ainsi sur une *happy end*, c'est avant tout parce qu'il n'y aurait pas ou plus de classes, mais des associés, des partenaires qui jouent gagnant-gagnant-gagnant... Les rapports de forces ne sont pas niés, mais la violence est conjurée et les conflits sont « lissés ». Dans la logique du jeu des intérêts « bien compris », si les salariés gagnent, les entreprises gagnent, si les entreprises gagnent, les salariés gagnent, et bien sûr l'État et la société gagnent aussi. Ces situations avantageuses se rencontrent dans les entreprises en expansion où les gains de productivité sont judicieusement partagés ; elles favorisent la croissance de l'entreprise et le dynamisme des salariés, augmentent les revenus de chacun sans affecter les parts relatives. De telles occurrences heureuses étaient relativement fréquentes dans la période 1945-1975. Plus rares aujourd'hui, elles ont pu permettre tout de même le passage sans douleur, dans certains cas, aux trente-cinq heures.

Les jeux coopératifs et la dure réalité
de la guerre économique

Ces solutions miracles qui contourneraient, à travers l'association, l'inéluctabilité de ce que l'on appelait avant 1989 la « lutte des classes » ne sont pas sans susciter des évocations familières à un vieux routier du tiers-monde. Un discours humaniste comparable constitue le fonds de commerce de la plupart des ONG de développement, le plus souvent d'origine ou d'inspiration chrétienne. Or « ONG », ou encore « OSI » (organisation de solidarité internationale), n'est qu'un autre nom pour « association », laquelle par définition est une organisation non gouvernementale... Il s'agit, pour l'officine tournée vers le Sud, de mettre sur pied des projets de développement *intégrés*, c'est-à-dire impliquant (en théorie) le dialogue avec la population, et non parachutés par des experts étrangers – donc, précisément, des projets participatifs et solidaires. Autrement dit, l'objectif est de créer des groupements coopératifs fonctionnant en partenariat avec le grand frère du Nord, avec des caisses populaires d'épargne faisant du microcrédit.

Cette ambition reçoit aujourd'hui l'aval conjoint du pape et de la Banque mondiale, selon les déclarations de James Wolfensohn, son président, au sortir d'une audience pontificale. « Nous avons les mêmes objectifs de lutte contre la pauvreté, expliquait en substance ce personnage choisi par la finance internationale et qui répondait en juillet 1995 à James Gustave Speth, administrateur du PNUD (Programme des Nations unies pour le développement) à Genève, lors de la réunion du Conseil économique et social à propos de l'Afrique : Je ne veux pas de vos conseils et je ne veux pas que la Banque soit coordonnée par l'ONU... Nous sommes ici pour aider les peuples les plus pauvres et non pas pour répondre à quelque impératif bureaucratique[1]. » Les experts financiers n'ont pas de comptes à rendre à la société qui les paie grassement, ils ont la loi économique pour eux, voire ils la disent ! Leur légitimité n'est en rien démocratique, même s'ils sont désignés par des gouvernements élus ; elle est littéralement transcendantale. Cette suffisance ne se dément pas sur le terrain quand il s'agit de concevoir et d'appliquer des solutions pour remédier à l'insolvabilité des pays en voie de développement en échange de nouveaux crédits (dits « plans d'ajustement structurel »). Quiconque connaît un peu l'Afrique et l'Amérique latine ne peut manquer d'être étonné du fossé entre, d'une part, les discours et les projets lénifiants des diverses officines interconnectées, de l'ONG caritative à la Banque mondiale, toutes unies dans la lutte (verbale) contre la pauvreté, et, d'autre part, les pratiques arrogantes des experts ou

---

1. Cité par A. Traoré, *L'Étau : l'Afrique dans un monde sans frontières*, Actes Sud, 1999, p. 72.

celles, franchement criminelles, de certaines firmes trans-nationales. La liste de tels agissements est longue, de l'exportation de déchets toxiques au pillage des ressources génétiques. Citons les stratégies des grands cigarettiers qui, à coup de campagnes publicitaires, ont multiplié par dix leurs ventes dans les pays du Sud ces dernières années pour compenser les pertes de marché au Nord, où l'on protège mieux la santé des citoyens, ou encore les fabricants de pesticides qui écoulent allégrement en Afrique et en Asie des produits jugés toxiques et dangereux aux États-Unis. On a même accusé certaines firmes pharmaceutiques de tester leurs produits sur les populations. Le dévouement des volontaires du progrès sert de cache-sexe à la violence de la guerre économique. Pour rafraîchir les mémoires défaillantes, rappelons quelques classiques. Les jeux *gagnants* avec ATT ont coûté la vie au président Allende et fait plusieurs milliers de morts au Chili. Les bénéfices du marché de la banane, dominé par trois firmes américaines – l'United Fruit Company (ou United Brands, ou encore Chiquita), Dole et Castel and Cook –, reposent sur le massacre de 250 000 personnes entre 1954 et 1991[1]. Les dossiers de Monsanto et des 200 plus grandes firmes mondiales ne sont pas moins dignes d'intérêt[2]. Les jeux gagnant-gagnant ne marchent pas à tous les coups dans le Sud.

En France, les jeux gagnants d'Alcatel menés avec la bénédiction du gouvernement socialiste ont coûté 12 000 licenciements en 1998. Ceux de Moulinex, Miche-

---

1. Cette comptabilité macabre résulte de l'addition des victimes du coup d'État téléguidé contre le régime du colonel Arbenz au Guatemala et des morts dus à l'usage abusif de nématocide (poison utilisé pour tuer les vers du bananier).

2. F. Clairmont, « Le goulag économique. Sortir de l'imposture économique », in *Actes du colloque de Lyon 1997*, La Ligne d'horizon, p. 42. Voir aussi « The Monsanto files », *The Ecologist*, vol. 28, n° 5, septembre-octobre 1998.

lin, Danone, etc., nous rappellent opportunément que cela marche de moins en moins bien au Nord aussi. La guerre économique, de plus en plus violente, utilisant les coups les plus tordus, de l'espionnage industriel à la violence d'État en passant par l'intimidation, et tendant à effacer les frontières entre l'argent respectable et le capital criminel, ne fait pas que des vainqueurs. Et cela en dépit de tous les efforts des économistes et des gestionnaires pour euphémiser le jeu de massacre. Si certaines formules peuvent provoquer localement ou temporairement des « miracles », aucune recette n'est vraiment à même de produire un monde sans perdants. Les manuels de management ont pour objet de rendre comestibles et inodores les pratiques douteuses du *business* : les stock-options, les délocalisations, le dégraissage ou *downsizing*, le *cost-killing* ou compression des coûts, l'usage des paradis fiscaux, forme moderne de la piraterie, etc. On notera avec intérêt la recette de la « déverticalisation » proposée par John Bryan, chef des cuisines du groupe textile américain Sara Lee. Le jeu consiste à engranger les bénéfices de l'exclusivité des modèles pendant quelques années, puis à vendre ses usines de fabrication pour se consacrer à la création et à la commercialisation. On peut alors mettre en compétition ses anciennes usines avec les sous-traitants asiatiques qui ont acquis les mêmes modèles [1]. Et c'est ainsi que l'on banalise chaque jour un peu plus le mépris des valeurs morales.

Pour prendre un exemple, le 26 juillet 2001, la firme Philip Morris et son P-DG, Geoffrey Bible, invitaient la République tchèque à spéculer sur la mort. Une publicité morbide en pleine page dans les journaux représentait une étiquette accrochée au pied d'un cadavre, sur laquelle on

---

1. G. Verna et O. Boiron, « Éthique de la compétence et gestion stratégique de l'incompétence dans une économie mondialisée », *Revue du MAUSS*, La Découverte, n° 15, 1er semestre 2000, p. 337.

lisait : « 1 227 dollars, c'est la somme que, selon une étude effectuée à la demande de Philip Morris, la République tchèque économise en frais de santé, de retraite, de logement social chaque fois qu'un fumeur trépasse. » Le grand cigarettier avait calculé que les gains dus au cancer du fumeur s'élevaient à 17,4 millions d'euros en 1998. L'objectif de la campagne était de montrer aux Tchèques qu'il n'était pas souhaitable d'augmenter les taxes sur le tabac, car celui-ci rapporte au budget de l'État plus qu'il ne lui coûte. Philip Morris précisait : « Parmi les effets positifs du tabac, les économies de frais de santé dues à une mortalité précoce[1]. » L'opinion publique américaine, tout de même choquée par un tel cynisme, obligea la firme et son P-DG au nom prédestiné à faire repentance.

Certes, il a existé et il existe encore, heureusement, des jeux gagnant-gagnant, voire gagnant-gagnant-gagnant. Mais certains gagnants refusent de comprendre leurs « vrais » intérêts à long terme, ou préfèrent tricher pour être plus sûrs de gagner. Le malheur veut que ce soient eux, le plus souvent, qui sont du bon côté du fusil... Externaliser au maximum les coûts et les incertitudes vers la société et les salariés permet de dénoncer ces derniers comme des mauvais joueurs, des « risquophobes » (dans la terminologie patronale), tandis que privatiser les bénéfices mais socialiser les pertes reste la loi, mille fois vérifiée, du capital, au mépris des déclarations de ses tenants sur la prise de risque. Les entraves aux lois divines et providentielles de la concurrence viennent plus souvent des capitalistes que des travailleurs. Même dans les jeux à somme croissante, il y a presque toujours un tiers exclu, un tiers perdant, passé sous silence et par pertes et profits. En outre, la « croissance » indéniable de la somme en jeu implique immanquablement une soumission à des règles

---

1. P. Labarde et B. Maris, *op. cit.*, p. 101.

et à des normes qui sont imposées aux salariés et aux consommateurs, et ont, elles aussi, un prix à payer. Poussés dans leurs retranchements, les optimistes de la concordance des intérêts reconnaissent avec un brin de cynisme cette évidence réaliste que, là comme ailleurs, on ne fait pas d'omelette sans casser des œufs. Le plus grand bonheur éventuel du plus grand nombre laisse sur le carreau un petit nombre, à moins qu'à l'inverse ce ne soit l'enrichissement du petit nombre qui se fasse aux dépens de l'ensemble.

Sans aucun doute, les Trente Glorieuses, dont on ne peut s'empêcher d'être nostalgique, ont été un jeu gagnant-gagnant-gagnant grâce à la régulation keynésio-fordiste. Les entreprises gagnaient, l'État gagnait et les salariés, en maintenant la pression, gagnaient aussi. La convergence relative des intérêts *bien compris* des trois acteurs bénéficiait d'un rapport de forces favorable pour imposer des *normes*. La répartition jugée équitable des gains de productivité entre capitalistes et salariés supposait un nouveau contrat social. Si, au centre, seul un tout petit nombre de marginaux était sacrifié, et si le prix à payer de la règle du jeu était le travail à la chaîne et la vie sans perspectives du « métro-boulot-dodo » dénoncée par les soixante-huitards, il y avait tout de même deux vrais perdants, au moins, la nature et le tiers-monde. La première commence à présenter la note, le second continue à perdre mais, cette fois, en bonne compagnie, avec les États et les salariés du Nord... Au jeu de la mondialisation, il semble qu'il n'y ait plus qu'un seul vrai gagnant, le *big business* (surtout financier).

Est-ce à dire que le « tripôle » ou « tripode » présenté par l'économie plurielle et solidaire pour remplacer la défunte régulation keynésio-fordiste n'est pas alléchant ? Bien au contraire. Tel qu'il est évoqué par Lester Salomon et Helmut Anheier, on ne peut qu'applaudir (des trois mains...) à une telle perspective, qui porte remède à toutes les défaillances, ou presque, de la situation actuelle. « En fait, écrivent ces auteurs, on pourrait affirmer qu'une véritable "société civile" est moins une société où l'un ou l'autre de ces secteurs serait en essor qu'une société dans laquelle coexistent trois secteurs plus ou moins distincts – le gouvernement, le monde des affaires, le secteur à but non lucratif –, qui néanmoins inventent des manières de travailler ensemble afin de répondre aux besoins publics[1]. » Toutefois, la question qui se pose en ce début du XXIᵉ siècle est : existe-t-il encore des « besoins publics » dans une économie *globalisée* ? Autrement dit, la notion de besoins collectifs, reconnus par tous, vécus comme une nécessité partagée et sur lesquels se fonde la citoyenneté, auxquels tous (ou au moins une large majorité) sont prêts à faire les sacrifices requis pour qu'ils soient satisfaits, cette notion fait-elle sens ? La faillite de l'État-providence et la croissance des inégalités permettent d'en douter. L'ancien secrétaire d'État au Travail du président Clinton lui-même, Robert Reich, s'est interrogé sur ce point : les riches Américains et les pauvres vivent-ils encore dans la même société ? Il en doutait fortement. Le fait qu'il y ait 500 000 associations de par le monde, dont 50 000 sur Internet, ne change malheureusement rien à l'affaire. Quand bien même ces associations ne seraient pas, le plus souvent, des coquilles vides, des pièges pour détourner des subventions ou des officines instrumentalisées par l'État, par les firmes, par leurs permanents et même, de plus en plus, par les militants eux-mêmes, rarement démocratiques enfin quand elles fonctionnent vraiment, dans tous les cas, elles ne sauraient remplacer une

---

1. L.M. Salomon et H.K. Anheier, « Le secteur de la société civile : une nouvelle force sociale », *Revue du MAUSS*, La Découverte, nᵒ 11, 1ᵉʳ semestre 2000, p. 109.

société civile moribonde[1]. Et cela en dépit du travail admirable de quelques-unes d'entre elles, bien vivantes et porteuses d'espoir comme de solutions alternatives.

Bien sûr, la logique associative telle que formulée par Bernard Enjolras est séduisante. « L'association peut être comprise, écrit-il, comme une forme institutionnelle visant à opérer des compromis entre plusieurs logiques d'action. Quatre logiques principales peuvent être identifiées : la logique marchande coordonnée par le marché (comme mécanisme assurant la stabilité d'intérêts convergents) ; la logique domestique dont la coordination est fondée sur la confiance ; la logique solidaire coordonnée par le principe de réciprocité ; la logique administrative (civique/industrielle) coordonnée par les principes de l'intérêt général et de la standardisation[2]. » Cela ne signifie pas pour autant que les conditions historiques sont réunies en ce moment pour qu'une telle formule puisse triompher et imposer cet équilibre par fort vent de mondialisation financière.

En outre, le problème se redouble en quelque sorte, comme nous l'avons vu, au sein du tiers-secteur lui-même. Si l'économie plurielle est constituée de trois

---

1. C'est d'ailleurs ce que souligne lucidement F. Bloch-Lainé à l'occasion d'un entretien dans la revue *Économie et Humanisme* : « Longtemps l'association a davantage représenté un statut qu'une méthode. Dans les "bonnes œuvres", le secteur que je connais le moins mal, nous avons vu beaucoup d'associations avec une vie plus théorique que réelle, et la présence à leur tête de fortes autorités, géniales dans leur partie, mais rarement démocratiques » (F. Bloch-Lainé, « Le fait associatif est-il de lui-même porteur de démocratie ? », *Économie et Humanisme*, n° 332, 1995, p. 47). Voir aussi B. Eme, « L'économie sociale, entre fonctionnalité et autonomie de projet », *ibid.*, n° 347, décembre 1998-janvier 1999, et B. Hours, *L'Idéologie humanitaire ou le Spectacle de l'altérité perdue*, L'Harmattan, 1998.

2. B. Enjolras, « Crise de l'État-providence, lien social et associations : éléments pour une socio-économie critique », *Revue du MAUSS*, La Découverte, n° 11, 1er semestre 2000, p. 230-231.

pôles, le troisième contient lui-même en son sein les deux
autres (voire une quatrième dimension si l'on dissocie,
avec Enjolras, logique domestique et logique solidaire).
« Ici encore, écrit Bernard Eme, se dévoilent des position-
nements différents des associations, les unes davantage
inscrites dans le marché, les autres principalement ados-
sées à la puissance publique, d'autres encore dont l'activité relève surtout d'échanges non monétaires. » Et il
ajoute : « Des équilibres différents s'opèrent sur ce fond
des ambivalences propres au fait associatif[1]. » Ainsi,
l'équilibre ou le contrepoids que le tiers-secteur est censé
apporter aux deux autres est fortement compromis lorsqu'en son sein même la part de la solidarité et du bénévolat est réduite à la portion congrue.

Cela ne veut pas dire non plus qu'il ne faille pas rechercher les jeux gagnant-gagnant-gagnant quand ils existent... Il est toujours bienvenu de minimiser le nombre de
perdants ou de minimiser les pertes. Seulement, il ne faut
pas se leurrer, de telles situations sont plus rares qu'il n'y
paraît, surtout si l'on s'interroge sur la règle du jeu. Le
plus souvent, il s'agit d'une farce dont on risque d'être le
dindon. Il ne faut pas tomber dans l'illusion, volontiers
entretenue par les gagnants, selon laquelle la vie se rédui-
rait à un jeu dont les règles seraient démocratiquement
négociées par tous les joueurs.

Associationnisme et anti-utilitarisme

Le discours de l'économie plurielle, et plus généralement le type de logique associative qui pense résoudre
les contradictions sociales par des dispositifs techniques
judicieux et un appel à la bonne volonté, n'est pas vrai-

---

1. B. Eme, « Les associations ou les tourments de l'ambivalence », *in*
J.-L. Laville *et al.*, *op. cit.*, p. 30.

ment dans la ligne de cette remise en cause de l'imaginaire économique qui nous semble nécessaire pour réintroduire le souci de justice dans le trafic social. D'abord parce que la référence à Karl Polanyi, qui serait un garant d'anti-utilitarisme, a quelque chose d'abusif. Cela a bien été montré par Geneviève Azam : « Selon la pensée de K. Polanyi, avec le capitalisme, l'avènement du Marché comme principe d'organisation sociale est une véritable rupture, qui fait de la société une société de Marché absorbant les autres principes : l'ensemble de la vie sociale passe sous la loi économique et le travail, la monnaie et la nature prétendent devenir des marchandises [1]. » Avec la réaffirmation du libéralisme dans les années 80, le marché se présente bien en effet comme principe abstrait unique d'organisation sociale. L'économisme n'est donc pas un excès de croissance de l'économie, qu'il s'agirait de ramener à de justes proportions par la construction de corps intermédiaires entre marché et État – tiers-secteur ou économie plurielle. L'économie ne se développe pas contre la société ou à côté d'elle : elle l'englobe et procède à sa réorganisation selon la logique de l'efficience. Elle est une forme de socialisation qui s'impose à toute la société avec une violence d'autant plus légitime qu'elle est portée par la nécessité. En ce sens-là, les possibilités de réencastrement de l'économique dans le social évoquées par les partisans de l'économie plurielle demeurent problématiques si nous restons coincés dans l'imaginaire économique.

N'y a-t-il pas une contradiction insurmontable entre l'imaginaire économique dans lequel nous baignons et l'imaginaire qu'implique l'épanouissement d'une *authentique* économie plurielle, si nous voulons que celle-ci ait

---

1. G. Azam, « Économie sociale : quel pari ? », *Économie et Humanisme*, n° 347, décembre 1998-janvier 1999, p. 20-21.

quelque consistance ? Il s'agit donc de penser la compati-
bilité entre les trois pieds du tripode. Comment l'éthique
de la guerre économique à outrance peut-elle coexister
avec l'éthique de la solidarité, de la gratuité et du don
qui devrait animer le monde associatif, et avec la rigueur
citoyenne et l'égalité fraternelle impliquées par l'État
démocratique ? Qu'il se déroule dans la cour des grands
entre les Bill Gates, Andy Grove, Michael Eisner et
consorts, ou dans celle des moins grands, entre les
Serge Tchuruk, Jean-Marie Messier, François Pinault et
autres Martin Bouygues, le « jeu » économique est fait
de darwinisme social, avec la morale du « pas vu, pas
pris » dont les ingrédients sont les OPA (offres publiques
d'achat) sauvages, l'espionnage industriel, l'évasion fiscale massive, la corruption active et passive, le tout agré-
menté d'une éthique protestante qui s'épanouit dans la
« bonne gouvernance » imposée par les fonds de pension.
Ce jeu se fait de toute façon sur le dos des salariés et
grâce à l'instrumentalisation massive des consommateurs.
L'éthique de la solidarité et celle de l'égalité citoyenne
sont bien évidemment condamnées à rester la mauvaise
conscience de l'éthique des affaires. Il ne s'agit pas de
jouer les vierges effarouchées ; nous ne contestons pas,
bien au contraire, le polythéisme des valeurs. Mais la
confrontation, même conflictuelle, entre les dieux ne peut
exister que dans un rapport de forces relativement équilibré, pas dans une jungle sans principes. Comment, par
exemple, allons-nous élever nos enfants et « fabriquer »
les futurs agents de la société de demain ? Laquelle de ces
morales verrons-nous, entendrons-nous et plébisciterons-
nous par l'audimat à la télévision ou sur les ondes ? Les
succès de *Loft Story* et autres *reality shows* augurent mal
de la qualité éthique de la *paideia*, cette formation/éduca-
tion nécessaire à la *fabrication* des citoyens, des générations à venir.

Certes, on voit bien quelles sont les valeurs qu'il faudrait mettre en avant : l'altruisme devrait prendre le pas sur l'égoïsme, la coopération sur la compétition effrénée, le plaisir du loisir sur l'obsession du travail, l'importance de la vie sociale sur la consommation illimitée, le goût de la belle ouvrage sur l'efficience productiviste, le raisonnable sur le rationnel, etc. Le problème, c'est que les valeurs actuelles sont systémiques, c'est-à-dire qu'elles sont suscitées et stimulées par le système et qu'en retour elles le renforcent. Certes, le choix d'une éthique personnelle différente peut infléchir la tendance, et il n'est pas à négliger ; il doit même être encouragé dans la mesure où il contribue à saper les bases imaginaires du système. Mais, sans une remise en cause radicale de celui-ci, les changements de comportement risquent d'être limités.

La vérité est que, avec le triomphe de la société de marché et l'apothéose de la guerre économique, il n'y a pas vraiment de dialogue ni de confrontation pacifique possibles entre l'éthique des gagnants (si l'on peut encore l'appeler « éthique »...) et celle requise par l'économie à trois pieds. La réaction des industriels de l'informatique face à la mise à disposition gratuite, par ses inventeurs, du logiciel Linux est éloquente. D'après Steve Ballmer, P-DG de Microsoft, « Linux est un cancer », et pour Bill Gates, son prédécesseur, « une entrave à la liberté du commerce » [1]. Même la redistribution, qui n'est pas nécessairement altruiste et peut être conforme aux intérêts bien compris à long terme des firmes transnationales, se trouve dévaluée, bafouée et marginalisée. Les gouvernements socialistes, défenseurs naturels des services publics, participent allégrement à leur dépeçage et se font

---

1. Cité par P. Labarde et B. Maris, qui commentent : « Exact. La gratuité est une atteinte à la rapacité de gens comme lui qui ont su récupérer l'invention d'autrui pour la mercantiliser » (P. Labarde et B. Maris, *op. cit.*, p. 165).

les complices d'une pensée unique qui traite en chiens
galeux les systèmes de retraite par répartition, à la fois
conformes au bon sens et à la justice, pour mettre en
place des fonds de pension à l'américaine[1]. Il n'y a pas
lieu, dès lors, de s'étonner que le monde associatif
connaisse des tensions. C'est inéluctable, puisqu'il est
condamné à choisir entre l'adaptation et la dissidence.
Autrement dit, soit prendre le monde tel qu'il est et accepter l'instrumentalisation par l'État et le marché, quitte à
s'auto-instrumentaliser et, finalement, renoncer à ses
valeurs et à son honneur, soit refuser par choix ou par
nécessité (je pense aux exclus) l'état de choses actuel et
inventer un autre monde. Cette seconde voie, plus prometteuse, empruntée notamment par certaines associations
militantes qui expérimentent la dissidence, tente de réintroduire la justice et l'éthique dans l'échange.

Ainsi, les tentatives anciennes et nouvelles pour moraliser l'économie sans en faire véritablement le procès ont
globalement échoué ou semblent promises à l'échec, en
dépit de certaines réussites partielles ou locales. Ces dernières constituent des expérimentations précieuses pour
concevoir des alternatives à la société de marché et à son
injustice. Le recours indispensable à la solidarité, autre
nom de l'altruisme, reste largement mystificateur tant que
n'est pas réglé le problème de la justice. Les victimes de
l'ordre mondial n'ont que faire de la charité, elles ont soif
de justice.

Mise à la sauce économique, la morale est, à la limite,
plus une façade hypocrite qu'une réalité. Ce n'est plus
que l'hommage du vice à la vertu. En fait, le monde des
affaires exalte la volonté de puissance, l'égoïsme, le
mépris pour les faibles et les perdants. Il glisse volontiers

---

1. Voir J.-M. Harribey, « Répartition ou capitalisation, on ne finance
jamais sa propre retraite », *Le Monde*, 3 novembre 1998. Du même auteur,
la postface à J. Nikonoff, *La Comédie des fonds de pension*, Arléa, 1999.

vers le darwinisme social quand il est poussé dans ses retranchements. Malheur aux vaincus ! En proposant la « lutte pour la vie » et l'« enrichissez-vous » comme finalités ultimes, la mondialisation actuelle a au moins le mérite d'une franchise cynique.

Dans ses Mémoires, Al Capone expose les règles de conduite qui l'ont mené au succès : agir comme un bon *businessman* ; acheter les jurés, les juges, les journalistes, et même les évêques, les crimes et les consciences, suivant les besoins de son entreprise, et les payer à leur prix. Par conséquent, à un tarif « juste » selon la loi économique. C'est exactement l'éthique des affaires !

Chapitre trois

La prétention morale du développement

« Nous partageons également la conviction que
le développement social et le développement économique bien compris sont interdépendants et se
renforcent mutuellement. Un développement
social équitable constitue le fondement nécessaire
d'une prospérité économique durable. Inverse-
ment, un développement économique général et
durable est la condition préalable du développement social et de la justice sociale [1]. »

« Par une transformation systématique de la
nature et des relations sociales en biens et services marchands [...], le développement apparaît
comme la plus vaste et la plus englobante entreprise de dépossession et d'expropriation au profit
de minorités dominantes qui ait jamais existé [2]. »

Le développement, entendu aussi bien comme mythe
que comme concept ou comme pratique, est sans doute

---

1. Projet de déclaration et de programme d'action publié à l'issue du
Sommet mondial pour le développement social à Copenhague en 1995
(point 5 de l'introduction).
2. M.-D. Perrot, « Les empêcheurs de développer en rond », *Ethnies*,
vol. 6, nº 13, 1991, p. 5.

la plus forte manifestation de l'imaginaire économique ; tous les paradoxes éthiques de l'économie se retrouvent en lui et s'y démasquent de la façon la plus flagrante.

Si l'économie supprime l'éthique en son sein en tant que problème moral subjectif, elle ne laisse pas de faire émerger un impératif catégorique beaucoup plus exigeant pour les sociétés humaines, celui de la croissance et du développement. « Accumulez ! accumulez ! C'est la loi et les prophètes [1] », comme disait Marx avec ironie. Cette exigence constitue une véritable morale objective, fondée sur la religion du progrès, et elle soumet les membres des sociétés modernes à des normes et à des contraintes implacables : « Travaille toujours plus intensément, produis toujours plus, consomme indéfiniment et néanmoins épargne et investis sans compter ! »

Ce décalogue contient toutes les contradictions de l'économie marchande elle-même. Celle-ci plonge l'homme moderne dans une situation insoluble d'anxiété face à des impératifs contraires (le fameux *double bind* de Gregory Bateson et de l'école de Palo Alto). On en connaît la formule classique : « Soyez naturel ! » – un ordre impossible à appliquer à la lettre puisque être naturel implique précisément de ne se conformer à aucun ordre extérieur... Le sujet psychiquement faible, incapable de sortir du piège et de s'affirmer contre l'autorité, est contraint de se couper partiellement du monde extérieur et de s'enfermer dans son cocon protecteur. La tutelle économique de la société moderne multiplie les situations comparables. Qu'il consomme ou qu'il épargne, qu'il travaille ou reste oisif, l'agent est toujours coupable puisqu'il ne peut réaliser simultanément l'ensemble des comportements requis. Il est condamné à la schizophrénie, état propice pour faire de lui le parfait rouage d'une

---

1. K. Marx, *Le Capital*, t. III, livre I, Éd. sociales, 1950, p. 35.

mécanique délirante. À l'heure où j'écris (septembre 2002), on accuse les ménages français de ne pas consommer assez, alors même qu'on refuse d'augmenter le SMIC et que le chômage s'accroît, sans compter que, pour la survie de l'environnement, on les incite (mollement, il est vrai) à consommer moins, tout en reprochant aux salariés de ne pas travailler assez... Les sociétés du Sud sont tout entières soumises à une contradiction encore plus forte. En effet, l'impératif du développement se décline ainsi : « Soyez vous-même l'acteur du changement [c'est-à-dire conservez votre identité] afin de vous occidentaliser [c'est-à-dire de devenir autre]. » Bien que présente implicitement, cette objectivité axiologique de la croissance économique n'apparaissait pas encore de façon manifeste dans la théorie de la main invisible. L'économie classique et plus encore celle des néoclassiques sont plutôt statiques. Elles s'épanouissent dans l'équilibre et semblent méconnaître cet impératif catégorique de la dynamique. L'éthique protestante de l'épargne et du travail consciencieux paraît leur suffire. Bien sûr, il n'en est rien, et la concurrence, qui assure les ajustements instantanés, pousse à l'accumulation illimitée. La réalité de l'expansion du capitalisme précède largement sa théorisation. Le discours savant retarde sur ce point par rapport à la pratique [1]. Marx mis

---

1. « L'idée moderne de croissance a été formulée il y a environ quatre siècles en Europe, quand l'économie et la société ont commencé à se séparer » (H. Teune, *Growth*, Londres, Sage Publications, 1988, p. 13). Mais, ajoute justement Takis Fotopoulos, il n'empêche que « l'*économie de croissance* elle-même (définie comme le système d'organisation économique orienté, soit *objectivement*, soit délibérément, vers la maximisation de la croissance économique) est apparue bien après la naissance de l'économie de marché du début du XIXe siècle et ne s'est épanouie qu'après la Seconde Guerre mondiale » (T. Fotopoulos, *Vers une démocratie générale : une démocratie directe, économique, écologique et sociale*, Seuil, 2002, p. 31).

à part, il faudra attendre Joseph Schumpeter et les keynésiens pour que la croissance et le développement apparaissent comme des préoccupations explicites aux yeux des économistes. Il est vrai qu'avant l'avènement de la production et de la consommation de masse l'expansion était modeste au Nord, nulle, voire négative, au Sud, et compromise par des crises périodiques. L'après-Seconde Guerre mondiale va marquer l'âge d'or de la croissance économique et ouvrir l'ère du développement proprement dit. Et sa pointe ultime, le *développementisme*, qui finit par se dissoudre dans l'actuelle mondialisation, dévoile même un autre aspect de la grande imposture éthique de l'économie : son impossible universalité.

LA CROISSANCE COMME VALEUR

Pour l'opinion dominante, la croissance de l'économie, cet impératif obsessionnel du xxᵉ siècle, est un bien, pour ne pas dire *le* Bien. Le terme même « bien-être » qui sert à définir son contenu en est déjà un indice et un témoignage. On a vu qu'en faisant de l'efficience une valeur ultime, l'économie substituait la quantité de l'avoir à la qualité de l'être. Le triomphe de l'utilitarisme vulgaire et le culte de la croissance économique sont concomitants. L'économie moderne *désenchante* le monde en expulsant les valeurs des objets. En réduisant l'univers des créatures à celui d'une production d'utilités marchandes, elle banalise les produits. Ceux-ci ne sont plus ni des dons des dieux, ni des porteurs de forces, de charmes ou tout simplement d'histoire, ils se réduisent à des usages fonctionnels ; l'éthique elle-même, en s'incorporant et en s'objectivant dans l'économie, se dégrade. Le Bien se fond dans les biens et se confond avec eux. De ce fait, objectifs (la félicité, le bonheur terrestre, la croissance du bien-être) et moyens (la croissance de la production et celle de la consommation) se confondent. L'industrialisation et la technique, et, en arrière-plan, le travail, l'épargne et l'investissement, sont certes des moyens qui, à un niveau abstrait, pourraient servir le Mal comme le Bien, mais leur accroissement devient un but en soi. L'accumulation n'a d'autre finalité que l'accumulation, la technique travaille à un perfectionnement indéfini des techniques, et, de ce fait, la consommation doit toujours aller de l'avant, sans autre but que de nourrir la machine. Si bien qu'en fin de compte ces moyens sont considérés comme les moyens exclusifs du Bien.

On prête à l'actrice Mae West ce bon mot : « Quand je suis bonne, je suis bonne, mais quand je suis mauvaise, je suis encore meilleure ! » Eh bien, il en va de même de la technique et de l'industrie dans la société moderne. Bonnes ou mauvaises, elles sont toujours bonnes car elles accroissent les possibilités, créent des emplois (même quand elles en suppriment encore plus), engendrent des ressources (en tout cas des profits...) et paraissent offrir la solution à tous les problèmes qu'elles suscitent. Les pollutions gigantesques qu'elles engendrent, les dégradations de l'environnement, même les dépenses militaires deviennent ainsi de bonnes choses, car elles stimulent l'activité économique. Pour remédier aux premières, il faut engager des frais qui gonflent encore le PNB. Quant aux dépenses militaires, elles entraînent, par la masse des revenus distribués, une demande sans stimuler l'offre correspondante, puisque les armements, comme les grands travaux, ne concurrencent pas la production de biens de consommation. Dans la logique keynésienne, cela constitue un coup de fouet pour l'économie. Ces dépenses peuvent en outre devenir une source de fructueuses exportations et rééquilibrer les balances de paiement. Ainsi, les bonnes intentions des socialistes français avant 1981, lorsqu'ils voulaient changer la vie, ont vite volé en éclats devant les « réalités ». L'impératif économique dictait de vendre Mirage, vedettes et chars d'assaut, et d'en passer par toutes les formes de corruption nécessaires pour décrocher des contrats face à une concurrence internationale impitoyable. Les affaires qui ont été déballées depuis révèlent que les responsables n'avaient aucun état d'âme quant à l'usage qui serait fait de ces armes, puisqu'il s'agissait de l'« intérêt supérieur de la France », c'est-à-dire de la bonne santé de son économie. Ainsi se trouvent confirmées les intuitions de Mandeville : les vices et les crimes particuliers sont source de prospérité publique et engendrent le bien commun. La croissance n'est que le nouveau nom de la richesse des nations.

Ce qui fait aussi de la croissance économique un bien indiscutable aux yeux de la « morale ambiante » – cette sorte de pandémonium des valeurs héritées par l'Occident au cours de sa longue histoire –, c'est qu'elle est le résultat d'un *comportement* lui aussi « moral ». Le principe utilitariste de justice que l'on retrouve dans cette morale *dominante* se ramène à deux règles : est juste premièrement ce qui maximise le PNB, deuxièmement ce qui accroît la quantité de vie en soi. Même le plus célèbre des théoriciens contemporains de la justice, John Rawls, qui se prononce explicitement contre l'utilitarisme, affiche une position proche. Dans l'approche rawlsienne de la justice, les inégalités sont acceptables et même légitimes si elles ont une conséquence positive pour la croissance des richesses produites, qui bénéficiera à tous. Cette prégnance de l'efficacité sur la justice se retrouve, bien sûr, chez le prix Nobel d'économie Amartya Sen. « Quiconque cherche à promouvoir l'égalité doit tenir compte des effets d'incitation », c'est-à-dire de l'impact sur la croissance. Pour lui comme pour la plupart des économistes, si la croissance n'est pas en elle-même nécessairement équitable, elle est la condition de la justice. Il note ainsi : « L'accroissement sans précédent de la prospérité économique qu'ont connu les économies modernes permet d'accepter des obligations sociales qu'il n'était tout simplement pas possible de se permettre financièrement auparavant [1]. » À l'inverse, « une économie pauvre peut ne pas être à même de fournir à ses citoyens les garanties qu'un pays riche offre aux siens [2] ». Le *trickle down effect* que nous avons déjà rencontré [3] – ce merveilleux mécanisme de diffusion de l'accroissement du gâteau par lequel on a défini le développement et qui permet de donner des miettes à tout le monde sans remettre en question le partage initial – réalisera donc bien cette justice-là. Sir Arthur Lewis, autre prix Nobel d'économie, a ainsi soutenu que l'inégalité est bonne pour la croissance économique puisque, les riches épargnant plus que les pauvres, il en résulte un investissement plus fort qui, à son tour, crée de la richesse pour tous. Les plus pauvres finissent donc par bénéficier des fameuses « retombées ». La plupart des économistes, et ceux de la Banque mondiale en particulier, lui ont emboîté le pas, convaincus qu'ils sont de la justesse d'un raisonnement qui dispense de réfléchir sur l'injustice du système [4]. Économie est ainsi faite de toute préoccupation concernant les conflits sociaux qu'entraîneraient des réformes agraires ou des mesures de répartition équitable.

Enfin, même si le capitalisme n'a pas gardé grand-chose, en apparence, de ses origines « puritaines », il est

---

1. A. Sen, *L'économie est une science morale*, La Découverte, 1999, p. 92.

2. *Ibid.*, p. 95.

3. Voir *supra*, p. 57.

4. Comme pour l'harmonie naturelle des intérêts, dont il n'est qu'une application, le *trickle down effect* est posé en dogme par l'économie dominante, en dépit du fait qu'il est souvent contredit dans la réalité. Sur ce point, voir J.E. Stiglitz, *op. cit.*, p. 114 et suiv.

toujours possible d'avancer de nouveau, à l'occasion, la justification protestante de la richesse. Selon l'analyse bien connue de Max Weber, le décollage de l'économie occidentale résulterait de la généralisation d'une éthique, celle du travail et de l'esprit d'entreprise, faite de scrupuleuse honnêteté, de goût de l'effort, de rectitude, de ponctualité, de renonciation aux plaisirs des sens et d'esprit d'épargne [1]. L'accumulation matérielle illimitée serait le témoignage sensible de l'accumulation des *mérites* et la preuve incontestable de la bénédiction divine. Certes, a-t-on fait remarquer, le « nouvel esprit du capitalisme » a répudié son puritanisme originel pour la permissivité postmoderne. Le consumérisme et la publicité, complices de la « révolution sexuelle », exaltent le gaspillage et la débauche. Cela est incontestable. Mais ce serait une erreur de croire que la vieille éthique a été totalement rejetée pour autant. Il est vrai que, dans un monde fini et saturé, il n'est plus possible de produire pour le luxe des autres (aristocrates ou rois du pétrole...) en cultivant soi-même la frugalité ; il faut participer à la fête et dévorer à pleines dents une part toujours plus grande des produits fabriqués. Toutefois, la frustration chaque jour entretenue par la publicité et reproduite par l'ambiance d'un consumérisme exacerbé peut remplacer l'antique et nécessaire privation. Les sociologues les plus lucides, comme Christopher Lash [2] ou Jean Baudrillard, ont bien senti tout ce que la *perversité* à la mode, s'accomplissant dans une débauche triste et un gaspillage effréné, pouvait receler d'ascèse. La transgression codée imposée par un matraquage publicitaire indécent est un simulacre de libération qui renforce encore, au contraire, l'aliénation. La puissance de la droite morale américaine, renforcée par des

---

1. Voir M. Weber, *L'Éthique protestante et l'Esprit du capitalisme* (1905), Plon, 1967.
2. C. Lash, *La Société du narcissisme*, Climats, 2000.

télévangélistes sectaires et intégristes, mérite par ailleurs réflexion et conduit à relativiser le triomphe de la permissivité. Celui-ci est loin d'être total, et il peut très bien cohabiter, dans une complicité antagonique, avec son contraire. Quel que soit le paradoxe de la situation actuelle, les impératifs concurrents de l'austérité et de la débauche coexistent dans leur contradiction. Il est remarquable que la plupart des codes de déontologie ou chartes éthiques adoptés par les grandes firmes américaines (IBM, Procter & Gamble, Johnson and Johnson, etc.), imitées désormais par les sociétés françaises (Paribas, Michelin, Bongrain, Lafarge...), soient toujours inspirés de cette morale *protestante* originelle. Sont mis en avant le professionnalisme, la diligence, l'impartialité dans le service du client, le devoir de loyauté vis-à-vis de l'employeur... En découlent aussi bien l'impératif de refuser les cadeaux que l'interdiction de diffuser une information privilégiée ou de l'utiliser à des fins personnelles, ou encore la nécessité de demander une autorisation pour un déjeuner d'affaires [1]. Le code de Manufacturers Hanover, promulgué en 1987, énonce en préambule qu'« honorabilité, intégrité, honnêteté sont les qualités majeures du banquier ». On voit mal comment on pourrait écrire le contraire, même si la pratique est tout autre...

L'ÉCONOMIE JUSTIFIÉE PAR LE DÉVELOPPEMENT

Si l'économie est bonne, sa croissance est encore meilleure, et avec le développement on atteint quasiment l'apothéose... Autrement dit, en passant d'une activité moralement saine à son élargissement et à son accroissement continu, on gravit de nouveaux échelons dans l'échelle du Bien.

---

1. O. Gélinier, *L'Éthique des affaires : halte à la dérive*, Seuil, 1991.

Dans la vision moderniste, le Mal ne peut atteindre le développement économique pour l'excellente raison que le développement imaginaire est l'incarnation même du Bien. « Bon développement » est un pléonasme puisque, par définition, « développement » signifie « bonne » croissance, parce que la croissance, elle aussi, est un bien et qu'aucune force du Mal ne peut prévaloir contre elle. Rappelons que le doublet croissance/développement trouve son origine dans la biologie des XVIIIe et XIXe siècles, et tout particulièrement chez Darwin. Transposé dans le domaine social, le développement est la croissance *non homothétique* de l'organisme économique. Si l'industrialisation du XIXe siècle s'était poursuivie avec un accroissement purement quantitatif, on aurait abouti à une monstruosité et à une absurdité. La Terre serait couverte de machines à vapeur, le charbon n'existerait plus et la pollution aurait anéanti toute vie. Par la force des choses, une *autorégulation* physique, technique et écologique s'est imposée, entraînant des mutations *qualitatives* fondamentales. On est donc en présence d'un processus d'*autocorrection*. Le développement étant défini par Walt Whitman Rostow comme *self-sustaining growth* (« croissance autosoutenable »), l'adjonction de l'adjectif « durable » ou « soutenable » à « développement » est inutile et constitue un pléonasme. C'est encore plus flagrant avec la définition de Mihajlo Mesarovic et Eduard Pestel[1]. Pour eux, c'est la croissance homogène, mécanique et quantitative qui est insoutenable, mais une croissance « organique » définie par l'interaction des éléments sur la totalité est un objectif supportable. Or, historiquement, cette définition biologique est précisément celle du développement ! Le développement en lui-même n'est pas

---

1. M. Mesarovic et E. Pestel, *Strategie per sopravvivere*, Milan, Mondadori, 1974.

seulement durable, il est aussi social. En effet, le processus ne s'arrête pas là : la poursuite vigoureuse de cette croissance corrigée engendre plus ou moins spontanément une régulation *sociale*. Au-delà d'un certain seuil, la croissance de la production ne manquerait pas d'avoir des *retombées* sociales [1]. Elle ne peut pas ne pas profiter peu ou prou à tous. Dans les pays développés, même dans les plus libéraux d'entre eux, les pauvres (comme ceux de l'Angleterre victorienne décrits par Dickens et dénoncés par Marx) ne se sont pas multipliés entre la fin du XIXe siècle et les années 80 du XXe. La richesse s'est diffusée à tous. En cela, le développement corrige la croissance et constitue une *bonne* chose.

Avec le keynésio-fordisme des sociétés consuméristes, une étape supplémentaire dans la voie du Bien a été franchie. Ce mode de régulation sociale et politique visait à distribuer de hauts salaires et des revenus sociaux en fonction des gains réguliers de productivité, pour entretenir une haute conjoncture. Le système de production et de consommation de masse a bien fonctionné pendant les Trente Glorieuses (1945-1975) dans les pays du Nord (si l'on ferme les yeux sur le prix environnemental à payer...), période qui constitue en quelque sorte l'apogée du développement. Il semble même que la question centrale qui nous préoccupe (« L'économie est-elle morale ? ») ait été du coup tranchée définitivement et dans un sens positif, en tout cas au Nord, et cela non seulement du point de vue des capitalistes, mais aussi selon la *vox*

---

1. On a pu définir assez justement le développement économique comme le *trickle down effect* de la croissance industrielle. « Durant les deux premières décennies de son existence, la Banque mondiale tendait à identifier le développement avec la croissance économique. Les bénéfices de la croissance étaient supposés se diffuser *(to trickle down)*, les pauvres bénéficiant automatiquement des créations d'emplois et de la production accrue des biens et services » (L. Salmen, *Rapport de la Banque mondiale du 29 août 1991*, p. 4).

populi. Le compromis keynésio-fordiste, en effet, traduisait un consensus autour de l'idée selon laquelle l'économie est bonne dans ses fins comme dans ses moyens, avec pour conséquence que la croissance et le développement sont de bonnes choses et engendrent de bonnes choses : la paix et le plus grand bonheur pour le plus grand nombre, qui sont le bon, le beau et le bien de la modernité. Même si, pour certains esprits pointilleux, pervertis par des rémanences de la scolastique sur le juste prix ou la prohibition du prêt à intérêt, l'économie ne pouvait être jugée intrinsèquement morale, elle n'en était pas moins la condition de la vie morale dans la mesure où elle permet aux hommes de s'affranchir d'une situation infrahumaine. L'Église catholique, si longtemps réticente, sous l'influence de sa tradition thomiste, à abandonner ses réserves sur la moralité des affaires, finit par baisser presque totalement les armes. Le développement, dira l'encyclique *Populorum progressio* (1967), est le nouveau nom de la paix. L'économie de marché elle-même n'est plus condamnée dans son principe.

Tous les documents du sommet de Copenhague de 1995 (le sommet « social »), puis les déclarations ultérieures des organismes internationaux de lutte contre la pauvreté, jusqu'au sommet de Johannesburg d'août 2002, montrent que c'est encore sur le *trickle down effect* de la croissance réellement existante que l'on compte pour voir le développement et la mondialisation devenir *sociaux*. Dans ces catalogues de bonnes intentions, la plus absolue confiance est faite à la main invisible et à l'harmonie naturelle des intérêts pour porter remède aux maux qu'elles engendrent. Il n'est pas question de remettre en cause le modèle dominant fondé sur le libre-échange et la concurrence généralisée. Le développement, en étant promesse de bien-être pour tous, incorpore ainsi en lui-même la justice sociale et renouvelle la moralité de l'économie. Après avoir constitué la plus puissante idéologie de légitimation des sociétés modernes, il continue à fonctionner comme tel dans les nouveaux États issus de la décolonisation (particulièrement en Afrique).

En assurant le triomphe de l'économie, voire son règne exclusif dans une « omnimarchandisation » intégrale, la mondialisation prend le relais de l'idéologie développementiste, décrédibilisée par les échecs répétés des projets et expériences de développement volontariste. Elle prétend pouvoir réaliser le bien commun, rendant la morale autonome quasi caduque ou la limitant au mieux à la clairvoyance sur les intérêts égoïstes. L'efficience bien comprise est le meilleur garant du bien et de la justice. Toute intervention de l'État ou de la société, même avec les meilleures intentions du monde, est préjudiciable à l'optimum et ne peut que nuire à la justice.

L'INSOLUBLE PARADOXE DE L'ŒCUMÉNISME DÉVELOPPEMENTISTE

À la différence des sociétés traditionnelles, qui semblent ne reconnaître que les valeurs particulières au groupe et les imposer sans discussion, les valeurs de l'éthique collective, pour nous Occidentaux, doivent pouvoir être universalisables, ou en tout cas ne pas entrer en contradiction avec des valeurs déjà reconnues comme universelles. À travers la dissociation du droit et de la morale, une part importante du comportement et des mœurs est laissée à la liberté des citoyens. Chacun est libre d'agir comme il l'entend, dans le respect des lois, pourvu qu'il ne trouble pas l'ordre public. Il peut à sa guise mentir, tromper, se montrer lâche, ou avare, ou se conduire en parfait honnête homme, sans que l'autorité s'en mêle. En un mot, il est libre de respecter ou non les valeurs reçues, et en outre de pratiquer la religion de son choix ; c'est une affaire entre lui et sa conscience. Cette situation, qui caractérise en théorie ce que l'on appelle un État de droit, est sans conteste un acquis irremplaçable de la modernité. Toutefois, à tort ou à raison, la liberté des Modernes est considérée comme la condition de l'activité économique et de l'essor des affaires, substitut en quelque sorte du « bien commun ».

Il est exclu, pour nous Occidentaux, d'en revenir à un *tribalisme* des valeurs. Cette *régression* ne nous est pas étrangère, et constitue même une menace sérieuse au-dessus de nos têtes. Elle peut résulter d'un universalisme trop ethnocentrique plus encore que d'un rejet de l'occidentalisation. Elle a déjà été illustrée par la déviance totalitaire[1]. Un Hans Frank, gauleiter de la Bohême-Moravie, n'est-il pas allé jusqu'à reformuler l'impératif catégorique kantien en ces termes : « Agissez de telle manière que le Führer, s'il avait connaissance de vos actes, les approuverait[2] » ? Cette perversion de la morale, aux antipodes d'un véritable universalisme pluriculturel, ou « pluriversalisme » (conçu comme une sorte de démocratie des cultures), nous revient en force avec l'ethnonationalisme et la montée des intégrismes. Une telle faillite de l'universalisme occidental n'est pas étrangère à l'*économicisation* du monde que nous connaissons actuellement.

Les sociétés modernes, et c'est tout à leur honneur, ont donc adopté avec les Lumières une conception universaliste de l'éthique fondée sur l'héritage du stoïcisme et du christianisme. La règle morale de Kant – « Agis comme si tu pouvais faire du principe de ton action une règle

---

1. Voir notre article « Le retour de l'ethnocentrisme. Purification ethnique *versus* universalisme cannibale », *Revue du MAUSS*, La Découverte, n° 13, 1er semestre 1999.

2. C. Buci-Glucksmann, « La troisième critique d'Arendt », in *Ontologie et Politique : Hannah Arendt*, Deuxtemps Tierce, 1989, p. 191.

universelle » – représente bien cette vision. Une telle règle, éventuellement complétée par le « principe responsabilité » de Hans Jonas pour prendre explicitement en compte les générations futures [1], s'impose à la conduite individuelle mais elle ne peut pas ne pas rejaillir sur le comportement social et inspirer le droit. La norme éthique occidentale obéit plus ou moins à ce critère d'universalité. Toutefois, l'universalisme devient abusif et ethnocentrique lorsque l'Occident prétend non seulement proposer, mais imposer à toute l'humanité les règles tirées de ses mœurs, et les juge bonnes pour les autres sous prétexte qu'elles sont bonnes pour lui.

Ainsi, aux yeux de la morale dominante, largement inspirée par Kant (et par ses successeurs, dont Hans Jonas), les objectifs que se donne une société ne sauraient être considérés comme *moraux* si les bénéfices ne peuvent en être étendus à tous ses membres ainsi qu'à toutes les autres sociétés, et garantis aux générations à venir. Or la croissance, le développement et la mondialisation économique violent gravement ce critère sur trois points au moins. Fonctionnant à l'exclusion, ils interdisent d'abord aux individus et aux peuples perdants d'accéder au bien-être minimal et à la citoyenneté. Fondés sur l'utilisation forcenée de la nature et le pillage des ressources naturelles, ils empêchent ensuite l'universalisation concrète du processus d'élévation illimitée de la production et de la consommation. Enfin, ils trahissent notre dette envers nos enfants et nient la solidarité des espèces. Par ailleurs, ils ne peuvent fonctionner que si les acteurs, ou au moins la plupart d'entre eux, ont une « morale » contraire à celle qu'ils propagent.

---

1. « Agis de façon que les effets de ton action soient compatibles avec la permanence d'une vie authentiquement humaine sur terre » et/ou « ne soient pas destructeurs pour la possibilité future d'une telle vie » (H. Jonas, *Le Principe responsabilité : une éthique pour la civilisation technologique*, Cerf, 1997).

Le premier point est un truisme. Il suffit d'observer les faits. Avant le démarrage du processus de « décollage » économique de l'Occident – pour autant que cette expression ait un sens s'agissant d'un monde non « économicisé » –, il est impossible de parler d'écart significatif entre les différentes régions du globe. Les reconstitutions de l'évolution du PIB par tête tentées par Paul Bairoch montrent que c'est à partir de la fin du XVIIIe siècle que les écarts commencent à apparaître [1]. Le fossé entre Nord et Sud s'agrandit alors de plus en plus vite de siècle en siècle, pour passer finalement de 1 à 6 au début des années 50 à pratiquement 1 à 63 en ce début de XXIe siècle. La polarisation de la richesse entre les régions et entre les individus atteint des sommets inusités. Selon le dernier rapport du PNUD (1999), si la richesse de la planète a été multipliée par 6 depuis 1950, le revenu moyen des habitants de 100 des 174 pays recensés est en pleine régression, de même que l'espérance de vie. Les 3 personnes les plus riches du monde ont une fortune supérieure au PIB total des 48 pays les plus pauvres. Le patrimoine des 15 individus les plus fortunés dépasse le PIB de toute l'Afrique subsaharienne. Enfin, les avoirs des 84 personnes les plus riches surpassent le PIB de la Chine, avec son 1,2 milliard d'habitants ! On notera de surcroît que les différentes politiques économiques préconisées par la théorie et mises en œuvre par les experts sont clairement fondées sur l'asymétrie et l'égoïsme sacré des nations. Il s'agit toujours d'exporter plus que l'on n'importe et d'obtenir des balances commerciales au solde positif. Cela n'est mathématiquement possible que

---

1. P. Bairoch, *The Economic Development of the Third World since 1900*, Londres, Methuen, 1975. Quel que soit le crédit que l'on accorde à la vigoureuse et récente critique de Paul Bairoch par Angus Maddison, cela ne remet pas en cause la tendance ici évoquée. A. Maddison, *L'Économie mondiale : une perspective millénaire*, OCDE, 2001.

si d'autres ont des soldes négatifs et importent plus qu'ils n'exportent. La politique néo-mercantiliste keynésienne comme la désinflation compétitive orthodoxe visent explicitement à exporter le chômage en « forçant » les exportations pour suppléer à la demande intérieure et stimuler la croissance de l'économie. L'efficacité incontestable de ces recettes dans certains contextes est en contradiction flagrante avec le résultat de leur généralisation.

Le deuxième point, à savoir l'impossibilité de généraliser le mode de vie occidental, est désormais assez bien connu. Si tous les citoyens du monde consommaient comme les Américains, ou même comme des Européens moyens, les limites physiques de la planète seraient largement dépassées [1]. Même si les calculs du premier rapport du Club de Rome, *Halte à la croissance*, se sont avérés trop alarmistes, les ressources naturelles ne sont pas inépuisables. Or le citoyen du Nord consommait en 1992, en moyenne, trois fois plus de céréales et d'eau potable, cinq fois plus d'engrais, dix fois plus de bois et d'énergie, quatorze fois plus de papier, dix-neuf fois plus d'aluminium que le citoyen du Sud. Au rythme actuel, la plupart des ressources naturelles connues devraient être épuisées avant la fin de ce siècle. Toutefois, on considère désormais que les pollutions globales (effet de serre, mort des océans, pluies acides, pollution des nappes phréatiques) constituent des menaces plus immédiates pour la planète. Seul le sous-développement du Sud nous permet de retarder les échéances.

Le troisième point concerne l'équité intergénérationnelle et interspécifique. La nature est un patrimoine, puisque expérience est faite de sa finitude, et comme telle

---

1. On trouvera une bibliographie exhaustive des rapports et livres parus sur le sujet depuis le fameux rapport du Club de Rome dans A. Masullo, *Il Pianeta di tutti : vivere nei limiti perchè la terra abbia un futuro*, Bologne, EMI, 1998.

nous devons la transmettre à nos enfants, qui sont tout autant que nous des ayants droit. Peut-être même nous faut-il aller plus loin que le principe responsabilité de Jonas. Celui-ci – c'est là à la fois sa force et sa limite – reste à l'intérieur du paradigme kantien et occidental de l'humanisme-universalisme. L'homme continue à être « maître et dominateur de la nature ». Simplement, il est désormais mis en face de ses responsabilités, devant une humanité non seulement présente, mais à venir. Si ce premier pas est essentiel, sans doute devons-nous interroger aussi cette prétention de l'homme occidental à prendre possession du monde (pour lui et sa descendance) plutôt qu'y chercher sa « juste » place. Le fait que nous subissions, comme toutes les autres espèces vivantes, les contraintes de la chaîne alimentaire et que nous devions prélever notre provende sur les animaux et les plantes nous autorise-t-il à saccager la planète et à détruire sans retenue notre « maison commune » ? Sans discuter ici de l'hypothèse Gaïa, selon laquelle la biosphère tout entière serait une sorte d'organisme vivant dont tous les éléments seraient solidaires, il est incontestable que nous devons une vie à la nature [1]. La répudiation moderne de la dette au monde préfigure celle, plus récente, de la dette des générations, que l'on observe dans la modernité tardive. Reconnaître notre dette envers le monde est d'ailleurs une condition pour trouver avec les autres civilisations (hindouistes ou animistes, en particulier) un espace de dialogue sur les valeurs universelles. La manipulation inconsidérée des espèces vivantes n'est pas seulement dangereuse, elle traduit un manque de respect à l'égard de l'homme lui-même dans la mesure où toutes les espèces sont interdépendantes. La colonisation de la

---

1. J. Lovelock, *La Terre est un être vivant : l'hypothèse Gaïa*, Éd. du Rocher, 1989.

nature et celle des « naturels » vont de pair. Elles se poursuivent à travers d'autres formes (plans d'ajustement
structurel et mise sous tutelle par les organismes financiers internationaux). La méconnaissance de la solidarité
des espèces contribue très fortement à une instrumentation de l'homme lui-même. Nous verrons comment cette
attitude contraire à l'éthique participe de l'injustice du
monde.

Un dernier problème mérite d'être explicité. Le philosophe Cornélius Castoriadis le fait de façon admirable :
« Le capitalisme, écrit-il, n'a pu fonctionner que parce
qu'il a hérité d'une série de types anthropologiques qu'il
n'a pas créés et n'aurait pas pu créer lui-même : des juges
incorruptibles, des fonctionnaires intègres et wébériens,
des éducateurs qui se consacrent à leur vocation, des
ouvriers qui ont un minimum de conscience professionnelle, etc. Ces types ne surgissent pas et ne peuvent pas
surgir d'eux-mêmes, ils ont été créés dans des périodes
historiques antérieures, par référence à des valeurs alors
consacrées et incontestables : l'honnêteté, le service de
l'État, la transmission du savoir, la belle ouvrage, etc. Or
nous vivons dans des sociétés où ces valeurs sont, de
notoriété publique, devenues dérisoires, où seuls comp-
tent la quantité d'argent que vous avez empochée, peu
importe comment, ou le nombre de fois où vous êtes
apparu à la télévision[1]. » La chose est importante, et
pourtant elle passe presque inaperçue. L'économie
l'ignore superbement.

Lorsqu'on proclame ouvertement, comme c'est le cas
dans toutes les sociétés occidentales, que les seules
valeurs sont l'argent et le profit, que l'idéal sublime de la
vie sociale est l'« enrichissez-vous », alors le fonctionne-

---

1. C. Castoriadis, *Les Carrefours du labyrinthe*, t. 4 : *La Montée de
l'insignifiance*, Seuil, 1996, p. 68.

ment et la reproduction de la civilisation deviennent problématiques. Les fonctionnaires, en effet, devraient demander et accepter des bakchichs pour faire leur travail, les juges mettre leurs décisions aux enchères, les enseignants accorder de bonnes notes aux enfants dont les parents leur ont glissé un chèque, et le reste à l'avenant... « La seule barrière pour les gens aujourd'hui, remarque encore Castoriadis, est la peur de la sanction pénale. Mais pourquoi ceux qui administrent cette sanction seraient-ils eux-mêmes incorruptibles ? Qui gardera les gardiens ? La corruption généralisée que l'on observe dans le système politico-économique contemporain n'est pas périphérique ou anecdotique, elle est devenue un trait structurel, systémique de la société où nous vivons [1]. »

Notre système ne survit que parce qu'il se greffe sur une histoire riche et plurielle, sur des traditions culturelles qu'il phagocyte et détruit mais qui sont indispensables à sa survie. Le moment n'est sans doute pas loin où la plante parasite va étouffer complètement l'arbre dont elle a épuisé la sève, condamnant l'énorme et arrogante floraison au dépérissement et à la mort.

---

1. *Ibid.*, p. 91. Castoriadis revient à la charge tant la contradiction est prégnante dans le contexte actuel : « Comment le système peut-il, dans ces conditions, continuer ? Il continue parce qu'il bénéficie encore de modèles d'identification produits *autrefois* : [...] le juge "intègre", le bureaucrate légaliste, l'ouvrier consciencieux, le parent responsable de ses enfants, l'instituteur qui, sans aucune raison, s'intéresse encore à son métier. Mais rien, dans le système tel qu'il est, ne justifie les "valeurs" que ces personnages incarnent, qu'ils investissent et sont censés poursuivre dans leur activité. Pourquoi un juge devrait-il être intègre ? Pourquoi un instituteur devrait-il se faire suer avec les mioches, au lieu de laisser passer le temps de sa classe, sauf le jour où l'inspecteur doit venir ? Pourquoi un ouvrier doit-il s'épuiser à visser le cent cinquantième écrou, s'il peut tricher avec le contrôle de qualité ? Rien, dans les significations capitalistes, dès le départ, mais surtout telles qu'elles sont devenues maintenant, qui puisse donner une réponse à cette question. Ce qui pose, encore une fois, à la longue, la question de la possibilité d'autoreproduction d'un tel système » (*ibid.*, p. 133).

Face à ces contradictions, il est plus que légitime de parler de crise morale. Ce n'est plus l'incontournable polythéisme des valeurs qui fait problème, mais une véritable cacophonie, la coexistence de valeurs héritées anciennes, comme l'honneur, l'héroïsme, le dévouement, la fidélité, l'altruisme, avec les valeurs modernes d'égoïsme, d'efficience, de réussite, de performance, d'intéressement. Toutes sont tour à tour plus ou moins exaltées et dépréciées dans les médias, sans véritable principe d'organisation sinon le « faire de l'argent », honteusement et implicitement, voire explicitement et de façon cynique, posé en principe de réalité. Ces divinités déchues des valeurs anciennes qui fondaient la cohésion sociale n'ont plus derrière elles la foi qui leur donnait vie et animait les combats des dieux. Le système fonctionne tant bien que mal grâce aux routines et aux replâtrages. Toutefois, face aux décombres moraux où se déploie la mondialisation économique, on ne voit pas quelle éthique pourrait inspirer l'homme de demain pour continuer à faire fonctionner un village mondial.

Une fois démasqués les leurres et démontés les paradoxes de la neutralité bienfaisante de l'économie et du développement, leur prétention éthique ne résiste pas à l'évolution concrète du capitalisme mondialisé en ce début de XXIe siècle. Les tentatives héroïques de l'économie sociale, solidaire ou plurielle pour moraliser le système en quelque sorte de l'extérieur échouent précisément en raison de la méconnaissance dont elles témoignent de la nature intrinsèquement immorale de la logique économique moderne.

DEUXIÈME PARTIE

L'INJUSTICE DU MONDE

« Considérant les activités de l'accusé à la lumière de l'article 23 de notre code pénal, nous estimons que ces activités étaient essentiellement celles d'une personne sollicitant les conseils d'autrui, ou donnant à autrui des conseils ; et d'une personne qui aidait, ou permettait à d'autres, d'accomplir des actes criminels. [Mais,] comme le crime en question est aussi énorme que complexe, qu'il supposait la participation d'un grand nombre de personnes, à différents niveaux et de différentes manières – les auteurs des plans, les organisateurs, les exécutants, chacun selon son rang –, il n'y a pas grand intérêt à faire appel aux notions ordinaires de conseils donnés ou sollicités dans l'accomplissement du crime. Car il s'agit d'un crime collectif, du point de vue du nombre des victimes et aussi du nombre de ceux qui ont participé à ce crime. Et si de nombreux criminels n'ont pas de rapports immédiats avec le véritable assassin, ils n'en sont pas moins responsables. L'on peut même penser que *le degré de responsabilité augmente en général à mesure que l'on s'éloigne de l'homme qui manie l'instrument fatal de ses propres mains* [1]. »

---

1. Extrait du jugement d'Adolf Eichmann, cité par H. Arendt, *Eichmann à Jérusalem : rapport sur la banalité du mal*, Gallimard, 1997, p. 398.

« Les faits sont têtus », dit le proverbe. Normalement, l'apologétique économique – que ce soit le discours classique sur la main invisible et l'harmonie naturelle des intérêts, le discours néoclassique sur l'équilibre général et l'optimum, le discours paternaliste de l'économie morale ou celui, plus sophistiqué, sur le développement – n'aurait pas dû tenir devant l'évidence de l'injustice du monde telle que les rapports annuels du PNUD, par exemple, nous en donnent la mesure. Les inégalités s'accroissent au sein des pays riches comme entre les pays riches et les pays pauvres. Toutes les analyses, des plus frustes aux plus raffinées, visant à démonter ces discours, à les démythifier et à les démystifier, devraient être inutiles ou gratuites ; elles n'auraient d'intérêt que pour la satisfaction des intellectuels ; les masses, convaincues d'avance par leur triste situation de la justesse de ces analyses, n'en auraient nul besoin pour savoir de quel processus elles sont les victimes. Ulcérées par les injustices subies, elles trouveraient bien d'elles-mêmes les slogans pour accompagner leur révolte, comme les canuts lyonnais de 1831 descendant sur la ville bourgeoise aux cris de « Du travail ou du plomb ! ». Et pourtant, ni les prolétaires d'Occident, ni les « damnés de la terre » du tiers-monde ne se sont massivement, durablement révoltés contre l'injustice de l'ordre économique mondial. Contrairement aux prévisions de Marx, de Lénine, de Mao Tsé-tung, et en dépit de leurs analyses, la révolution mondiale n'a pas eu lieu. Si la colonisation comme entreprise de domination par la force brute a échoué, la colonisation des esprits, au Nord comme au Sud, a été un extraordinaire succès. Le système économique a instauré une fantastique domination imaginaire grâce à la violence symbolique. Par l'empire des médias, par la propagande insidieuse de la consommation elle-même, la manipulation de la psyché est quasi totale. Les masses, fascinées par la machine dont elles sont victimes, s'en font même les complices passives, voire actives. Aussi, le travail de décolonisation de l'imaginaire passe non seulement par la dénonciation des paradoxes éthiques de l'économie, mais aussi par l'analyse de l'injustice économique du monde. Si celle-ci, au fondement de l'ordre/désordre mondial, mérite d'être mise en évidence dans le fonctionnement même des mécanismes économiques, elle est illustrée de manière éclatante par la farce tragique du libre-échange, qui constitue le fond dogmatique de la pensée unique et a partie liée avec l'imposture éthique du développement déjà dénoncée.

Chapitre quatre

La banalité économique du mal

« La leçon que nous a apprise cette longue
étude sur la méchanceté humaine : la terrible,
l'indicible, l'impensable *banalité du mal*[1]. »

Le danger dans la relation économique fondamentale
A-M-A' (argent-marchandise-argent) – ou acheter pour
revendre plus cher –, ce n'est peut-être pas tant aujour-
d'hui le gain illicite ou l'injuste mesure des hommes
dénoncés par Aristote que l'inéluctable inclusion de
l'homme et du monde au cœur de la relation marchande,
dans le « M ». Autrement dit, l'instrumentation de l'humain et du monde comme cobaye, ou marchandise. Salarié, usager, consommateur, l'homme est introduit comme
engrenage et rouage de la « machine » sociale, la nature
comme matière première ou carburant. Ils en ressortent à
l'état de déchets. Les minéraux sont extraits sans considération des paysages ni de l'histoire des lieux, et les résidus
abandonnés sur place. Les plantes sont manipulées ou
détruites à coup de pesticides. Les animaux sont modifiés, engraissés, massacrés, le cas échéant, sans autre
considération que la production de profits. Les rivières
sont transformées en égouts, les nappes phréatiques

---

1. H. Arendt, *op. cit.*, p. 408.

empoisonnées, les forêts saccagées, l'atmosphère rendue malsaine, avec à la clef des menaces de modifications climatiques, les océans pillés de leurs ressources et transformés en décharge, etc. Les hommes ne sont guère mieux traités. Achetés sur le marché du travail, utilisés pour obtenir un rendement maximal et soumis à d'innombrables risques en matière de santé physique (maladies professionnelles, accidents du travail) et mentale (stress), ils sont mis au rancart (licenciement ou retraite) une fois inutiles ou rendus inutilisables. Dans tous les cas, cela signifie pour eux la mise entre parenthèses de leur citoyenneté et de leur humanité. Quant à la nature, ces agissements reviennent à nier son insondable mystère et à oublier la solidarité cosmique qui nous lie aux autres espèces vivantes.

Bien sûr, cette instrumentation-là ne pouvait guère prendre d'extension du temps d'Aristote, car elle suppose d'une part des conditions historiques concrètes très particulières, d'autre part la mise en place d'un imaginaire social spécifique. Les premières concernent essentiellement la transformation de la force de travail en marchandise, l'instauration et la généralisation du mode de production capitaliste. Elles ont été bien étudiées par Marx, il n'est donc pas nécessaire d'y revenir. À ce propos, une récente déclaration du baron Ernest-Antoine Seillière, président du MEDEF, souligne l'actualité de cette instrumentation : « Il y a des pays sans syndicats, comme les États-Unis ou la Nouvelle-Zélande, où l'on a réussi à transformer le travail en marchandise. Ce n'est pas stupide, au vu des résultats qu'ils obtiennent en matière de plein-emploi et de croissance [1]... » C'est possible – encore qu'il y ait lieu d'en douter si l'on tient compte de la population carcérale aux États-Unis –, mais

---

1. *Le Monde*, 5-6 septembre 1999.

est-ce moral ? Sûrement pas au sens kantien, en tout cas [1]. Quel souci de justice préside à cette marchandisation de la force de travail ? La dignité de l'homme et sa capacité au bonheur doivent-elles être sacrifiées au mythe de la croissance, et même à un plein-emploi dégradé et dégradant ?

Les conditions secondes de l'instrumentation visent surtout la croyance que l'homme est maître et dominateur de la nature. Francis Bacon, René Descartes et la science moderne s'en sont chargés. Sans les avoir totalement passées sous silence, puisqu'elles ne se réduisent pas à la lutte des classes, Marx les a considérablement sous-estimées. Bref, si Aristote n'anticipe pas la modernité, il n'en reste pas moins que la logique A-M-A' qu'il dénonce contient le germe de l'instrumentation généralisée dont nous parlons, véhicule privilégié de la banalité du mal.

L'IMAGINAIRE ÉCONOMIQUE
ET L'INSTRUMENTATION GÉNÉRALISÉE

L'instrumentation généralisée se caractérise par trois aspects complémentaires : une réinvention honteuse de l'esclavage qui n'ose pas dire son nom, une technicisation de la vie, une indifférence éthique à l'égard de la nature et de l'usage qui en est fait.

Notre société n'est certes pas la première ni la seule à instrumenter l'homme et la nature ou à inventer des « machines sociales » qui nient la personne. Les sociétés antiques, avec l'asservissement des vaincus, poussaient

---

1. Rappelons qu'en 1785, à l'aube de l'ère industrielle, Kant énonçait la règle d'or de l'éthique occidentale : « Agis de telle sorte que tu traites l'humanité, aussi bien dans ta personne que dans la personne de tout autre, toujours en même temps comme une fin et jamais simplement comme un moyen » (E. Kant, *Fondements de la métaphysique des mœurs*, Vrin, 1992).

même la chose fort loin. On les a en conséquence quali-
fiées d'« esclavagistes », un adjectif qui paraîtrait incon-
cevable appliqué au monde moderne. Toutefois, elles
avaient le « bon goût » de classer explicitement l'esclave,
hors humanité, parmi les instruments (*instrumentum
vocale*, chez Caton). Aristote précise que les animaux et
les esclaves ne participent pas en tant que tels à la *philia*,
ce lien de solidarité qui unit les citoyens, même s'il est
recommandé de les bien traiter. Il n'y a donc ni justice ni
égalité à proprement parler dans le commerce avec eux.
La période moderne, elle, ne s'interdit pas de réinventer
ici et là l'esclavage strict, s'offrant le luxe de voir des
sociétés esclavagistes dans les sociétés africaines qui pratiquaient une certaine forme d'appropriation des captifs.
Toutefois, en les transformant en véritables économies
esclavagistes pour fournir aux besoins des plantations,
elle les dénature profondément avant de les coloniser,
sous prétexte d'abolir la traite.

Aujourd'hui, l'esclavage est d'autant plus construit
comme un repoussoir symbolique abominable que les
dernières modalités de la mondialisation dégradent le
salariat en des formes de servitude plus ou moins volontaire qui empruntent à la condition servile son pire aspect
(la transformation de la personne humaine en matière première de la fabrication du profit) sans en assumer la totalité des coûts. Les usines textiles du Sud-Est asiatique
qui travaillent directement ou en sous-traitance pour les
grandes marques transnationales n'ont rien à envier aux
« chiourmes » de l'Antiquité : horaires quasi illimités,
enfermement sur des lieux de travail transformés en dor-
toirs, violences et abus de toute nature. Le mécanisme
merveilleux du libre contrat de travail, comme celui de
l'endettement librement consenti mais transmissible de
génération en génération, permet tout cela, et même la
vente des enfants. « Aujourd'hui, note Denis Duclos, cent

cinquante ans après son abolition, on assiste à un branche-
ment direct de l'économie globale sur l'esclavage. Sur les
cent vingt millions d'enfants de moins de quatorze ans
employés à plein temps sur la planète, beaucoup sont
affectés à des tâches gratuites qui font la rentabilité des
sous-traitants et des marchands de travail avec lesquels
signent les antennes des géants mondiaux. [...] De Paris
à Bangkok, de New York à Haïti, des myriades d'ateliers
clandestins emploient des adultes immigrés courbés sur
les machines à coudre de la confection internationale. Et
partout les marques "propres" : Kookaï, Morgan, Burton,
Monoprix, La Redoute, C&A... en profitent, derrière le
pullulement des sociétés-écrans [1]. » Les débiteurs insol-
vables ou des personnes poussées par le besoin vendent
ainsi non seulement leurs enfants, mais aussi leurs
organes, et cela toujours sur le libre marché (fût-il plus
ou moins clandestin...). Sans atteindre de tels abus, il est
remarquable que, sous les formes les plus raffinées, grâce
aux techniques les plus sophistiquées, comme la location
d'utérus, on retrouve un procédé bien connu des Romains
et d'autres sociétés « esclavagistes ». Quand une matrone
était stérile, elle pouvait faire saillir une esclave et s'en
approprier le fruit comme enfant légitime du ménage.
« L'utérus d'emprunt ou d'accueil, s'interroge Pierre
Legendre, entre-t-il dans la catégorie aristotélicienne de
l'*outil vivant*, c'est-à-dire de l'esclave ? Comment savoir
si nos sociétés de progrès ne reconstituent pas, à l'abri
d'un pouvoir scientifique imaginairement surinvesti, un
espace protégé d'esclavage, sous des formes juridiques
considérées comme inédites dont l'histoire du droit fournit tant d'illustrations passées [2] ? »

---

1. D. Duclos, « La cosmocratie, nouvelle classe planétaire », *Le Monde
diplomatique*, août 1997.
2. P. Legendre, *Leçons*, t. IV, 1 : *L'Inestimable Objet de la transmission :
étude sur le principe généalogique en Occident*, Fayard, 1985, p. 356.

L'intérêt de la formulation de Pierre Legendre et du rapprochement entre la location d'utérus et l'esclavage des enfants est de mettre en évidence l'un des procédés de fonctionnement de notre société, que l'on pourrait appeler « stratégie d'euphémisation ». Le recours à toute une série d'intermédiations – technique, scientifique et juridique – aboutit à rendre *comestibles* les traitements les plus barbares. En matière d'esclavage, notre société n'est peut-être pas pire qu'une autre, mais elle est à coup sûr aussi coupable. Seulement, elle l'est subrepticement. Cette situation s'explique probablement par la dépersonnalisation et l'anonymat plus poussés des rapports sociaux. La société moderne généralise systématiquement la transformation insidieuse de l'homme en élément d'une gigantesque machine. Que ce soit dans l'organisation bureaucratique et administrative ou dans l'organisation scientifique du travail, les rapports deviennent à la fois contraignants, fonctionnels et impersonnels. Là encore, les Modernes n'ont rien inventé. Lewis Mumford, en effet, nous a appris que la plus extraordinaire machine inventée et construite par l'homme n'était autre que l'organisation sociale[1]. La phalange macédonienne, l'organisation de l'Égypte pharaonique, la bureaucratie céleste de l'empire des Ming sont des « machines » dont l'histoire a retenu l'incroyable puissance. L'empire d'Alexandre et l'Empire romain, fondés sur la légion qui a systématisé l'organisation inaugurée en fait par les Thébains d'Epaminondas, ont durablement bouleversé les destins du monde ; les pyramides d'Égypte étonnent encore l'homme du XXIe siècle ; et la grande muraille de Chine reste à ce jour la seule construction humaine visible de la lune. Dans ces organisations de masse combinant la force

---

1. L. Mumford, *Le Mythe de la machine*, t. 2 : *Le Pentagone de la puissance*, Fayard, 1974.

militaire, l'efficience économique, l'autorité religieuse, la performance technique et le pouvoir politique, l'homme devient le *rouage* d'une mécanique complexe atteignant une puissance quasi absolue : une *mégamachine*. Les machines, simples ou sophistiquées, participent au fonctionnement de l'ensemble et en fournissent le modèle. Les machineries mécaniques ne peuvent se développer pleinement qu'au sein d'une telle mégamachine.

Les « temps modernes » dont Chaplin nous a donné l'inoubliable spectacle cinématographique ont sans doute franchi une étape nouvelle et décisive dans ce processus de montée en puissance. Walther Rathenau, dans l'Allemagne de Weimar, parlait judicieusement de la « mécanisation du monde[1] ». Ure, dans *The Philosophy of Manufactures*, cité par Marx et Mumford, parle de l'usine de la grande industrie comme du « grand automate ». L'essentiel est dans « la distribution des différents membres du système en un corps coopératif, faisant fonctionner chaque organe avec la délicatesse et la rapidité voulues, et par-dessus tout dans l'éducation des êtres humains pour les faire renoncer à leurs habitudes décousues de travail et les faire s'identifier à la régularité invariable d'un automate[2] ». Cinéastes, artistes et écrivains de l'entre-deux-guerres se sont ingéniés à annoncer l'ère nouvelle, l'ère technique. Parmi les témoignages les plus saisissants, citons le *Métropolis* de Fritz Lang, *Le Meilleur des mondes* d'Aldous Huxley ou le *1984* de George Orwell. C'est à cette époque que le monde, fasciné ou horrifié, a vu se mettre en place trois mégamachines : l'usine fordiste avec la chaîne de montage, la machine de

---

1. P. Barcellona, *Dallo stato sociale allo stato immaginario : critica della « ragione funzionalista »*, Turin, Bollati Boringhieri, 1994, p. 27. Oswald Spengler reprend l'expression « mécanisation du monde » en 1931 dans *L'Homme et la Technique*, Gallimard, 1958, p. 143.

2. Cité par J.-P. Séris, *La Technique*, PUF, 1994, p. 183.

guerre et d'extermination du régime nazi, le socialisme bureaucratique combinant, selon la formule de Lénine, les soviets et l'électrification. En leur sein, l'individu n'est plus une personne, moins encore un citoyen. Il n'est plus qu'un rouage pris dans la gigantesque horlogerie du système.

Si ces trois mégamachines se sont effondrées comme des colosses aux pieds d'argile, les mécanismes plus subtils du marché mondial sont en train d'enclencher sous nos yeux les différents engrenages d'une nouvelle mégamachine aux dimensions planétaires : la *machine-univers,* ou *technocosme.* Sous le signe de la main invisible, techniques sociales et politiques (de la *persuasion clandestine* de la publicité au *viol des foules* de la propagande, grâce aux autoroutes de l'information et aux satellites de télécommunications...), techniques économiques et productives (du toyotisme[1] à la robotique, des biotechnologies à l'informatique) s'échangent, fusionnent, se complètent, s'articulent en un vaste réseau mondial, mis en œuvre par des firmes transnationales géantes (groupes multimédias, trusts agro-alimentaires, conglomérats industrialo-financiers de tous secteurs) mettant à leur service États, partis, sectes, syndicats, ONG, etc. L'empire et l'emprise de la rationalité techno-scientifique et économique donnent à la mégamachine contemporaine une ampleur inédite dans l'histoire des hommes. Surtout, à la différence des précédentes, elle n'a d'autre finalité qu'elle-même. Elle transforme quasiment les hommes en rouages à fabriquer des rouages, voire en matière première.

En devenant une pure technique, c'est-à-dire une science de la gestion qui ne porte que sur les moyens et

---

1. Dans le jargon des spécialistes, le « toyotisme » désigne le type d'organisation scientifique du travail à la japonaise, basée sur les cercles de qualité, la qualité totale du premier coup et les six zéros (zéro panne, zéro papier, zéro stock, zéro délai, zéro défaut, zéro état d'âme) et mise en œuvre par la firme automobile Toyota.

finit par en oublier les fins, l'économie participe à l'univers technicien. La techno-économie est la forme en laquelle s'incarne le mieux l'imaginaire du progrès. Or, si celui-ci joue un rôle structurant dans la modernité, il contribue pleinement à l'imposture de l'*efficience*. La croyance au progrès, en effet, présente l'accumulation de savoir, le perfectionnement des techniques, le développement des forces productives, l'accroissement de la maîtrise de la nature, de façon indiscutable, comme de *bonnes* choses. Dès lors, tout est fait pour que les connaissances puissent se transmettre et s'entasser, les résultats du développement se mesurer, se comparer et, bien sûr, se poursuivre. En conséquence, on se donne des échelles grâce auxquelles l'accroissement indéfini devient possible et pertinent. Cela suppose nécessairement la conviction que la « marche en avant » est toujours une amélioration, qu'il s'agit d'une chose belle et bonne, et que, réciproquement, ce qui est bon ne peut être que ce qui progresse. L'éthique se transforme alors insensiblement : l'utile devient le critère par excellence du bon, le bien-avoir mesurable est identifié au bien-être, lui-même forme sensible du bonheur. Mais l'utile, c'est précisément ce que les techniques permettent de fabriquer ou de mettre en œuvre, et que l'économie permet de vendre après que le marketing l'a transformé en besoin. Il s'ensuit une subtile perversion des valeurs [1]. Émergent en priorité les valeurs que la technoscience peut servir. Elles se substituent purement et simplement aux anciennes valeurs, ou subvertissent leur contenu de l'intérieur. Par exemple, les valeurs citoyennes de liberté, d'égalité, de fraternité ont tendance à être remplacées par celles de l'*hypervie,* grâce à la médecine et

---

1. Bien analysée par A. Vitalis dans « Raison technoscientifique et raison humaine. À propos de l'*ultima ratio* de Bernard Charbonneau », *in* J. Prades (dir.), *Bernard Charbonneau : une vie entière à dénoncer la grande imposture*, ERES, 1997, p. 151.

aux prothèses, de l'*hypercommunication,* grâce à Internet et autres gadgets médiatiques, de l'*hypersécurité,* enfin, grâce aux caméras de vidéosurveillance ou aux satellites. Toutes ces choses sont peut-être bonnes, mais elles ne peuvent être jugées telles que dans le cadre de cette croyance au progrès, si l'on avale au passage quelques couleuvres du genre « ce qui est bon pour Microsoft, Time Warner ou Novartis est bon pour l'humanité ».

Il y a quelques années, la Commission nationale de l'informatique et des libertés, pourtant assez timide, s'est retrouvée victime d'un véritable lynchage médiatique orchestré par certains médecins pour avoir émis des réserves quant au projet de divulgation des liens de parenté des descendants d'une même famille susceptible d'être atteinte de glaucome héréditaire – un projet qui s'est d'ailleurs révélé dépourvu de tout fondement scientifique. L'*inquisition* sanitaire s'est accrue depuis avec le sida et la montée des peurs collectives. Ainsi la santé et la sécurité primeraient la liberté du seul fait que ces *valeurs* sont opérationnelles et instrumentalisables avec les techniques dont on dispose. De son côté, la généralisation de l'œil de Big Brother fait peser des menaces graves sur la liberté de circuler. La présence en tous lieux publics de caméras vidéo a incontestablement permis l'élucidation de certaines énigmes policières, et facilite la traque des terroristes. Toutefois, on peut s'interroger sur le sort réservé aux enregistrements : qui les conserve ? qui peut les consulter ? La défense de la *privacy,* la préservation de l'intimité, une des valeurs fondamentales héritées des Lumières qui justifie certains sacrifices en matière d'égalité et de solidarité, s'avère en fait de plus en plus illusoire. La protection des privilèges et des privilégiés, avec l'obsession sécuritaire, tend à vider les principes de légitimation du nouvel ordre mondial de tout souci de justice. Depuis le 11 septembre 2001, cette obsession sécuritaire frise carrément le délire.

Le danger final de la technicisation amorale pilotée par l'économique n'est autre que la remise en cause de l'homme lui-même. Les possibilités d'améliorer l'espèce ouvertes par l'ingéniérie génétique et la nécessité de parer aux menaces que fait peser la mégamachine sur l'écosystème débouchent sur des mutations qui touchent, de proche en proche, l'identité de l'espèce. D'ores et déjà, l'homme est un animal trafiqué, manipulé, qui vit avec de plus en plus de prothèses. Certes, cette évolution ne porte atteinte pour l'instant ni à l'unité du genre, ni à la centralité de l'homme, même au sein de l'univers technique. En serait-il de même avec l'*Homo sapientior* préconisé naguère par Jean Rostand, ou l'*Homo scientificus* de Bernard Debré et autres « cybernanthropes » actuellement envisagés grâce à une amélioration génétique ou à la greffe de « puces » électroniques[1] ? L'accompagnement éthique proposé par Gilbert Hottois constitue-t-il une garantie suffisante[2] ? Un eugénisme génétiquement assisté nous conduit désormais à une humanité « à deux vitesses », sur le modèle de notre économie. Les « cybers », ces mutants technicisés, conserveront-ils la maîtrise de leur programmation et du destin du *technocosme* ? Le plus grand crime contre l'humanité ne serait-il pas de la faire disparaître sous prétexte de l'améliorer ? La question de la fabrication de sujets « normaux » est déjà problématique, si l'on en croit les analyses fascinantes du juriste et psychanalyste Pierre Legendre. « Que faire des inventions bio-génétiques ? Va-t-on engager le droit civil vers la généralisation de l'inceste ? Qui paiera

---

1. B. Debré, *La Grande Transgression : l'homme génétiquement modifié*, Michel Lafon, 2000. Voir aussi l'excellente analyse de J.-L. Porquet, *Jacques Ellul, l'homme qui avait presque tout prévu*, Le Cherche Midi, 2003, chap. 19.
2. G. Hottois, « Jeux de langage et pratiques technoscientifiques. La science postmoderne », in *Richard Rorty : ambiguïtés et limites du postmodernisme*, Vrin, 1994.

fantasmatiquement ? Allons-nous produire des enfants fous qui seront la monnaie avec laquelle nous réglerons la note de nos désirs de toute-puissance ? » Puis il précise la problématique, tout en y apportant un début de réponse : « Les sociétés industrielles font payer aux jeunes générations les identifications non dénouées des adultes, poussant des milliers d'enfants vers la psychose ou le dépérissement mental. Sous-analysé pour des raisons fonctionnelles d'*efficiency*, le système social réinvente le sacrifice d'enfants. [...] La psychose est un équivalent du sacrifice d'enfant, sous forme de mise à mort non sanglante du sujet ; elle est en passe d'être intégrée, de différentes manières, comme institution dans le système administratif et juridique ; elle devient progressivement incluse dans la problématique sociale des filiations [1]. » Au fond, nous avons remplacé la *paideia* d'Aristote – cette éducation des enfants qui consiste à en faire des citoyens en leur apprenant à être gouvernés et à gouverner – par la tentative de fabriquer une race améliorée sur le modèle des plantes et des animaux génétiquement modifiés [2]. À défaut de pouvoir résoudre les contradictions sociales de l'humanité, nous confions à la technique le soin de modifier l'homme pour tenter de les supprimer. Les enfants que nous allons léguer au monde ne posent pas moins problème que le monde que nous léguerons à nos enfants !

L'universalisme des valeurs finit par s'effriter devant la logique amorale de la mondialisation. Tout « cannibale »

---

1. P. Legendre, *op. cit.*, p. 161, 306 et 325.
2. F. Fukuyama, dans *Le Monde* du 17 juin 1999, n'en fait pas mystère : « Le caractère ouvert des sciences de la nature contemporaines nous permet de supputer que, d'ici les deux prochaines générations, la biotechnologie nous donnera les outils qui nous permettront d'accomplir ce que les spécialistes d'ingénierie sociale n'ont pas réussi à faire. À ce stade, nous en aurons définitivement terminé avec l'histoire humaine parce que nous aurons aboli les êtres humains en tant que tels. Alors commencera une nouvelle histoire au-delà de l'humain. »

qu'ait été l'humanisme occidental des Lumières, avec son ethnocentrisme et ses missionnaires bottés, on en viendrait presque à le regretter. Les injustices de l'ordre ancien, comme le colonialisme et l'impérialisme, étaient encore à l'échelle humaine ; on pouvait les dénoncer et les combattre. Cela devient beaucoup plus difficile dans un système qui fonctionne gâce à la complicité de tous.

La maîtrise de la nature, compagne et complice de la recherche du profit et élément central de la modernité, est sans doute à l'origine de ce type d'instrumentation de l'autre. Le glissement vers une naturalisation de l'homme a déjà été dénoncé par Claude Lévi-Strauss en son temps : « On a commencé par couper l'homme de la nature, et par le constituer en règne souverain ; on a cru effacer ainsi son caractère le plus irrécusable, à savoir qu'il est d'abord un être vivant. Et en restant aveugle à cette propriété commune, on a donné champ libre à tous les abus. [...] En s'arrogeant le droit de séparer radicalement l'humanité de l'animalité, en accordant à l'une tout ce qu'il retirait à l'autre, l'homme occidental ouvrait un cycle maudit. La même frontière, constamment reculée, a servi à écarter des hommes d'autres hommes, et à revendiquer au profit de minorités toujours plus restreintes le privilège d'un humanisme corrompu aussitôt né pour avoir emprunté à l'amour-propre son principe[1]. » C'est bien d'une conception de l'homme comme *Homo œconomicus* qu'il s'agit ici à travers la référence à l'amour-propre, c'est-à-dire au *self-love* d'Adam Smith, fondement de la main invisible. L'exaltation de l'homme à partir de sa définition comme individu propriétaire ouvrait la voie à tous les abus, à la fois sur la nature, faite pour être dominée et asservie, et sur l'homme lui-même, dès lors qu'il

---

1. C. Lévi-Strauss, *Anthropologie structurale*, Plon, t. 2, 1973, p. 53.

n'est pas propriétaire ou qu'on lui refuse le privilège de son humanité [1].

À côté du problème moral, soulevé par le philosophe Hans Jonas, de notre responsabilité à l'égard des générations futures, le problème de la solidarité des espèces mériterait peut-être d'être repensé, car tous deux sont liés. Sans tomber dans un animisme béat ni nier la spécificité de l'homme, un certain respect du monde vivant, la reconnaissance d'une communauté de nature et de destin nous donnent des obligations morales vis-à-vis des mondes animal et végétal, voire de la planète tout entière. Les sources, les montagnes, la terre, les mers ne nous sont pas nécessairement *données* comme matière première et poubelle. Nous nous devons, ne serait-ce qu'à l'égard de nous-mêmes, de les embellir de nos œuvres tout en usant d'elles avec modération pour nos besoins, au lieu de les saccager par une production insensée et de les épuiser par une croissance sans bornes. Quand beaucoup de sociétés dites « primitives » peuplent de divinités ou d'esprits cette nature que nous appelons « inanimée », il ne s'agit pas nécessairement de « foi » religieuse. Elle n'est en tout cas sûrement pas partagée par tous. On est plutôt en présence d'une fiction mythique, voire poétique, pour exprimer ce devoir de respect envers un héritage à conserver, à préserver et à transmettre. Une certaine esthétisation de notre environnement participe de l'éthique et la complète.

« La fin des explications animistes et organiques du cosmos, remarque Vandana Shiva, instaurait la mort de la nature, conséquence la plus lourde de la révolution scientifique. Dès lors que la nature était perçue comme un système de particules mortes, inertes, mues de l'extérieur plutôt que par des forces inhérentes, ce cadre mécanique

---

1. Ce que fait déjà la Révolution française pour les serviteurs et les femmes, exclus de la citoyenneté active.

justifiait sa manipulation [1]. » Elle ajoute : « Si l'on traite une vache ou un porc comme un bio-réacteur destiné à fabriquer certains produits chimiques, on peut le modifier sans contrainte éthique. Percevoir la diversité signifie percevoir toutes ses composantes, quelle que soit leur petitesse ou leur grande taille, et reconnaître que les rôles et l'interdépendance de toutes ces parties posent des limites à l'exploitation des autres espèces, des limites à l'arrogance du genre humain [2]. » Quant à savoir quelles sont ces limites, c'est une autre affaire, mais il est bon que la question soit posée. S'il est indéniable qu'une certaine exaltation de la nature a pu servir en Occident de caution à un mépris de l'homme, comme en témoigne l'écologisme nazi toujours mis en avant par les adversaires de toute politique environnementale, l'universalisme et l'humanisme limités à l'individu égoïste et propriétaire ont abouti à l'ethnocide. La manipulation de la nature a ouvert la voie à la manipulation des hommes. La colonisation du monde naturel et celle des *naturels* sont allées de pair. Le savant Robert Boyle, gouverneur de la New England Company, vitupérait naguère contre l'attitude respectueuse des Indiens : « La vénération dont ils sont imbus pour ce qu'ils appellent la nature est un empêchement décourageant à l'empire de l'homme sur les créatures de Dieu [3]. » Les compagnies pétrolières aujourd'hui installées en Équateur se moquent de l'attachement *irrationnel* des Indiens à leur terre.

L'élevage industriel propre aux sociétés développées nous interpelle sur les limites concrètes de la prétendue neutralité éthique d'une domination de la nature pilotée par la recherche du profit. « Massivement confinés dans

---

1. V. Shiva, *Éthique et Agro-industrie : main basse sur la vie*, L'Harmattan, 1996, p. 69.
2. *Ibid.*, p. 111.
3. Cité *ibid.*, p. 99.

des "camps de concentration" industriels, écrit Annamaria Rivera, tués dans des abattoirs automatisés et aseptisés, les animaux ne sont plus perçus comme des êtres vivants et sensibles. [...] Dans ce cas, la réification de l'animal est totale : les bovins, les poulets, les porcs, les lapins élevés industriellement n'ont pas d'autre statut que celui qui les situe entre la machine et la matière première brute. Les mauvais traitements, les tortures, les mutilations qu'on leur inflige ne sont pas perçus comme tels : ce serait demander à qui produit et à qui consomme une marchandise quelconque de s'inquiéter de son sort. Une telle "désanimalisation" de l'animal, inscrite dans le contexte d'une production en série, rappelle de près la déshumanisation qui fut à la base de la conception des univers concentrationnaires voués à l'extermination[1]. » Quant à Vandana Shiva, elle note : « En privant les bovins du ballast [en herbe, pour le remplacer par des boules de plastique qui restent dans la panse] dont ils ont besoin, on les traite de façon non éthique[2]. » Certes, on peut penser qu'il y a un fossé entre l'instrumentation de l'animal et celle de l'homme poussée à l'extrême dans des camps d'extermination. Pourtant, ce fossé a été franchi plusieurs fois au cours du XXe siècle. Il l'est quotidiennement sous nos yeux de façon insidieuse et rampante dans tel ou tel recoin du village planétaire − entreprises-bagnes pour enfants, camps de réfugiés en expansion vertigineuse, génocides récurrents − sans que nous nous en émouvions beaucoup, tant l'intolérable est devenu banal.

Pour les non-Occidentaux (ceux qui ont l'audace de ne pas être totalement occidentalisés, du moins), les choses

---

1. A. Rivera, « La construction de la nature et de la culture par la relation homme-animal », *in* C. Calame et M. Kilani (dir.), *La Fabrication de l'humain dans les cultures et en anthropologie*, Payot-Lausanne, 1999, p. 61. Voir aussi A. Farrachi, « Silence, on souffre ! Pitié pour la condition animale », *Le Monde diplomatique*, août 2001.

2. V. Shiva, *Le Terrorisme alimentaire, op. cit.*, p. 98.

sont moins évidentes. La séparation entre la nature et la culture, entre le monde des hommes et celui des « autres », n'est pas aussi nette. Les Massaïs ont pleuré en apprenant les immenses massacres de bovins pratiqués en Europe suite à l'épidémie de fièvre aphteuse en 2001[1]. Ils se sentent responsables de toutes les vaches du monde, et la barbarie du traitement infligé les touche profondément. Dans la Constitution de l'Inde est inscrit un devoir fondamental : faire preuve de compassion à l'égard de tous les êtres vivants. Cette disposition régit la relation légale entre les citoyens et les animaux présents sur le sol indien, qu'ils soient grands ou petits. Il s'ensuit que la loi doit protéger les animaux et les mettre non seulement à l'abri des mauvais traitements, mais aussi affirmer leur *droit à vivre* en harmonie avec les êtres humains. En découle toute une série de prescriptions. Cette compassion est « le vrai dharma commun à toutes les civilisations[2] ». Sans doute les hindouistes de l'Inde deviendraient-ils fous s'ils soupçonnaient l'ampleur et la violence de ces hécatombes bovines. Certains éleveurs autrichiens ne font-ils pas exploser leurs vaches à la dynamite pour éviter les frais liés à une destruction en abattoir ?

Au vu de ses conséquences extrêmes, l'exclusion de la nature et des autres espèces du domaine de l'éthique laisse perplexe. La souffrance imposée sans nécessité aux animaux, les mutilations sans nombre infligées à l'environnement, sans parler des atteintes à la beauté, créent une dangereuse accoutumance à la permissivité. S'il est excessif de caractériser ces actes comme participant d'un

---

1. J.-P. Rémy, « Les Massaïs du Kenya pleurent les vaches folles d'Europe », *Le Monde*, 27 mars 2001.

2. Jugement rendu le 23 mars 1992 par le tribunal de Tis Hazari, cas 2267/90, Delhi, cité par V. Shiva, *Le Terrorisme alimentaire, op. cit.*, p. 107-108.

mal radical, on se trouve bien en revanche, dans ce cas comme dans ceux, complémentaires, de la réinvention de l'esclavage et de la technicisation de la vie, face à un processus de « banalisation » dont les effets « démoralisants » sont difficilement contestables.

RAISON ÉCONOMIQUE D'ÉTAT
ET RAISON D'ÉTAT ÉCONOMIQUE

L'ère moderne renouvelle à sa façon le vieux problème du mal dans l'histoire. Max Weber, par sa réflexion sur la raison d'État et l'éthique de la responsabilité, demeure un guide irremplaçable pour introduire la question. « On peut se demander, écrit-il, s'il existe au monde une éthique capable d'imposer des obligations identiques, quant à son contenu, à la fois aux relations sexuelles, commerciales, privées et publiques, aux relations d'un homme avec son épouse, sa marchande de légumes, son fils, son concurrent, son ami et son ennemi. Peut-on vraiment croire que les exigences de l'éthique puissent rester indifférentes au fait que toute politique utilise comme moyen spécifique la force, derrière laquelle se profile la *violence* ? Ne constatons-nous pas que, parce que les idéologues du bolchevisme et du spartakisme ont précisément recours à la violence, ils aboutissent exactement aux mêmes résultats que n'importe quel autre dictateur militaire ? [...] En quoi la polémique de la plupart des défenseurs de la prétendue nouvelle éthique, même lorsqu'ils critiquent celle de leurs adversaires, est-elle différente de celle de n'importe quel autre démagogue ? Par la noble intention, dira-t-on. Bien. Mais ce qui est en question ici, *c'est le moyen*, car les adversaires qu'ils combattent revendiquent exactement de la même façon, avec la même et entière sincérité subjective, la noblesse de leurs intentions ultimes[1]. » Tout est dit ou presque dans ce court passage : l'insoluble problème d'une éthique globale, la complexité de l'interdépendance conflictuelle des liens entre éthique et politique, les pièges de la dialectique de la fin et des moyens.

Il a toujours existé des hommes qui ont laissé le souvenir d'avoir été « bons » et d'autres celui d'avoir été « mauvais » ou « méchants ». L'histoire a retenu le nom de bons et de méchants rois, de bons et de méchants papes, de bons et de méchants chefs de guerre. Les hommes ordinaires n'échappent pas non plus à ce classement. Il y a incontestablement des patrons humains et d'autres affublés d'une réputation exécrable, des cadres sympathiques et d'autres qui ne le sont pas, il doit même exister de gentils spéculateurs et d'honnêtes agents immobiliers... Bien sûr, on trouve des réputations usurpées et des condamnations injustes. Le problème se pose aussi de savoir pour qui tel ou tel a été bon ou mauvais. Un « bon mari », une « bonne épouse » ne sont guère « bons » que pour leur conjoint, comme un bon roi ne l'est que pour ses sujets... Les choses se compliquent encore un peu si, nous plaçant sur une scène plus vaste, nous parlons « grandeur » plutôt que « bonté ». La bonté a davantage partie liée avec la justice que la grandeur. Nous voilà dans le polythéisme des valeurs cher à Max Weber. On peut être grand sans être nécessairement juste. Beaucoup de « grands » hommes, loin d'être bons, ont été de francs scélérats. Pourtant, rares sont ceux que nous appelons « grands » et qui incarneraient le « mal absolu ». Si l'on s'accorde assez largement, en France du moins, pour qualifier de « grands » Louis XIV, Frédéric II et même Napoléon, on y répugne beaucoup plus pour Staline, et on s'y

1. M. Weber, *Le Savant et le Politique*, UGE, coll. « 10/18 », 2002, p. 169.

refuse carrément pour Hitler. Certes, il est des « mauvais » princes qui n'ont jamais commis de massacres ou d'atrocités ni malmené excessivement leurs sujets. À l'inverse, il en est de « bons », et plus encore de « grands », qui ont répandu abondamment le sang et plongé leur peuple dans le malheur et la misère. C'est que, dans l'histoire, les vices privés peuvent parfois engendrer le bien public, tandis que les meilleures intentions peuvent avoir des effets désastreux. Le jugement peut changer du tout au tout selon qu'on se base sur les actes ou sur les intentions. La politique n'est pas la morale, même si elle ne peut répudier la justice. Il importe, en réaction contre les tendances actuelles d'invasion de l'éthique sous l'influence du monde anglo-saxon, de maintenir clairement la distinction entre éthique et politique. Cela ne signifie pas que toute morale doive être bannie de cette dernière, au contraire, mais que son objectif reste le bien commun et non le perfectionnement de soi des citoyens, moins encore la vertu des dirigeants[1]. De ce point de vue, la politisation des frasques sexuelles de Bill Clinton constitue une affligeante dérive de l'idéal démocratique.

Dans le roman historique d'Alexandre Dumas *Ange Pitou*, le héros éponyme, au moment de commettre une rouerie, évoque en pensées, pour se conforter dans la voie du mal, les précédents célèbres : « Il songea à Philippe de Macédoine, qui fit tant de faux serments et qu'on appelle un grand homme. À Brutus, qui contrefit la brute pour endormir ses ennemis et qu'on appelle un grand homme. À Thémistocle, qui passa sa vie à tromper ses concitoyens pour les servir et qu'on appelle aussi un grand homme[2]. » L'exception d'Aristide le Juste n'est pas

---

1. A. de Benoist, « Quand triomphent l'économie et la morale, la politique est-elle encore possible ? », *Éléments*, n° 105, juin 2002.
2. A. Dumas, *Ange Pitou*, in *Œuvres complètes*, A. Le Vasseur et Cie, t. 6, s.d., p. 474.

très encourageante, puisqu'il fut exilé, et donc balayé. Tous les grands hommes ou presque, et la plupart des personnages importants du monde politique et économique, ont été ou sont, par rapport aux critères de la morale privée, des cas douteux. Entendons par là des individus peut-être exemplaires dans leur vie privée (quoique souvent elle soit aussi remplie de turpitudes que celle du commun des mortels, sinon plus), mais trompant froidement leurs adversaires et leurs rivaux, violant impudemment leur parole et les serments les plus solennels, dressant des embûches sournoises pour éliminer ceux qui les gênent, ayant directement recours, ou par l'intermédiaire de leurs vizirs, au meurtre, voire à la torture, le tout avec plus ou moins d'hésitations ou de scrupules. Il n'est pas nécessaire pour autant – mais cela n'est pas non plus exclu – que le plus grand homme, celui du moins que la postérité retiendra et admirera comme tel, soit précisément le plus répréhensible.

Rappelons le portrait que dresse Schopenhauer d'un tel personnage en 1819 à propos du « grand homme » de Hegel, à savoir Napoléon Bonaparte : « Lorsqu'un scélérat, grâce à des artifices prémédités, à un plan longuement élaboré, acquiert richesse, honneur, des trônes même et des couronnes, qu'il circonvient ensuite avec une perfidie subtile les États voisins, s'en rend successivement maître et devient ainsi le conquérant du monde, sans qu'aucune considération de droit et d'humanité l'arrête ; quand, avec une rigoureuse logique, il foule aux pieds et écrase tout ce qui s'oppose à son plan ; quand il précipite sans pitié des millions d'hommes dans des infortunes de toutes sortes, quand il gaspille leur sang et leurs vies, n'oubliant jamais de récompenser royalement et de protéger toujours ses partisans et ses auxiliaires ; quand, n'ayant négligé aucune circonstance, il est enfin parvenu au but ; ne voit-on pas qu'un tel homme a dû procéder d'une manière extrêmement raisonnable, que, si la conception du plan demandait une raison puissante, il fallait, pour l'exécuter, une *raison*, et une raison éminemment *pratique*, entièrement maîtresse d'elle-même[1] ? » Ce que Schopenhauer veut souligner dans ce règlement de comptes avec Kant, c'est que la raison pratique ne coïncide pas nécessairement avec la justice. Si la justice nécessite de la *phronésis*, du discernement, l'inverse n'est pas toujours vrai, en particulier en politique. Cette raison pratique-là, on l'appelle alors communément « raison d'État ». Ce que l'on admire chez les « grands » hommes, c'est l'ampleur du dessein, l'importance des réalisations, tout en fermant les yeux sur certains moyens utilisés à ces fins. On s'en tire le plus souvent en invoquant l'éthique de la responsabilité et la *bonne* raison d'État, celle dans laquelle le recours au mal (tromperie ou crime) est nécessaire pour éviter un mal plus grand. « Un gouvernement, admet Hannah Arendt, peut se trouver dans l'obligation de commettre des actes qui sont généralement considérés comme des crimes afin d'assurer sa propre survie et celle de la loi[2]. » C'est la définition même de la raison d'État.

Celle-ci paraît justifiée et conforme à la *phronésis*, cet art du discernement raisonnable et juste, lorsque les ambitions du grand homme ou du gouvernement épousent à peu près le destin d'une nation. Mais elle n'est plus qu'une ambition démesurée ou une honteuse crapulerie si le projet échoue et que l'histoire n'est pas au rendez-vous. « Il n'existe aucune éthique au monde, remarque Max Weber, qui puisse négliger ceci : pour atteindre des fins "bonnes", nous sommes la plupart du temps obligés de compter avec d'une part des moyens moralement malhonnêtes ou pour le moins dangereux, et d'autre part la possi-

---

1. A. Schopenhauer, *Le Monde comme volonté et comme représentation*, PUF, 1989, p. 647.
2. H. Arendt, *op. cit.*, p. 465.

bilité ou encore l'éventualité de conséquences fâcheuses. Aucune éthique au monde ne peut nous dire non plus à quel moment et dans quelle mesure une fin moralement bonne justifie les moyens et les conséquences moralement dangereuses[1]. » Si Hitler l'avait emporté, Laval (tout en restant, le cas échéant, une crapule) n'aurait-il pas été un très grand politique au jugement de l'histoire ? De Gaulle l'a été pour avoir mieux su percer les secrets de l'avenir. Dans le procès d'Adolf Eichmann, pour l'avocat de la défense, Me Servatius, l'accusé avait commis des actes « pour lesquels vous êtes décoré si vous êtes vainqueur et envoyé à l'échafaud si vous êtes vaincu ». De même, Goebbels déclarait en 1943 : « L'Histoire se souviendra de nous : nous aurons été les plus grands hommes d'État de tous les temps, ou les plus grands criminels[2]. » Jiang Zemin, l'actuel président chinois, donne une belle illustration de cette raison d'État à géométrie variable : « Sans les mesures déterminées que nous avons prises alors [la répression du mouvement démocratique de la place Tian'anmen], la Chine ne serait pas stable aujourd'hui. Au cours des cinq années passées, la Chine a bénéficié d'un développement économique, de stabilité sociale, et le niveau de vie de sa population s'est amélioré, grâce à nos efforts persistants pour faire de la stabilité notre première priorité. Ainsi, une mauvaise chose a été transformée en une bonne[3]. » Tout est là. Joseph Stiglitz, prix Nobel d'économie, qui a eu à traiter du dossier chinois en tant que responsable de la Banque mondiale, n'est pas loin de lui apporter sa prestigieuse caution : « La "transition" politique, la sortie du régime autoritaire du Parti communiste en Chine, est un problème épineux. [...] Mais ce qui est incontestable, c'est que, dans leur immense

---

1. M. Weber, *Le Savant et le Politique*, *op. cit.*, p. 173.
2. Cité par H. Arendt, *op. cit.*, p. 42.
3. *Le Monde*, 15-16 mai 1994.

majorité, les Chinois vivent beaucoup mieux aujourd'hui qu'il y a vingt ans[1]. » En outre, conformément à notre analyse de la raison d'État économique, c'est de plus en plus l'économie qui est invoquée comme la bonne fin justifiant tous les moyens[2].

« À l'État selon Machiavel, remarque Bernanos, qui ne connaît d'autre loi que l'efficience, comment ne s'accorderait pas une société qui ne connaît d'autre mobile que le Profit[3] ? » Aussi la raison d'État économique est-elle de plus en plus celle des entreprises transnationales qui, devenant les nouveaux maîtres du monde, assument les *responsabilités* des États. Avec des chiffres d'affaires supérieurs aux PIB d'un grand nombre de pays, ces géants économiques qui affichent leur « gouvernance » en modèle acquièrent un nouveau rôle. Ils peuvent créer ou supprimer des emplois et des revenus à l'échelle d'une région entière. Ce droit *de fait* de vie et de mort acquis sur des populations peut-il aller sans devoirs ? Peut-on se satisfaire de la formule d'un de leurs dirigeants : « Nous ne voulons pas diriger le monde, nous nous contentons de le posséder » ?

Les grands managers sont aujourd'hui nos grands capitaines (d'industrie...), et c'est dans cette catégorie de *condottieri* des temps nouveaux que se recrutent les grands hommes d'aujourd'hui, parce que l'économie vole la vedette à la politique. Le destin individuel de ces « barons voleurs » n'est pas très différent de celui des *conquistadores* de la Renaissance. La biographie de nombre d'entre

---

1. J.E. Stiglitz, *op. cit.*, p. 241. Pour les besoins du contexte et pour faire court, nous avons inversé l'ordre de la phrase, mais la pensée exprimée correspond bien à celle-là ; d'ailleurs, on la retrouve tout au long du chapitre d'où nous l'avons extraite.

2. Voir nos analyses dans *La Planète des naufragés : essai sur l'après-développement*, La Découverte, 1991, p. 88 et suiv.

3. G. Bernanos, *La France contre les robots*, Le Livre de poche, 1999, p. 59.

eux ressemble étrangement à celle de M. Arkadin, le fascinant héros mis en scène par Orson Welles. Les débuts de leur prodigieuse ascension sont obscurs et souvent plus que douteux. Construire un empire économique et financier grâce à tous les procédés moralement suspects déjà évoqués dans cet ouvrage (des OPA au *downsizing*) est le grand œuvre de notre temps, celui auquel se coltinent les héros. Cette raison d'État économique peut paraître bonne si elle contribue à l'optimum économique, mauvaise si elle engendre chômage, licenciement, crise. Un milliardaire atypique comme George Soros semble avoir bien compris la responsabilité du capital à l'ère de la mondialisation. Lui-même, « chef d'État sans État », comme on a pu le qualifier, a pesé de tout son poids en faveur d'une atténuation de la transition catastrophique des pays de l'Est et des effets désastreux de la politique du FMI. Malheureusement, reconnaissant lui-même que sa façon de s'enrichir dans la spéculation est « obscène », il est assez mal placé pour représenter une autorité morale. Il n'est pas l'un de ces entrepreneurs innovants magnifiés par Schumpeter, se taillant leur royaume privé à la force du poignet. Les vrais patrons de multinationales comme Bill Gates, Andy Grove ou Michael Eisner ont plutôt l'œil rivé sur le cours du Dow Jones ou la création de valeur pour l'actionnaire que sur le destin planétaire du capitalisme. Certes, ils ne sont pas avares, à l'occasion, de déclarations ambitieuses, comme Richard Parsons, P-DG d'AOL Time Warner, affirmant lors du dernier Forum économique mondial que les entreprises ont « une responsabilité dans l'ordre social mondial[1] ».

Toutefois, le passage à l'acte est beaucoup plus problématique. Agnès Bertrand n'est pas loin de la vérité quand elle écrit : « Ce sont les statuts mêmes des firmes commerciales qui inscrivent la rapacité et le cynisme dans

---

1. *Le Monde*, 19 novembre 2002.

leur code génétique[1]. » En outre, le triomphe actuel de
la version anglo-saxonne du capitalisme rentier, avec la
mainmise des fonds de pension sur les conseils d'administration, restreint les possibilités d'émergence d'un
patronat qui aurait une vision « politique » large de la
gouvernance d'entreprise. Il faut faire du dividende ou
de la hausse d'indice boursier à tout prix. Même si une
proportion non négligeable de ces fonds (12 % des produits de gestion collective, soit 2 000 milliards de dollars
aux États-Unis) s'affiche « éthique », les préoccupations
sociales et environnementales, loin de modifier les règles
du jeu, se limitent à des contraintes minimales. On peut
souscrire à l'analyse de Frédéric Lordon : « L'association
de la moralité et de la rentabilité est probablement une
illusion des plus fragiles, soutenable tant que l'investissement éthique reste une pratique marginale mais qui ne
devrait pas résister à sa généralisation. Car, d'une part,
ces clauses éthiques sont certes au principe de bénéfices
collectifs, mais dont aucun n'est susceptible d'être inter-
nalisé par la firme en un surplus de rentabilité économique : toutes choses égales par ailleurs, l'imposition d'une
contrainte supplémentaire ne peut pas, dans ces conditions, délivrer autre chose qu'une profitabilité inférieure
ou égale [...]. L'investissement éthique vit un âge d'or
appelé à se clore bientôt et devra compter tôt ou tard avec
la déconnexion de la moralité et de l'intérêt[2]. » Dans le

---

1. A. Bertrand et L. Kalafatides, *OMC, le pouvoir invisible*, Fayard,
2002, p. 288. « Nous nous opposerons à toute mesure qui impliquerait
pour les entreprises des obligations contraignantes en matière d'environnement ou de travail », écrivait de façon significative Abraham Katz, président de l'US Council for Industry and Business, à Jeffrey Lang, délégué
du secrétariat américain au Commerce. Cité *ibid.*, p. 158.

2. F. Lordon, *Fonds de pension, piège à cons : mirage de la démocratie
actionnariale*, Raisons d'agir, 2000, p. 114. D'ailleurs, en réaction contre
cette tradition quaker de refuser d'investir dans les *sin stocks* (« valeurs du
péché »), un « fonds du vice » a été créé, qui n'investit que dans le tabac,
l'alcool, les jeux et les armes, valeurs sûres si l'on en juge par les performances boursières de Mutuals.com. Voir *Le Figaro*, 6 septembre 2002.

contexte actuel, un homme d'affaires qui aurait une vision
« politique » ambitieuse, comparable à celle d'un Henry
Ford dans les années 20, serait très vite éliminé.
Finalement, en obéissant à la raison d'État et/ou à
l'éthique de la responsabilité, un roi, un despote, un tyran,
un haut magistrat, un chef de guerre, un *capo mafioso*,
un patron peuvent-ils être *justes* ? La question nous
plonge au cœur de l'ambiguïté de la justice, surtout dans
l'exercice du pouvoir, mais la réponse nous permet de
préciser la nature de sa relativité. Celle-ci tient à l'arbitrage nécessaire à opérer dans le conflit des valeurs en
fonction du contexte. Un « puissant » de fait ou de droit
peut être juste dans le sens où il peut agir envers les autres
en respectant et en faisant respecter la justice. Le terme
« respect » est ici fondamental. Le supérieur, de fait ou
de droit, est juste lorsqu'il impose à ceux qui lui sont
assujettis de respecter la justice dans leurs rapports entre
eux. Se sont ainsi taillé une réputation légendaire de
« justes » les chefs qui, tels Salomon, Charlemagne ou
saint Louis, exigeaient que justice soit rendue à la veuve
et à l'orphelin, c'est-à-dire aux impuissants sans défense,
même contre leurs officiers ou les membres de leur
propre famille. Mais en quoi, dira-t-on, consistait cette
justice des tyrans ? Le plus souvent, dans l'application
prudente et éclairée des lois, us et coutumes définissant
le dû de chacun. Encore fallait-il que ces derniers soient
justes, objectera-t-on avec raison. Certes. Si ces lois, us
et coutumes dictent les droits et les devoirs de tous de
façon égale (comme le code de Justinien) et/ou s'ils ont
été établis par les intéressés eux-mêmes, cela ne pose
guère de problèmes. Mais ce n'est pas la règle générale.
Usant de la force et de la violence, des conquérants, des
chefs d'entreprise ou des brigands imposent leur loi. L'application rigoureuse et consciencieuse de celle-ci (un
règlement d'entreprise ou la proclamation d'un chef de
bande) peut-elle encore revêtir un semblant de justice ?

Il faut noter que beaucoup de lois, us et coutumes ont été, à l'origine, le fait d'une violence ou d'un coup de force. Il en est ainsi en particulier dans le monde de l'entreprise et pour ce qui concerne le « droit du travail », ainsi que pour la plupart des « droits économiques ». Le cas du droit de licenciement et de la « liberté des salaires » est exemplaire. C'est la révolution « bourgeoise » de 1789 qui, avec le décret d'Allarde (17 mars 1791) et la loi Le Chapelier (14 juin 1791), a aboli l'antique réglementation du travail (celle des corporations) et livré le travailleur isolé à la merci du patron pour l'emploi et le salaire. C'est la contre-révolution néolibérale, au lendemain de 1989, qui a permis en France l'abolition de l'autorisation administrative préalable de licenciement et la multiplication des contrats de travail à durée déterminée. Le « droit » de la flexibilité du travail résulte d'un changement du rapport de forces. Cependant, même des règles *injustes* imposées à l'origine par la violence peuvent avec le temps « passer dans les mœurs », comme on dit, et recevoir de l'habitude un acquiescement tacite qui vaut consentement et relative légitimation.

Ainsi, les rapports, nécessairement inégaux, des détenteurs de l'autorité avec leurs subordonnés et même du tyran avec ceux qui sont soumis à sa loi peuvent comporter un certain degré de justice si la règle édictée qui y préside est considérée par le sujet lui-même comme juste et appliquée avec impartialité. Le chef « juste » sait reconnaître ses torts et se faire justice, y compris à ses dépens. Il en va ainsi dans le fonctionnement de la hiérarchie militaire, dans celui de l'administration ou dans le monde de l'entreprise. C'est en ce sens que l'on peut parler d'un général « humain », d'un magistrat « intègre » ou d'un patron « équitable ». Ces adjectifs ne sauraient qualifier en revanche un chef de gang ou de bande, puisqu'il est dépourvu de toute légitimité. La justice se limite pour lui à celle qu'il peut faire régner au sein de son groupe de hors-la-loi et ne concerne pas ses rapports avec les victimes... sauf s'il s'agit d'un Robin des bois, d'un bandit d'honneur justicier ou d'un révolutionnaire s'attaquant à un système injuste au nom d'une autre forme de loi et, de plus, bénéficiant d'un large soutien populaire.

Quoi qu'il en soit, la remarque d'Aristote sur l'absence de justice entre le maître et l'esclave reste vraie. Il n'y a pas de justice au sens strict entre inégaux en tant que tels. Si l'on peut parler de justice entre le supérieur et l'inférieur, c'est à la condition que le supérieur accepte de mettre sa position entre parenthèses et de se placer sur le même plan que l'inférieur, comme homme et comme citoyen, non comme individu jouissant de certains privilèges. De ce fait, la justice dans un contexte hiérarchique, bien que encore plus nécessaire, sans être absolument exclue, est toujours très problématique. C'est pourquoi il est essentiel pour le maintien de l'ordre au profit des dominants dans les sociétés modernes de mettre l'économie hors de la justice. En quoi Bill Gates et le chômeur de Harlem resteraient-ils égaux si l'on ne mettait pas entre parenthèses la différence de situation économique ? Serait-il encore possible aux pouvoirs publics américains de prétendre que les États-Unis sont bons et représentent la société la plus juste de l'histoire ?

L'IMMORALITÉ ÉCONOMIQUE

Si, de tout temps, on n'a pas « fait d'omelette sans casser des œufs », dans les sociétés prémodernes, les « machines sociales » (armée, État, Église, corporations, etc.) n'envahissaient pas la totalité de la vie. Leurs responsables pouvaient être identifiés. Nul n'était inquisiteur ou bourreau à son insu. Les guerres n'étaient pas propres, mais le massacre, le pillage ou le viol des populations civiles ne faisaient pas *normalement* partie des obligations professionnelles du soldat. Certains militaires se refusaient à les perpétrer, et même s'employaient à les empêcher ou à les punir. On invoquait l'honneur pour se défendre de ces souillures. À la limite, les hommes droits et honnêtes faisaient ce qu'ont fait quelques rares officiers français pendant la guerre d'Algérie : ils démissionnaient.

Avec la mégamachine actuelle, il n'en va plus tout à fait de même. L'instrumentalisation est anonyme et le carnage fonctionnel. Bien avant Hannah Arendt, Georges Bernanos avait saisi la spécificité contemporaine du mal dans sa banalisation. « Ce qui me fait précisément désespérer de l'avenir, écrivait-il dans l'immédiat après-guerre, c'est que l'écartèlement, l'écorchement, la dilacération de plusieurs milliers d'innocents soient une besogne dont un gentleman peut venir à bout sans salir ses manchettes, ni même son imagination. N'eût-il éventré dans sa vie qu'une seule femme grosse et cette femme fût-elle une Indienne, le compagnon de Pizarre la voyait sans doute parfois reparaître désagréablement dans ses rêves. Le gentleman, lui, n'a rien vu, rien entendu, il n'a touché à rien – c'est la Machine qui a tout fait ; la conscience du gentleman est correcte, sa mémoire s'est seulement enrichie de quelques souvenirs sportifs, dont il régalera au dodo "la femme de sa vie", ou celle avec laquelle il trompe "la femme de sa vie"[1]. »

On trouve encore de nos jours des patrons humains, des politiciens honnêtes, des officiers propres, et même des maffieux sympathiques, seulement cela n'a plus beaucoup d'influence sur le résultat. Or, comme la performance est devenue le seul critère de jugement, qu'elle

---

1. G. Bernanos, *op. cit.*, p. 95.

exige de mettre entre parenthèses tout problème de conscience (hormis peut-être la conscience professionnelle...) et de rester, pour s'assurer un plan de carrière, relativement indifférent aux souffrances engendrées par le fonctionnement des routines (les « dommages collatéraux »), le mieux est de ne pas faire de vagues. D'où une accoutumance au « mal » dont les effets sur les individus risquent d'être tragiques.

Les nazis entraînaient les jeunes SS à torturer des animaux pour les habituer à la souffrance (des autres) et à la vue du sang, avant de passer aux travaux pratiques en « grandeur nature ». Les *business schools* remplissent insidieusement la même fonction (mais l'ensemble de notre système de formation participe de plus en plus de cet esprit). Les techniques de gestion comme le dégraissage *(downsizing)* ou la compression des coûts *(cost-killing)* aboutissent à créer des drames humains – familles sans ressources, d'où malnutrition des enfants, désespoir des parents pouvant aller jusqu'au suicide, etc. –, mais en nous épargnant la vue du sang et des larmes, du moins en direct. Transformées en spectacle télévisuel, ces horreurs, surtout si elles se produisent sous les tropiques, peuvent donner un agréable frisson, tout en suscitant des vocations et des interventions « humanitaires » qui ne sont pas nécessairement innocentes.

Le climat de concurrence exacerbée qui se développe dans la société moderne tardive engendre par ailleurs une automutilation qui exacerbe l'instrumentalisation. Cela concerne surtout les managers, désormais « jetables » eux aussi, soumis au stress et à la menace des restructurations et des fusions[1]. Cette souffrance non exprimée des « guerriers puritains » (honte de ne pas répondre à

---

1. M. Villette, *Le Manager jetable : récits du management réel*, La Découverte, 1996.

l'image du « battant ») rend les cadres insensibles à celle
vécue par les autres, en particulier les exclus de la reconnaissance liée au travail, sans parler des naufragés du
développement et de la grande société. L'instrumentation
de soi-même rend complice de l'instrumentation du
monde et des autres[1]. L'efficacité sans principes se
déploie dans les lieux les plus inattendus de la société
contemporaine. Les cabinets d'avocats à l'américaine sont
devenus des machines à innocenter les coupables, moyen-
nant des honoraires faramineux. À l'inverse, commis
d'office pour défendre les pauvres ou les Noirs des ghet-
tos, certains avocats laissent des juges lâches condamner
des innocents sans s'indigner outre mesure, tandis que
la criminalité financière bénéficie de la plus scandaleuse
aménité.

La techno-économie suscite, impulse ou favorise ainsi
massivement ce qu'Hannah Arendt appelle la « banalité
du mal » à l'époque moderne. Le cas Eichmann, qui est
à l'origine de son analyse, possède une exemplarité du
fait du contraste entre la monstruosité du crime et la
dimension *banale* de l'inculpé. « L'ennui, avec Eichmann,
note Arendt, c'est précisément qu'il y en avait beaucoup
qui lui ressemblaient et qui n'étaient ni pervers ni
sadiques, qui étaient, et sont encore, effroyablement normaux. Du point de vue de nos institutions et de notre
éthique, cette normalité est beaucoup plus terrifiante que
toutes les atrocités réunies, car elle suppose que ce nouveau type de criminel, tout *hostis humani generis* qu'il
soit, commet des crimes dans des circonstances telles

---

1. C. Desjours, dans *La Souffrance en France, ou la Banalisation de
l'injustice sociale* (Seuil, 1998), rapproche ce contexte de la période nazie,
où le processus de peur et d'autoprotection nourrissait le zèle. Voir aussi,
du même auteur, l'interview dans *Le Monde* du 5 décembre 2002, et
F. Plassard, *Le Développement durable et le Temps choisi*, document personnel.

qu'il lui est impossible de savoir ou de sentir qu'il a fait le mal [1]. » En conséquence, il fut très difficile aux juges et au procureur de prouver sa culpabilité. Il n'avait pas directement tué, ni même donné l'ordre de tuer. « Je n'ai jamais tué un Juif ni d'ailleurs un non-Juif... Je n'ai jamais donné ordre de tuer un Juif ou un non-Juif [2] », déclara-t-il au procès. « Ce qu'il avait fait, écrit Arendt, n'était un crime que rétrospectivement, et il avait toujours été un citoyen respectueux de la loi, car les ordres de Hitler, qu'il exécuta certainement de son mieux, avaient "force de loi" dans le Troisième Reich [3]. » Plus loin : « Il ne lui serait jamais venu à l'esprit, comme à Richard III, de faire le mal par principe. Mis à part l'extraordinaire intérêt qu'il manifestait pour son avancement, Eichmann n'avait aucun mobile ; et le seul carriérisme n'est pas un crime. Il n'aurait certainement pas assassiné son supérieur pour prendre son poste. *Simplement, il ne s'est jamais rendu compte de ce qu'il faisait*, pour le dire de manière familière. [...] Avec la meilleure volonté du monde on ne parvient pas à découvrir en Eichmann la moindre profondeur diabolique ou démoniaque [4]. »

La banalité du mal dépasse largement le cas non banal de la Shoah. Arendt elle-même a popularisé cette analyse en l'appliquant au système totalitaire en général, qui banalise les goulags et les camps, réclame une obéissance aveugle et crée une accoutumance au mal. Les enfants sont incités à dénoncer leurs parents, la délation est érigée en système. Toutefois, elle ne va pas jusqu'à étendre explicitement cette lecture à la guerre, à la technique et à l'économie modernes. Certes, elle évoque la casuistique juridique déployée lors du procès de Nuremberg pour

---

1. H. Arendt, *op. cit.*, p. 444.
2. Cité *ibid.*, p. 349.
3. *Ibid.*, p. 46.
4. *Ibid.*, p. 460.

limiter le crime de guerre, mais sans s'en émouvoir outre mesure : « Au lendemain de la Seconde Guerre mondiale, tout le monde savait que les progrès techniques réalisés dans le domaine des armements rendaient inévitable l'adoption de techniques de guerre "criminelles". Car la définition que donnait la convention de La Haye des "crimes de guerre" reposait précisément sur la distinction entre soldats et civils, entre armée et population indigène, entre objectifs militaires et villes ; et cette distinction était dépassée. L'on estima donc [à Nuremberg] que par "crimes de guerre" il fallait désormais entendre ceux qui ne répondaient à aucune nécessité militaire, ceux dont on pouvait démontrer qu'ils étaient volontairement perpétrés dans un but inhumain [1]. » Mais, précisément, n'est-ce pas dans l'innocence criminelle de la technique que réside la banalité du mal, dont le cas Eichmann n'est qu'une dérive un peu perverse ? Peut-on se satisfaire d'une modification de la définition des crimes de guerre pour évacuer le problème de la banalité des massacres d'innocents commis en toute bonne conscience et dans l'indifférence ?

Sans utiliser le terme précis ni connaître l'analyse d'Arendt, Bernanos dénonce déjà, et de manière radicale, cette banalité du mal dans la modernité : « Le brave type qui vient de réduire en cendres une ville endormie se sent parfaitement le droit de présider le repas de famille, entre sa femme et ses enfants, comme un ouvrier tranquille sa journée faite. [...] Oh ! sans doute, les bombardiers démocrates, dites-vous, exécutent une besogne de justice. Mais les bombardiers d'Italie, par exemple, à l'époque de la guerre d'Éthiopie, ne pouvaient nullement prétendre exécuter une besogne de justice. Ils ne s'en recrutaient pas moins dans les mêmes milieux décents, bien-pensants [2]. »

---

1. *Ibid.*, p. 414.
2. G. Bernanos, *op. cit.*, p. 119-121.

En montrant que non seulement le totalitarisme, mais encore la bureaucratie transforment « les hommes en fonctionnaires, en rouages administratifs », et les déshumanisent, Arendt elle-même ouvre la voie à une généralisation de la responsabilité : « Supposons donc, pour les besoins de la cause, que seule la malchance a fait de vous un instrument consentant de l'assassinat en série. Mais vous l'avez été de votre plein gré ; vous avez exécuté, et donc soutenu activement, une politique d'assassinat en série. Car la politique et l'école maternelle ne sont pas la même chose [1]. » Par conséquent, la participation consentie à une entreprise criminelle rend le simple exécutant responsable [2].

Finalement, la banalité du mal, c'est tout simplement le fait que des populations civiles innocentes se retrouvent massivement et systématiquement victimes d'injustices et voient leurs droits élémentaires bafoués. Elles sont de ce fait contraintes à l'exil, enfermées dans des camps, soumises à des traitements barbares, ou carrément exterminées par génocide ou dommage collatéral. Et ces événements se produisent dans une indifférence quasi générale, ne sont le fait de personne et de tout le monde, du « système », comme on dit – un système qui n'est plus désormais l'apanage des totalitarismes ou de tel ou tel État voyou, mais qui est devenu planétaire.

On pourrait objecter que les guerres, de tout temps elles aussi, ont d'une certaine façon banalisé le mal en suspendant le discernement des consciences et les lois

---

1. H. Arendt, *op. cit.*, p. 448.
2. Alors, tous coupables ? Comme on le sait, c'est la conclusion de Karl Jaspers, le maître de H. Arendt. Mais ce n'est pas la sienne. « La leçon de ces histoires est simple, affirme-t-elle, à la portée de tous : elle est que la plupart des gens s'inclinent devant la terreur, mais que certains ne s'inclinent pas [...]. Humainement parlant, il n'en faut pas plus, et l'on ne peut raisonnablement en demander plus, pour que cette planète reste habitable » (*ibid.*, p. 377).

morales. C'est l'argument utilisé par la Turquie, par exemple, pour se défendre de l'accusation de génocide à propos du massacre organisé des Arméniens. Ce n'est pas totalement faux, et la banalité du mal des systèmes totalitaires ou de l'économie de marché peut aussi s'analyser comme la généralisation d'un climat de guerre civile et de guerre économique. Seulement, il y a un changement d'échelle et d'intensité. La démoralisation de la guerre traditionnelle était limitée dans le temps et la banalité du mal n'allait pas jusqu'à l'anéantissement de la conscience. On a même pu tenter, un temps, de construire – de façon certes arbitraire, mais relativement crédible – la notion de crime de guerre. Les efforts contemporains pour définir le crime contre l'humanité sont beaucoup plus problématiques. Pourquoi inculper le général Pinochet et non les dirigeants d'ATT, qui sont les véritables responsables du coup d'État contre la démocratie chilienne ? Quand traînera-t-on dans un prétoire les patrons d'United Fruit, responsables de milliers de morts au Guatemala ? Quand se décidera-t-on à poursuivre les dirigeants du FMI, responsables de la misère et de la mort de millions de personnes dans le Sud, voire dans l'ex-Union soviétique ? On comprend bien que tout cela est impossible, car c'est la société dans son ensemble qui est complice. Pourtant, alors qu'on n'a pas traîné l'Allemagne tout entière devant le tribunal de Nuremberg, une *catharsis* collective a partiellement été opérée. Quelque chose du même ordre serait nécessaire à l'échelle de la société occidentale.

Dans la mesure où la société moderne prend la forme d'une mégamachine et fait un usage permanent de dispositifs techniques sophistiqués, la dénonciation de sa nocivité peut passer pour un rejet de la technique, avoir quelques résonances technophobes. Il convient d'éviter toute confusion. Naturellement, ce ne sont pas les outils eux-mêmes qui sont responsables. Un couteau peut tailler du pain ou tuer. Un rayon laser peut guider des missiles, mais aussi sauver un œil. L'outil, la machine ou la technique ne constituent donc pas la catégorie pertinente. Les inventions apparaissent au sein d'une organisation sociale : un laboratoire, une fabrique, une société, et finalement une mégamachine-univers dominée par le marché. C'est dans la logique de l'économie que se situe désormais la source première du mal banalisé. Son noyau dur n'est pas dans les perversions totalitaires de la modernité mais au cœur même de son fonctionnement normal. Les systèmes totalitaires ne font qu'exhiber de façon caricaturale l'injustice foncière de la société qui leur a donné naissance. Il serait néanmoins excessif de dire de la mégamachine moderne qu'elle ignore l'éthique, que toute éthique en a été abolie. Il y règne bien une éthique, elle est même très prégnante, mais c'est une éthique de second rang, une éthique *technique*. Cette éthique-là porte sur les moyens et non sur les fins : c'est le *perfectionnisme*, la recherche de l'efficience pour l'efficience. Elle est même essentielle pour que la mécanique de la banalité du mal fonctionne bien. La conscience ne doit pas disparaître, elle doit s'assumer totalement comme professionnelle.

Le développement du génie génétique dans le cas des semences transgéniques constitue un bel exemple de ce perfectionnisme qui oublie les fins. On joue au démiurge en manipulant les séquences du génome ou de l'ADN, sans se préoccuper outre mesure des conséquences sur l'équilibre des espèces, la santé des consommateurs, l'économie des populations concernées, le mode de vie rural, etc. Quelle que soit la beauté de la prouesse technoscientifique – elle est indéniable –, il est difficile de lui trouver d'autre objectif final que celui de faire de l'argent, à travers la performance. En l'occurrence, il s'agit surtout de vendre plus de pesticide ou d'insecticide destiné à éliminer les parasites et les plantes concurrentes de celles auxquelles on a donné le gène résistant. Il n'y a pas dans le fond de grande différence entre la *criminalité* de la science hitlérienne ou stalinienne et celle de la recherche menée dans les laboratoires de Novartis ou de Monsanto (ou de Bayer, ou de Rhône-Poulenc...) par ces bons pères de famille, fonctionnaires de la mégamachine, qu'Hannah Arendt qualifie de « philistins ». Il s'agit de faire gagner son pays dans un cas, l'entreprise dans l'autre. Rappelons pour mémoire que plus de six mille savants nazis travaillant dans les laboratoires secrets de missiles V2, en particulier, où ils utilisaient les esclaves du Reich, ont été récupérés par les Américains, les Soviétiques, les Anglais et les Français, et blanchis sans état d'âme. Leur seul crime n'était-il pas d'avoir rempli consciencieusement leur tâche ?

« Il ne faut pas exclure, conclut Neil Postman à la suite d'Hannah Arendt, que, si Adolf Eichmann avait pu dire que ce n'était pas lui qui organisait les convois pour envoyer les Juifs vers les fours crématoires, mais une batterie d'ordinateurs, on ne lui aurait jamais demandé de répondre de ses actions[1]. » Il en aurait été à plus forte raison de même pour le préfet Papon, qui a pu occuper les plus hautes fonctions de la République en jouissant de la considération la plus élevée pendant des décennies. Il n'a pas, lui non plus, témoigné un repentir excessif pour son zèle. Grand serviteur de l'État gaulliste, son « crime » n'a consisté qu'à avoir d'abord été serviteur de l'État français sous Vichy.

Aujourd'hui, la loi des marchés s'impose de plus en plus à l'ensemble de la société et la transforme en « société de marché ». La logique marchande est le véhicule

---

1. N. Postman, *Technopoly : The Surrender of Culture to Technology*, New York, A. Knopf, 1992, p. 107.

d'une forme étendue de banalité du mal, d'une part parce qu'elle engendre une sorte de totalitarisme rampant, d'autre part parce que, loin d'être éthiquement neutre, l'économie peut être accusée à raison d'engendrer l'injustice. Comme dans tout système totalitaire, les frontières éthiques, morales et juridiques sont brouillées. Le crime peut être exalté et la vertu criminalisée. En dépit des acteurs eux-mêmes, la logique de la société mondiale de marché rend quasiment impossible de distinguer désormais ce qui relèverait d'une économie *normale* ou d'une économie criminelle. Cette situation indique qu'un seuil a été franchi dans l'histoire de la modernité. L'économicisation du monde – ce que recouvre le terme « mondialisation » – est le résultat d'un saut qualitatif. C'est au moment où le marché impose sa loi à la société que disparaît la conscience du mal. Les frontières entre *lobbying* et corruption, entre le flair de l'habile spéculateur et le délit d'initié, sont de plus en plus minces.

En fait, la corruption de la morale et la tricherie sont bien présentes dans le monde des affaires. « Le *business* doit se battre. Et avant tout sans morale[1] », déclare franchement un professeur réputé de la Harvard Business School. En 1994, le système d'espionnage Echelon a permis aux rivaux américains de Thomson SA et d'Airbus de décrocher des contrats grâce aux renseignements secrets communiqués par la NSA (National Security Agency) et la CIA. En 1998, le fabricant allemand d'éoliennes Enercon s'est aperçu que son rival américain Kenetech avait pu breveter sa technique, piratée grâce aux informations recueillies par le satellite espion[2]. La prétendue déontologie des affaires et l'éthique du marché sont largement du « bidon ». La tricherie est souvent la règle et l'honnêteté

---

1. J.-M. Dumay, art. cit.
2. W. Blum, *L'État voyou*, Parangon, 2002, p. 256-257.

l'exception. Tous les coups, y compris les plus tordus, sont utilisés quand le « fric » est en jeu : le *dumping*, la manipulation des prix, l'espionnage industriel, les OPA sauvages, les stock-options, le recours aux paradis fiscaux, véritables nids de pirates... Les îles Caïmans abritent 25 000 sociétés ; on assiste au développement planétaire des narcotrafiquants. Les sujets imitent les maîtres ; la fraude fiscale devient partout un sport national, le sport un marché véreux, les déontologies professionnelles des espèces en voie de disparition... « Au-dessus de 8 000 mètres, on ne peut pas se permettre d'avoir de la morale [1] », a déclaré un alpiniste japonais qui avait refusé de porter secours à des concurrents indiens en difficulté. Un seuil comparable en dollars existe sans doute dans les affaires...

C'est le règne d'une sorte de raison d'État économique, dans le plus mauvais sens de l'expression. Le machiavélisme s'étend de la sphère politique à celle des affaires. Le succès justifie tout, et il suffit de sauvegarder les apparences. Les scandales à répétition qui éclatent, comme ceux d'Enron ou de Worldcom, ne sont que la partie visible de l'iceberg. Les règles dont on sait que la plupart sont inapplicables et dont l'application est invérifiable sont faites pour donner le change, éliminer les *outsiders* et sauver la face. Les zones grises entre ce qui est interdit et ce qui est « correct », et l'existence de territoires de non-droit (paradis fiscaux, zones franches, États maffieux, etc.) permettent de blanchir les comportements délictueux et les consciences en même temps que l'argent sale. « La finance moderne et la criminalité organisée, écrit le magistrat Jean de Maillard, se renforcent mutuellement. Elles ont toutes les deux besoin, pour se développer, de l'abolition des réglementations et des contrôles

---

1. *Le Monde*, 26-27 mai 1996.

étatiques[1]. » René Passet, qui le cite, ajoute : « Si nous n'y veillons pas, nous passerons progressivement d'une économie *avec* criminalité à une économie *de* criminalité[2]. » Jean de Maillard poursuit : « Autrement dit, la société "formelle", dans l'ensemble de ses composantes politiques, économiques et sociales, se mêle de façon dorénavant inextricable à l'économie du crime. On ne peut plus parler globalement d'une société légale d'un côté, même en voie de rétrécissement, et d'une société criminelle de l'autre. Nous avons affaire à une société crimino-légale dont toutes les composantes, criminelles et légales, sont imbriquées les unes dans les autres[3]. » Toutes les commissions parlementaires françaises et américaines ont montré que, dans le domaine de la complicité de certains honorables banquiers et de leurs vénérables établissements avec les organisations criminelles, les limites ont depuis longtemps été franchies. En France, l'affaire Elf et l'*Angolagate* ont soulevé un coin du voile. Le pétrole, les trafics d'armes, la corruption politique, les services secrets et les mafias sont étroitement liés[4], et cette logique de fonctionnement de la rente pétrolière se reproduit au niveau planétaire.

Face aux révélations de telles turpitudes, les États les plus respectables (ne parlons pas de ceux qui sont carrément ouverts aux trafiquants) et les organisations internationales ne brandissent l'étendard de la croisade antiblanchiment que pour la galerie. Dès qu'il leur faut arbitrer entre les intérêts de la finance et ceux de la morale, même épaulée par le droit, ils ont vite fait de

---

1. Cité par R. Passet, *L'Illusion néo-libérale*, Fayard, 2000, p. 119.
2. *Ibid.*, p. 120.
3. J. de Maillard, *Le marché fait sa loi : de l'usage du crime par la mondialisation*, Mille et Une Nuits, 2001, p. 48.
4. F.-X. Verschave, *L'Envers de la dette : criminalité politique et économique au Congo-Brazza et en Angola*, Agone, 2002.

baisser les bras [1]. Cette expansion de la criminalité organisée, économique et financière, n'est que l'un des modes d'expression de la crise des formes politiques modernes. Elle dévoile, d'une certaine façon, la banalité du mal dans les États pervertis par la logique économique. De ce fait, elle n'est un phénomène ni fortuit, ni local, ni conjoncturel, ni réversible [2]. Chaque jour, 2,5 milliards de dollars ou d'euros d'argent criminel seraient blanchis, soit plus de 900 milliards l'an.

C'est peut-être cette banalisation, à un point jamais atteint dans le passé, des tâches « sales » exécutées par chacun dans son quotidien sous la pression du jeu des mécanismes aveugles du système (en particulier du marché) qui constitue le trait le plus saillant et le plus inquiétant, sous l'angle moral, de notre époque. Les recettes, déjà évoquées, des *business schools* contribuent à la réalisation en douceur de ce programme. La mondialisation favorise largement leur mise en œuvre et, par là même, la banalisation du mal. Elle permet en effet une délocalisation massive du « sale » boulot et une utilisation judicieuse des lois du marché pour en tirer le meilleur parti. Les grandes firmes transnationales se réservent le travail noble de conception et de gestion ; la fabrication et la production sont externalisées vers des sous-traitants à qui l'on fait signer des chartes éthiques pour garantir la qualité sociale et environnementale des produits, mais sans les soumettre à aucune véritable vérification. Ces sous-traitants, délocalisés ou non, subissant la pression

---

1. « Les transgressions que le libéralisme contemporain autorise vis-à-vis de sa propre légalité, au demeurant déjà bien indulgente, ne sont pas fortuites, elles ne prennent pas les gouvernements ni les organisations internationales par surprise. Le scandale qui devrait nous émouvoir, c'est au contraire qu'elles s'inscrivent dans la logique revendiquée de la déréglementation et qu'elles n'ont même pas besoin de se déguiser pour prospérer » (J. de Maillard, *op. cit.*, p. 68).

2. Voir *ibid.*, p. 35.

maximale de la concurrence, utilisent à leur tour des sous-traitants, et l'on aboutit aux ateliers clandestins, au travail au noir, aux artisans informels. Le merveilleux mécanisme de la concurrence joue à fond pour les petits et les travailleurs, comprimant les coûts jusqu'au seuil de la survie, même au-delà. Et ce sont les bagnes chinois et l'esclavage du Sud-Est asiatique. Dans ces conditions, on comprend que les gouvernements des pays qui vivent de ce système ne veulent pas entendre parler des clauses sociales ou environnementales que l'OMC tente mollement de leur imposer. La nature et les hommes (plutôt les femmes et les enfants...) paient le prix fort, mais l'honneur des grands est sauf, du moins en apparence. Si des scandales humains et écologiques éclatent ici ou là, ils s'en lavent les mains : les contrats n'ont simplement pas été respectés par leurs vassaux. Les grandes compagnies peuvent ainsi pavoiser et afficher clairement et sereinement leur conviction qu'*ethics pays,* ou encore qu'*ethics is good business.* L'éthique et les affaires font décidément bon ménage[1], au point que l'on a pu par dérision parler d'une « cosm'éthique »...

En avril 1998, la multinationale Nike est poursuivie pour avoir gardé secrets les résultats d'un rapport effectué par une société de consultants sur les conditions de travail dans ses usines sous-traitantes. « Dans certains ateliers de la fabrique Tae Kwang Vina, pouvait-on lire notamment dans ce rapport, les travailleurs étaient exposés à des substances cancérigènes selon un taux de concentration 177 fois plus élevé que ceux admis par les lois, et 77 % des employés souffraient de problèmes respiratoires. » Il faut en outre garder à l'esprit qu'en Indonésie, où se

---

1. S. Mercier, *L'Éthique dans les entreprises*, La Découverte, 1999, p. 43. Le dossier établi par le journal *Libération* le 17 décembre 2002 sur « Les soutiers du Père Noël » est édifiant et fourmille de détails concrets et sordides.

situent la plupart des sous-traitants de Nike, les ouvriers travaillent en moyenne 270 heures par mois pour un salaire d'environ 40 dollars, soit 15 cents de l'heure, ce qui permet à peine de couvrir 30 % des besoins vitaux d'une famille de quatre personnes. Le plus scandaleux est que le coût du travail des fabriques de chaussures ne représente que 0,2 % du prix du produit fini, alors que, dans le même temps, la firme signe chaque année un chèque de 20 millions de dollars à l'ordre de la star Michael Jordan pour qu'il lui prête son image dans les spots publicitaires – une somme qui permettrait de doubler tous les salaires des employés indonésiens [1]...

L'ingénieur d'AZF rejette allégrement les déchets toxiques dans la Garonne, dans les limites très élastiques des tolérances légales, quand elles existent, et éventuellement hors de ces limites, au détriment de l'environnement. Le chef du personnel licencie consciencieusement pour réduire les coûts, le comptable recycle non moins consciencieusement l'argent des mafias diverses, l'expert certifie solennellement des bilans manipulés pour ne pas effaroucher les « marchés », tandis que le commercial casse les prix des fournisseurs, comme on lui a appris à le faire dans les *business schools,* au risque de les acculer à la faillite, à la fraude ou même à l'utilisation de procédés criminels (tel l'esclavage des enfants). Tous, comme Eichmann, font ainsi leur travail au mieux. L'éthique réelle ou simulée est le cache-sexe de l'injustice du monde.

Jean-François Lyotard, qui a fort bien perçu le phénomène, écrit : « Le principe qui rend les hommes superflus comme personnes juridiques, morales et singulières [...] habite les "actes" mêmes de la vie administrée [...] et fait le vide dans les esprits qu'elle administre. Ce principe se

---

1. *Alternatives économiques*, septembre 1993.

nomme le Développement. C'est une entité qui n'est pas moins abstraite et anonyme que la Nature ou l'Histoire. Elle maximise l'effet que décrivait Arendt : mettre en mouvement, mobiliser totalement les énergies. Ni l'organisation politique structurée en oignon (qui pour Arendt caractérise les systèmes totalitaires) ni l'usage de la terreur pour briser la légalité et la dette de la naissance ne lui sont indispensables. Au contraire, comme Jünger le savait dès 1930 [dans son livre *Der Arbeiter* (Le Travailleur)], la "loi" du développement trouve dans la forme démocratique et l'aménagement incessant des légalités aux fins de mieux-être à la fois un moyen et un masque beaucoup plus puissants, parce que plus acceptables par "les Philistins" justement, que l'organisation totalitaire des années 30. La brutale propagande y est discrète, elle laisse place à l'inoffensive rhétorique des médias. Et la mondialisation ne s'y fait pas par la guerre, mais par la compétition technologique, scientifique et économique. Les noms historiques de ce totalitarisme bon enfant ne sont plus Stalingrad, la Normandie, et moins encore Auschwitz, mais l'indice Dow Jones à Wall Street et l'indice [Nikkei] à Tokyo[1]. »

---

1. J.-F. Lyotard, « Le survivant », in *Ontologie et Politique : Hannah Arendt, op. cit.*, p. 273.

Chapitre cinq

La justice économique du libre-échange : une farce dont nous sommes les dindons

> « Le but de la vie étant de cueillir les feuilles situées sur les branches les plus hautes possible, le meilleur moyen d'y parvenir est de laisser les girafes qui ont le cou le plus long affamer celles qui l'ont plus court. [...] Mais si le bien-être des girafes nous tient à cœur, nous ne devons pas négliger les souffrances de celles dont le cou n'est pas assez long et qui donc meurent de faim, ni le sort des feuilles savoureuses qui tombent sur le sol et sont piétinées dans la mêlée, ni la suralimentation des girafes au long cou, ni enfin l'angoisse et l'avidité qui assombrissent les doux regards du troupeau[1]. »

Paradoxalement – mais les économistes n'en sont pas à un paradoxe près –, le thème de la justice est très présent dans le discours économique. Moralistes, on l'a vu, les économistes classiques émancipent l'économie de la morale *subjective,* mais avec l'assurance expresse que la morale *objective* demeure sauve. Le bien commun, donc

---

1. J.M. Keynes, « La fin du laisser-faire », in *La Pauvreté dans l'abondance*, Gallimard, 2002, p. 72 et 75.

une certaine forme de justice, serait réalisé par la main invisible. Les premiers néoclassiques, confrontés à la critique socialiste et marxiste, ont été eux aussi littéralement obsédés par le problème de la justice sociale. Le plus célèbre d'entre eux, le Français Léon Walras, en a fait le centre de sa réflexion [1]. Bien avant de se consacrer à son modèle économique de détermination des prix, il a publié de nombreux essais sur la question. Walras divise d'emblée l'étude du champ économique en trois branches : l'économie pure, dont le critère est le vrai et qui relève de la science, l'économie politique appliquée, dont le critère est l'utile et qui relève de l'art, et l'économie sociale, dont le critère est le juste et qui relève de la morale. Ce sont pour lui les trois volets nécessaires à la réalisation d'un programme complet où la justice, tout en constituant le couronnement de l'ensemble de manière explicite, est présente à chaque étape de la démarche.

Cependant, si l'équilibre général de l'économie pure doit être complété par une économie sociale et une économie politique appliquée, le libéralisme absolu est réaffirmé au niveau de l'organisation et de la production des biens et services, et il constitue une pièce maîtresse dans la construction d'une société juste. La nécessité de confisquer et de socialiser les rentes abusives (celles de la terre, en particulier), d'assurer des chances égales à chacun, justifie pour Walras (comme pour Friedrich von Wieser, disciple du fondateur autrichien du marginalisme, Carl Menger) une intervention modérée de l'État, que les libéraux intégristes jugent inacceptable. Cette régulation publique n'a d'autre but que de permettre aux mécanismes naturels du marché de fonctionner de manière

---

1. Léon Walras (1834-1910). Œuvres marquantes : *L'Économie politique et la Justice* (1860), *Principes d'une théorie mathématique de l'échange* (1873), *Études d'économie sociale* (1896), *Études d'économie politique appliquée* (1898).

pleinement équitable. Par une ruse dont l'histoire a le secret, le même Walras, vilipendé en son temps et traité par ses pairs de « socialiste » (qualificatif qu'il ne rejetait d'ailleurs pas, puisqu'il se revendiquait d'un socialisme « scientifique »...), est aujourd'hui la référence obligée du libéralisme dogmatique. Son analyse de l'équilibre général des marchés, prolongée par l'œuvre de son disciple Vilfredo Pareto (1848-1923) et les travaux plus récents des prix Nobel Kenneth Arrow et Gérard Debreu, constitue le socle le plus ferme de la science économique moderne. Il n'est pas sans intérêt de voir pourquoi, pour les idéologues du libéralisme pur et dur du XIXe siècle comme Henri Charles Carey, Frédéric Bastiat, Jean-Gustave Courcelle-Seneuil et autres pourfendeurs de « sophismes économiques », le « bavardage de thaumaturge » walrassien (*dixit* Pareto à propos de l'économie sociale de son maître) était inutile et nuisible. Cela nous permettra de mieux situer et cerner la grande injustice que la « liberté » économique fait subir aux hommes et aux peuples.

LES SOPHISMES DES IDÉOLOGUES LIBÉRAUX : LA JUSTICE ILLUSOIRE

On pourrait sans doute trouver des idéologues libéraux plus radicaux encore que Henri Charles Carey (1793-1879) et Frédéric Bastiat (1801-1850), que nous avons choisi d'évoquer. D'autant que le premier a terminé sa carrière comme protectionniste... Certains de leurs disciples, comme Charles Dunoyer, Jean-Gustave Courcelle-Seneuil, Gustave de Molinari, Frédéric Passy ou Yves Guyot, vont encore plus loin sur certains points [1]. Toute-

---

1. Charles Dunoyer (1786-1862), *De la liberté du travail* (1845). Jean-Gustave Courcelle-Seneuil (1813-1892), *Traité théorique et pratique d'économie politique* (1858). Gustave de Molinari (1819-1911), fanatique

fois, Carey et Bastiat ont été les premiers, dans le sillage de Jean-Baptiste Say, à fournir les arguments simples (voire simplistes) dont useront et abuseront des générations successives de publicistes libéraux, jusqu'à leurs actuels et lointains continuateurs, les libertariens américains et leurs émules français (Henri Lepage, Bertrand Lemennicier ou Pascal Salin).

La valeur, qui fonde le prix des marchandises, nous disent Carey et Bastiat, est égale à la quantité de travail qu'elles renferment, ainsi que l'ont dit les classiques. Toutefois, cette quantité ne doit pas se mesurer au départ sur le nombre d'heures passées par le travailleur à fabriquer le produit, mais sur le nombre d'heures que nous fait économiser leur achat. Si, par exemple, je devais confectionner moi-même mes chaussures, en admettant que cela soit possible, il me faudrait peut-être 30 heures de travail pour en fabriquer une mauvaise paire, tandis qu'il n'en coûte que 5 heures à un professionnel bien outillé. Le recours au cordonnier m'épargne donc, en l'espèce, 30 heures de travail si je peux obtenir mes chaussures en échange d'un autre bien que j'ai à disposition. La valeur de la paire de chaussures sera donc pour moi (comme pour tous les profanes) égale à 30 heures. Aussi, si la valeur est égale au travail épargné, elle équivaut à un service rendu. Donc valeur = service. Puisque le prix est le rapport de deux valeurs ou de deux services échangés librement, il est nécessairement juste (par exemple : 1 paire de chaussures contre 10 litres de vin). Il a toutes les chances d'être infiniment profitable aux deux parties puisque la concurrence le ramène au coût de production et offre aux échangistes, gracieusement, toute la diffé-

---

anti-étatiste, auteur du *Cours d'économie politique* (1863). Frédéric Passy (1822-1912), *Causes économiques des guerres* (1905). Yves Guyot (1843-1938), surnommé le « patriarche de l'économie ultralibérale », auteur de *L'ABC du libre-échange* (1913).

rence entre le travail épargné et le travail incorporé. Si le prix de la paire de chaussures s'établit à son coût de production de 5 heures, ce sont 25 heures de travail que j'économise grâce à l'échange. Il en va de même pour le cordonnier, qui n'aurait pu produire les 10 litres de vin qu'il obtient en échange qu'au prix d'une bien plus grande peine. C'est cette différence entre le prix effectif et le prix que l'on était prêt à payer que les économistes modernes, à la suite d'Antoine Augustin Cournot et Alfred Marshall, dénomment le « surplus » du consommateur. Le revenu ainsi gagné par l'échange des produits du travail est la source naturelle de la propriété, qui consiste au bout du compte dans la totalité des sommes reçues par les échangistes. Ainsi, la propriété est égale au total des services rendus par celui qui devient propriétaire grâce à son activité. Donc Propriété = Justice. CQFD.

« Socialistes, économistes, égalitaires, fraternitaires, s'exclame Bastiat, je vous défie [...] d'élever l'ombre d'une objection [...] contre la propriété telle que je l'ai définie [...]. Les hommes ne sont propriétaires que de valeurs et les valeurs ne représentent que des services comparés, librement reçus et rendus[1]. »

Certes, l'ingéniosité et le talent particulier de certains individus leur permettent d'élargir la sphère des « services gratuits de la nature » par l'invention de dispositifs *ad hoc*. Cet accroissement de la productivité du travail met à leur disposition un don gratuit de la Providence qui les classe dans une position supérieure. Il en est ainsi de Robinson vis-à-vis de Vendredi. Cependant, dans ce libre contrat entre l'entrepreneur et l'exécutant, chacun trouve son compte. « Vendredi, nous explique Carey, n'avait pas de canot et n'avait pas non plus acquis le capital intellec-

---

1. F. Bastiat, *Harmonies économiques* (1849), chap. VIII, Guillaumin, 6e édition, 1870, p. 265 et 268.

tuel nécessaire à la production d'un tel outil. Si Robinson avait possédé un canot et si Vendredi avait voulu le lui emprunter, Robinson lui aurait certainement répondu : à une certaine distance de la côte il y a beaucoup de poissons, tandis qu'il y en a peu tout près du rivage. Si tu travailles sans le secours de mon canot, tu arriveras à peine avec tout ton travail à pêcher de quoi te nourrir. Avec mon canot au contraire, tu peux en deux fois moins de temps attraper autant de poissons que nous en avons besoin à nous deux. Donne moi les trois quarts de tout ce que tu prendras et tu pourras garder le reste pour toi. Tu te procureras ainsi une grande quantité de nourriture et il te restera encore du temps que tu pourras employer à te procurer de meilleurs vêtements et une meilleure habitation[1]. »

Cette inégalité de la répartition, conforme dans le fond à une justice distributive qui respecte la différence et la hiérarchie des talents, n'est en outre que passagère. L'évolution des techniques se révèle la complice *naturelle* de l'imaginaire démocratique et de la conception égalitaire de la justice. Le simple travailleur se retrouvera toujours plus favorisé par rapport à l'ingénieux capitaliste. « La quantité de travail nécessaire à la reproduction du capital existant et à son augmentation ultérieure, affirme Carey, décroît à chaque stade du progrès humain. La valeur des richesses déjà accumulées diminue constamment tandis que, par opposition, la valeur du travail va constamment en croissant[2]. » Autrement dit, le capital technique (les équipements) se dévalue (les marxistes ne diront pas autre chose), mais Carey et Bastiat en concluent un peu hâtivement que le profit aussi diminue par rapport au salaire. C'est toute l'histoire des haches : « Malgré le peu de tra-

---

1. H.C. Carey, *Principles of Political Economy* (1837-1840).
2. *Ibid.*

vail qu'on pouvait exécuter avec la hache de pierre, poursuit Carey, elle était très utile à son possesseur. Il lui semblait par suite très juste de se faire payer une forte somme pour son usage par l'homme auquel il la prêtait. Comme on le comprend facilement, celui-ci pouvait fort bien payer cette somme car il abattait en un jour avec la hache plus de bois qu'il n'aurait pu en abattre sans elle en un mois. Il devait donc avoir bénéfice à s'en servir, si même on ne lui laissait que la dixième partie du produit de son travail. Mais aussitôt qu'il lui fut permis de garder le quart, il vit son salaire augmenter notablement, malgré la fraction considérable que son voisin le capitaliste réclamait comme profit. [...] Puis on arrive à la hache d'airain qui est de beaucoup plus utile. Le propriétaire, à qui on demande de céder l'usage de sa hache, doit bien avoir en vue que non seulement la productivité du travail s'est notablement accrue, mais aussi que la quantité de travail qu'on doit consacrer à la production d'une hache a beaucoup diminué ; que la puissance du capital a décru, tandis que la puissance du travail, relativement à la reproduction du capital, a augmenté ; en conséquence, il n'exigera plus que les deux tiers du rendement de l'outil plus avantageux [...]. » Puis vient la hache de fer qui double le rendement, puis la hache d'acier, et enfin la tronçonneuse, et ainsi de suite, jusqu'à la disparition totale des forêts sur la surface de la Terre...

« Toute modification ultérieure et de même sens de l'outillage, conclut notre auteur, conduit toujours au même résultat. La fraction du rendement revenant au travailleur s'accroît avec toute augmentation de la productivité du travail ; la fraction du rendement revenant au capitaliste décroît en même temps régulièrement. Mais la quantité des produits augmente sans cesse ainsi que la tendance à l'égalité entre les différentes parties de la société. » Pour être sûr de s'être bien fait comprendre, Carey nous donne un petit modèle chiffré :

Périodes	Rendement total	Part de l'ouvrier	Part du capitaliste
1	4	1	3
2	8	2,66	5,33
3	16	8	8
4	32	19,20	12,80

Ce tableau n'est qu'une illustration, nullement une démonstration. Il ne démontre pas, en particulier, la baisse du taux de profit, puisqu'on ignore le coût du capital, dont on sait seulement qu'il n'en finit pas de diminuer. Toutefois, Carey conclut avec la modestie grandiloquente qui caractérise cette école : « Telle est la grande loi qui régit la répartition des produits du travail. De toutes les lois inscrites dans le livre de la science, elle est peut-être la plus belle, car elle servira de base à l'harmonie complète des intérêts véritables des différentes classes de la société[1]. » Ainsi, non seulement le revenu absolu des travailleurs augmente, même dans une économie dérégulée en croissance – ce que soutiennent les partisans de la mondialisation heureuse –, mais aussi leur part relative du gâteau – ce que les statistiques récentes du PNUD récusent. L'histoire, jusqu'à présent, n'a pas donné raison à cette vision optimiste.

Bastiat (que Carey accuse d'ailleurs de plagiat...) reprend le flambeau et en rajoute dans l'enthousiasme : « La part du capital augmente en valeur absolue, celle du travail augmente en valeur absolue et en valeur relative [...] : telle est l'admirable, consolante, nécessaire et inflexible loi du capital [...]. Cessez donc, capitalistes et ouvriers, de vous regarder d'un œil de défiance et d'envie[2]. » Voilà qui devrait réconforter les ouvrières-esclaves

1. *Ibid.*
2. Bastiat précise encore les chiffres (*op. cit.*, chap. VII, p. 250-253) :

Périodes	Capital	Produit	Taux de l'intérêt	Intérêt	Salaires	Part du travail
1	10 000	1 000	5 %	500	500	50 %
2	20 000	2 000	4 %	800	1 200	60 %
3	30 000	3 000	3,5 %	1 050	1 950	65 %
4	40 000	4 000	3 %	1 200	2 800	70 %

de Nike ou d'Adidas en Indonésie, en Thaïlande ou ailleurs, ainsi que les licenciés de Danone ! L'ennui, c'est que de tels schémas chiffrés ne prouvent rien du tout. En partant de prémisses presque identiques, et sans confondre valeur du capital et profit, contrairement à nos deux mousquetaires, Marx a cru pouvoir démontrer lui aussi une baisse du taux de profit, mais avec une paupérisation relative et absolue des travailleurs.

La réalité n'est sans doute pas aussi noire que Marx l'a dépeinte, mais sûrement pas aussi idyllique que le prétendent nos deux thuriféraires du capitalisme libéral. Depuis 1975, le fossé entre les riches et les pauvres s'accroît, tant à l'échelle mondiale qu'au niveau de chaque pays, ce qui constitue une paupérisation relative. Toutefois, étant donné l'accroissement de la richesse globale telle qu'elle est mesurée statistiquement, il est beaucoup plus difficile de soutenir qu'il y a paupérisation absolue, en tout cas dans les pays du Nord.

Autrement, dit, bien que la part des salaires dans le gâteau national ait incontestablement diminué, le salaire réel aurait continué à augmenter[1]. Compte tenu de la contrainte des besoins nouveaux artificiellement créés par le système, cette élévation possible, modeste et inégale, n'empêche cependant pas une dégradation de la situation des plus défavorisés. Et, au Sud, la paupérisation est bien absolue la plupart du temps. Il y a dans la guerre économique (ou dans la lutte des classes, version marxiste) des pauses, des alliances, des compromis temporaires plus ou moins satisfaisants pour les victimes (comme les Trente Glorieuses), mais l'antagonisme premier des intérêts n'en

---

1. Au Royaume-Uni, de 1979 à 1999, le revenu réel moyen a augmenté de 55 %, mais pour le décile le plus bas l'augmentation n'a été que de 6 % contre 82 % pour le décile supérieur (*The Guardian*, 27 avril 2001).

est pas éliminé pour autant. Le capital et le travail continuent de s'opposer sur le partage du gâteau [1].

Bien sûr, nos libéraux en concluent qu'il faut laisser
jouer la main invisible. La concurrence et la liberté nationales et internationales des échanges doivent être abso-
lues. Le protectionnisme, comme toute entrave à la liberté
du commerce, est pour eux une absurdité, que Bastiat
illustre avec brio dans un de ses pamphlets les plus
célèbres, la très humble « Pétition des fabricants de chandelles ». Puisque aussi bien les industriels exigent des
taxes à l'importation de produits étrangers dont le bas
prix leur fait une concurrence ruineuse, les fabricants de
chandelles demandent au roi de masquer le soleil pour
développer leur industrie. Mais alors, « quand un produit,
houille, fer, froment ou tissu, nous vient du dehors et que
nous pouvons l'acquérir avec moins de travail que si nous
le faisions nous-mêmes, la différence est un don gratuit
qui nous est conféré ». Ainsi, instaurer un tarif protecteur,
c'est comme se priver de la lumière gratuite du soleil ; et,
mettant les rieurs de son côté, Bastiat conclut : « Soyez
logique ; car, tant que vous repousserez, comme vous le
faites, la houille, le fer, le froment, les tissus étrangers,
en proportion de ce que leur prix se rapproche de zéro,
quelle inconséquence ne serait-ce pas d'admettre la
lumière du soleil, dont le prix est à zéro, pendant toute la
journée [2] ? » « Ce n'est pas seulement la mécanique
céleste, triomphe Bastiat, mais aussi la mécanique sociale
qui révèle la sagesse de Dieu et raconte sa gloire [3]. »

---

1. Un seul indice : alors qu'en 1982 la fortune des 400 Américains
les plus riches atteignait 230 milliards de dollars, ce chiffre est passé à
2 600 milliards de dollars en 1999. De fait, 10 % des Américains détiennent 40 % des revenus américains, contre près de 30 % à la fin des années
70. Z. Laïdi, « Mondialisation : entre réticences et résistances », *Revue du
MAUSS*, La Découverte, n° 20, 2e semestre 2002, p. 35.

2. F. Bastiat, « Pétition des fabricants de chandelles », cité par A. Piettre,
Pensée économique et Théories contemporaines, Dalloz, 1959, p. 110.

3. *Ibid.*

Toutefois, nouvelle ruse de l'histoire, ce beau système est mis à bas par son inspirateur même, Henri Charles Carey... Dans la deuxième moitié de sa vie, celui-ci en devient le critique le plus virulent. C'est que, fils d'Irlandais émigré aux États-Unis, il voue une véritable haine à l'Angleterre, laquelle exporte justement la houille et les tissus de coton. Or il finit par s'apercevoir, à la suite de la crise de 1837-1842, qui frappe sévèrement les États-Unis, à quel point le libre-échange, au lieu de réaliser la justice attendue, favorise scandaleusement l'Angleterre. Le libre-échange, écrit-il, « tend à établir pour le monde entier un atelier unique, la Grande-Bretagne, auquel doivent être expédiés les produits bruts du globe en subissant les frais de transport les plus coûteux [1] ». Carey devient ainsi le prophète d'un protectionnisme américain qui n'a jamais vraiment désarmé, même après l'accession du pays à une position hégémonique, mais qui n'est plus qu'un égoïsme honteux depuis que les États-Unis imposent le libre-échange au reste de la planète. Mais alors, si la liberté des échanges ne réalise pas la justice mondiale, pourquoi réaliserait-elle la justice nationale ? En attendant, le premier chantre du libéralisme en vient à rejoindre l'économiste maudit, la bête noire des libéraux d'hier et d'aujourd'hui, le grand théoricien du protectionnisme, Friedrich List. Pour tous les deux, le libre-échange ne réalise pas des rapports équitables, mais l'écrasement du faible par le fort.

PETITE HISTOIRE D'UNE GRANDE INJUSTICE
OU L'IMPÉRIALISME OCCIDENTAL,
DES GUERRES DE L'OPIUM À L'OMC

Les mouvements et les militants qui sont montés, à Seattle, à l'attaque de l'Organisation mondiale du

---

1. H.C. Carey, *Principes de la science sociale*, 1861, t. 3, p. 318.

commerce se seraient-ils trompés de cible ? Les responsables socialistes eux-mêmes l'ont prétendu à l'époque et
beaucoup de journalistes leur ont emboîté le pas. L'OMC,
dit-on, c'est mieux que rien. C'est mieux que l'impérialisme américain appuyé par les firmes transnationales
sans aucune régulation. Si imparfaite qu'elle soit, l'institution introduirait un minimum d'ordre dans la jungle du
commerce mondial. À son actif, on peut mettre effectivement quelques rares arbitrages non favorables aux puissances dominantes, voire quelques-uns au détriment des
États-Unis et en faveur de l'Europe (sans que celle-ci,
d'ailleurs, ait osé prendre les mesures de rétorsion autorisées...), la velléité d'encadrer la voracité américaine par
des règles juridiques, la volonté de lutter contre les subventions à l'exportation agricole, voire l'intention de
combattre le *dumping* social et écologique. Même si tout
cela sent un peu la bonne conscience de l'ingérence
humanitaire propre à l'arrogance de l'universalisme occidental, nous ne nous en plaindrons pas. Il y a plus grave.

S'il y a tout lieu de se méfier de l'OMC, ce n'est pas
seulement, comme on le reconnaît assez largement et
assez justement, à cause de sa structure non démocratique
et du caractère opaque de son fonctionnement, c'est aussi
parce qu'elle est le faux nez des firmes transnationales,
et surtout en raison de la nature intrinsèquement *perverse*
de l'esprit qui l'anime. Celui-ci n'est autre que le libre-
échange et le libéralisme sans nuances, avec pour résultat
l'*omnimarchandisation* du monde, c'est-à-dire la transformation de tout en marchandise sans qu'intervienne la
moindre préoccupation de justice sociale ou écologique.
L'Indonésie s'est vue condamnée par un panel du GATT[1]
pour avoir protégé ses forêts et accru la quantité de bois

---

1. Il s'agit d'un groupe d'experts indépendants, sélectionnés sur une
liste constituée par les États membres, qui rédige, à l'intention de l'ORD,
un rapport incluant des recommandations de solutions.

transformé sur place, le Danemark pour avoir voulu imposer des bouteilles consignables aux boissons importées, la
Thaïlande pour avoir interdit des publicités américaines
en faveur du tabac [1].

Par une ironie de l'histoire, ce que Friedrich List, alors
conseiller du président Andrew Jackson et théoricien du
protectionnisme américain, écrivait de l'Angleterre en
1840 est à reprendre mot pour mot aujourd'hui s'agissant
des États-Unis : « C'est une règle de prudence vulgaire,
lorsqu'on est parvenu au faîte de la grandeur, de rejeter
l'échelle avec laquelle on l'a atteint, afin d'ôter aux autres
le moyen d'y monter après nous. Là est le secret de la
doctrine cosmopolite d'Adam Smith et des tendances cos-
mopolites de son illustre contemporain William Pitt, ainsi
que de tous ses successeurs dans le gouvernement de la
Grande-Bretagne. Une nation qui, par des droits protecteurs et par des restrictions maritimes, a perfectionné son
industrie manufacturière et sa marine marchande au point
de ne craindre la concurrence d'aucune autre, n'a pas de
plus sage parti à prendre que de repousser loin d'elle ces
moyens de son élévation, de prêcher aux autres peuples
les avantages de la liberté du commerce et d'exprimer
tout haut son repentir d'avoir marché jusqu'ici dans les
voies de l'erreur et de n'être arrivée que tardivement à la
connaissance de la vérité [2]. » Les États-Unis, qui par ailleurs continuent à se protéger de mille façons, ne font
pas autre chose aujourd'hui, à l'OMC et dans toutes les
négociations commerciales – le défunt AMI (Accord multilatéral sur l'investissement), l'ALENA, la ZLEA (Traité
des Amériques), l'accord Europe-Amérique, l'AGCS
(Accord général sur le commerce des services), etc. –,
que de réclamer à cor et à cri le désarmement douanier

---

1. A. Bertrand et L. Kalafatides, *op. cit.*, p. 19.
2. F. List, *Système national d'économie politique*, Gallimard, 1998,
p. 503.

des autres économies et de l'imposer par des pressions de toutes natures. Les puissances de second rang font de même vis-à-vis des plus faibles qu'elles. La véritable loi du commerce international, c'est de désarmer les autres et de se protéger soi-même. Le libre-échange cache la guerre économique en recourant au *dumping* si nécessaire, et la concurrence est un mythe qui jette un écran de fumée sur des pratiques essentiellement monopolistiques. L'exemple du cartel de l'aluminium de 1994 est assez éloquent. Après la chute du mur de Berlin et la diminution massive de ses dépenses militaires, la Russie, grosse productrice d'aluminium, est devenue largement exportatrice, la consommation intérieure, liée à la production d'avions de combat, étant en forte baisse. Comme la demande mondiale tendait par ailleurs à se contracter aussi, du fait d'un usage plus économe, dans la fabrication des canettes pour bières et sodas, les cours se sont effondrés. Paul O'Neill, président d'Alcoa, le géant américain du secteur, a proposé et obtenu la formation d'un cartel mondial pour y faire face. Les prix ont augmenté, les profits d'Alcoa se sont redressés et, bien sûr, les consommateurs ont payé l'addition[1]. Il s'agit aussi, à travers l'AMI et ses résurgences actuelles, comme l'AGCS, d'offrir toutes les garanties pour les investissements étrangers et de protéger les rentes pour les marques et les brevets (d'ailleurs souvent le fruit du piratage des savoirs traditionnels en médecine, en pharmacie, en agriculture, voire de l'espionnage industriel ou de l'indélicatesse de certains laboratoires). Pour comprendre la farce tragique dont nous sommes les malheureux dindons, il faut à la fois démonter l'imposture théorique du libre-échange et en dénoncer les méfaits concrets.

---

1. J.E. Stiglitz, *op. cit.*, p. 229 et suiv. « Tout en prêchant les vertus des marchés concurrentiels, les États-Unis s'empressaient d'exiger des cartels mondiaux dans l'acier et l'aluminium quand leurs industries nationales semblaient menacées par les importations » (*ibid.*, p. 313).

L'imposture théorique de la concurrence et du libre-échange

S'il est raisonnable qu'un certain ordre préside au commerce mondial, et si un certain commerce mondial n'est pas à proscrire, les règles et la philosophie qui inspirent l'Organisation mondiale du commerce (comme elles inspiraient d'ailleurs son père, le GATT[1]) sont intrinsèquement perverses. Toute la construction repose sur la croyance dans les bienfaits du libre-échange, érigé en dogme. Cette croyance, à son tour, implique une série de présupposés : l'anthropologie et l'éthique utilitariste, le postulat de l'harmonie des intérêts, la foi en la maîtrise illimitée de la nature. Les conséquences sur le lien social et sur l'environnement de la mise en œuvre du libre-échange sont très dangereuses, et les effets sur les économies faibles proprement désastreux.

Il n'est pas question de prétendre que tout est faux dans le « complexe » de croyances libérales ; il comporte même une grosse part de vérité et de solide bon sens. L'homme est sûrement très sensible à ses intérêts ; d'autre part, même les loups et les agneaux ont des intérêts communs ; enfin, il serait absurde pour les Esquimaux de vouloir produire du café ou des bananes. Tout cela est juste. Et ce serait faire injure aux adversaires du libéralisme que de penser qu'ils n'en sont pas conscients. En revanche, la systématisation de ces idées est contestable.

Le débat économique « libre-échange *versus* protectionnisme » a commencé il y a au moins trois siècles ; tous les arguments en sont connus. L'économie dominante cherche toujours à imposer le libre-échange aux autres. C'était déjà le cas avec la Hollande au XVIᵉ siècle et le

---

1. General Agreement on Tariffs and Trade, ou Accord général sur les tarifs et le commerce, mis au point à défaut d'une institution internationale à la conférence de La Havane en 1947 et remplacé depuis 1994 par l'OMC.

mare liberum de Grotius, tandis que les autres pays européens menacés ont successivement défendu un certain protectionnisme, des actes de navigation d'Oliver Cromwell au Zollverein de Friedrich List, en passant par le colbertisme et le blocus continental. Aujourd'hui, les tiers-mondistes partisans de la « déconnexion » ne font pas autre chose. Ils soutiennent que les pays sous-développés n'ont de chances de s'en sortir et de construire (ou reconstruire) leur propre base économique qu'en s'isolant assez largement du reste du monde et en se mettant à l'abri d'une concurrence trop vive.

Le libre-échange postule la nature pacifique de l'échange marchand, le « doux commerce » cher à Montesquieu, contre l'évidence de la guerre économique. « L'échange, écrit joliment Ricardo, lie entre elles toutes les nations du monde civilisé par les nœuds communs de l'intérêt, par des relations amicales, et en fait une seule et grande société[1]. » Cela est peut-être vrai du troc équitable entre deux sociétés de paysans et d'artisans, mais beaucoup moins assuré du commerce mondial actuel, qui est tout sauf « doux ». Malheureusement, il n'y a pas de pratiques « loyales » entre les loups et les agneaux, même s'il est de l'intérêt des loups que les agneaux soient gras de préférence...

Le dogme économiste du libre-échange repose toujours sur le petit modèle du vin portugais et du drap anglais, construit par Ricardo en 1817. « Si le Portugal n'avait aucune relation commerciale avec d'autres pays, écrit-il, au lieu d'employer son capital et son industrie à faire du vin avec lequel il achète aux autres nations le drap et la quincaillerie nécessaires pour son propre usage, ce pays se trouverait forcé de consacrer un partie de ce capital

---

1. D. Ricardo, *Principes de l'économie politique et de l'impôt*, Costes, 1933, p. 126.

à la fabrication de ces articles, qu'il n'obtiendrait plus probablement qu'en qualité inférieure et en quantité moindre [1]. » De la même façon, « l'Angleterre peut se trouver dans des circonstances telles qu'il lui faille pour fabriquer le drap le travail de 100 hommes par an, tandis que si elle voulait faire du vin, il lui faudrait peut-être le travail de 120 hommes par an. Il serait donc de l'intérêt de l'Angleterre d'importer du vin et d'exporter en échange du drap [2] ». Quiconque a goûté du vin anglais en sera facilement convaincu et, à part Staline et ses émules, qui ont voulu pousser l'autarcie au point de cultiver du coton et des oranges sur les bords du lac Balaton, nul n'a jamais songé à contester sérieusement cette idée. À la vérité, cependant, au-delà du simple bon sens, le modèle de Ricardo ne prouve rien du tout, et en particulier il ne prouve pas qu'il faille sacrifier l'industrie nationale et payer des chômeurs parce que les produits importés coûteraient quelques centimes de moins. Le rapport du sénateur Jean Arthuis, remis en 1991 et intitulé « Les délocalisations des activités industrielles et des services hors de France », soulignait toute l'absurdité de cette rationalité de petit épicier lorsqu'elle devient déraisonnable. L'importation en provenance du Sud-Est asiatique de certaines fournitures pour l'armée, par exemple, entraînait de coûteuses faillites et un accroissement dramatique du chômage dans l'espoir d'économiser des sommes très modestes. Ce que montre simplement le modèle ricardien, c'est que l'autarcie absolue peut être désavantageuse. C'est vrai.

En toute rigueur, ce n'est pas Ricardo, économiste classique considéré comme dépassé, que devraient invoquer nos experts libéraux, mais bien les trois mousquetaires de

---

1. *Ibid.*, p. 127.
2. *Ibid.*

la théorie néoclassique de la spécialisation internationale que sont Eli Hecksher, Bertil Ohlin et Paul Samuelson[1]. Tous les étudiants économistes ont appris dans la souffrance le fameux théorème HOS (du nom de ces trois auteurs) selon lequel si, entre deux pays, les dotations en facteurs (travail et capital) diffèrent, ainsi que les proportions de ces facteurs utilisées dans deux productions différentes, alors, en économie ouverte, chaque pays devrait tendre à se spécialiser dans la production pour laquelle la proportion de facteurs dont il dispose est la plus favorable. Ainsi, considérant que la France dispose de beaucoup de capital et manque de bras, alors que l'Inde bénéficie d'une main-d'œuvre abondante mais souffre d'une insuffisance de capital, la première aurait intérêt à produire et exporter des voitures vers la seconde et à lui acheter son textile, étant entendu que pour produire avantageusement des automobiles il faut des équipements coûteux et peu de main-d'œuvre, et que pour produire du textile il faut beaucoup de travail et relativement peu de capitaux. Il en résulterait une égalisation de la rareté relative des facteurs entre les deux pays et une égalisation des prix des facteurs (en clair, des salaires et des taux d'intérêt). En effet, tout se passerait comme si la France achetait du travail à l'Inde, diminuant là-bas l'offre de main-d'œuvre et relevant les salaires locaux, et comme si l'Inde acquérait du capital français, réduisant la rareté de ce facteur chez elle. Toutefois, comme la démonstration complète du théorème fait appel à un modèle mathéma-

---

1. Eli Hecksher a écrit son texte significatif en 1919 (traduit en français sous le titre « L'effet du commerce international sur la répartition du revenu », *in* B. Lassudrie-Duchêne [dir.], *Échange international et Croissance*, Economica, 1972). Bertil Ohlin a publié *Interregional and International Trade* en 1933 (Harvard University Press). Quant à Paul Samuelson, son principal texte a été publié en 1948 *(Economics : An Introductive Analysis)*, et traduit en français en 1953 *(L'Économique : techniques modernes de l'analyse économique)*.

tique fort compliqué et que les conclusions sont trop belles pour être crédibles, la « Société pour la propagande de la foi économique » (celle du Mont Pèlerin [1], par exemple...) préfère invoquer les mannes de Ricardo, qui a pour lui la simplicité et le sens commun. Car il résulte du modèle HOS que le salaire moyen de l'ouvrier indien devrait se rapprocher chaque jour davantage de celui du travailleur français... Depuis que la Grande-Bretagne a ouvert le marché indien avec la victoire de Plassey à la fin du XVIIIe siècle, s'il en était ainsi, ça se saurait !

Les conclusions du modèle HOS (comme d'ailleurs de celui de Ricardo) sont totalement hypothéquées par l'étroitesse des hypothèses, et en particulier le présupposé du plein-emploi et l'absence du temps. Il faut donc en revenir au bon sens plutôt que de confier l'avenir de l'humanité à un modèle mathématique complexe et sujet à caution. Or, si le bon sens nous enseigne qu'il est raisonnable de profiter de ses avantages comparatifs, il nous enseigne aussi qu'il est non moins raisonnable de ne pas pousser trop loin la spécialisation. D'abord, nous savons que le climat, la nature des sols et les ressources minérales ne sont pas partout aussi favorables. Dans ces conditions, l'homme, même socialiste et prométhéen, ne peut pas tout faire, par exemple faire pousser des fruits tropicaux au pôle Nord et des poires sous l'équateur, sinon à un coût prohibitif. L'échange est mutuellement avantageux quand les pays qui font commerce entre eux réalisent *effectivement* une économie de facteurs, et surtout lorsque les facteurs économisés trouvent à s'employer ailleurs de façon plus productive. Il est clair, si nous reprenons l'exemple précédent, que la France a intérêt à distraire ses travailleurs et son capital de l'industrie textile

---

1. Fondée par Friedrich Hayek pendant la guerre froide pour lutter contre l'idéologie marxiste et tout ce qui déviait de la stricte orthodoxie, avec au besoin l'aide de la CIA.

pour développer sa production de voitures. C'est d'ailleurs ce qu'elle a fait dans les années 60. Lorsqu'il existe du chômage et des équipements oisifs, en revanche, il peut être plus intéressant de « reconquérir » le marché intérieur que de payer des indemnités aux exclus. Les stratégies d'import-substitution, bêtes noires des experts du FMI, qui consistent à remplacer les produits importés par des productions locales, sont souvent justifiées de ce point de vue [1]. Il est moins évident, en effet, de « sacrifier » son industrie textile ou sa sidérurgie à la concurrence des pays émergents, si le personnel licencié doit tout de même être payé en restant inactif.

La commission sénatoriale présidée par Arthuis en 1991 avait évalué les pertes d'emploi dues aux délocalisations entre 3 et 5 millions pour les sept années suivantes. À quoi Gérard Longuet, alors ministre de l'Industrie et du Commerce, avait répliqué : « Si nous voulons vendre des satellites et des Airbus, il faut accepter qu'ils soient payés en meubles, vêtements et en bimbeloterie [2]. » C'est possible, ça se discute, mais cela reste à prouver au cas par cas. C'est d'ailleurs une des raisons pour lesquelles les pays du Nord renâclent tant à renoncer aux protections tarifaires et non tarifaires. Si les syndicats américains ont appuyé le lobby sidérurgiste pour obtenir du gouvernement des droits protecteurs, c'est qu'ils savent très bien que le libre-échange condamnerait les ouvriers au chômage. Les choses deviennent encore plus discutables si l'on passe des avantages « naturels » aux avantages *artificiels*, c'est-à-dire acquis, comme la main-d'œuvre qualifiée, le savoir-faire historique, les secrets de fabrication, le monopole de marque, l'infrastructure installée, etc. Il

---

1. On ne souligne pas assez que c'est à cette politique que la Corée du Sud a dû son décollage.
2. Témoignage devant la commission d'enquête de l'Assemblée nationale, cité par A. Bertrand et L. Kalafatides, *op. cit.*, p. 52.

est indispensable d'introduire alors des considérations dynamiques. Les avantages présents peuvent devenir les handicaps de l'avenir. Renoncer à faire de l'électronique aujourd'hui en raison d'un désavantage compétitif peut conduire à abandonner une filière prometteuse pour demain. C'est ainsi d'ailleurs que List justifie le fameux « protectionnisme éducatif », l'argument des industries dans l'enfance n'étant qu'une métaphore heureuse. Si la mise en concurrence d'une économie surindustrialisée et d'une économie agricole est comparable à la compétition d'un boxeur chevronné et d'un enfant chétif, c'est précisément parce que les produits ne sont pas des atomes isolés, ils sont interdépendants.

Les produits sont aussi les fruits et les porteurs d'une culture ; il n'est donc pas illégitime de faire entrer dans le « calcul » des éléments extra-économiques. Pour toutes ces raisons, la spécialisation ne peut être abandonnée aux seules « forces du marché ». D'ailleurs, aucun responsable politique dans le monde, quel que soit son discours, ne laisse filer emploi et activité sans un minimum de politique industrielle volontariste. Aucun État ne peut se désintéresser des opérations économiques de ses agents privés avec l'extérieur. Il tire une part essentielle de sa puissance de leur dynamisme et de leur enrichissement. Dans le cas des pays très pauvres, la quasi-totalité des ressources provient même des taxes sur les produits importés et exportés. Pour ces motifs, l'État tente d'encourager par tous les moyens possibles – incitations, subventions, garanties de prêts, développement d'infrastructure – la dynamique du marché national et s'efforce de freiner la pénétration étrangère par des moyens symétriques, avoués ou non (protection non tarifaire), dans la mesure des rapports de forces et des menaces de rétorsion.

Les États-Unis sont ainsi devenus les maîtres du jeu, instrumentalisant l'OMC pour leur propre usage et jouant en plus sur l'article 301 et le « Super 301 », cette législation qui autorise l'exécutif à prendre des mesures de rétorsion unilatérales. Le département du Commerce dispose de tout un arsenal de lois dites du « juste commerce », rebaptisées par les partenaires des États-Unis les « injustes lois du juste commerce »[1]. Il peut engager des procédures pour concurrence déloyale dans lesquelles il est à la fois le procureur, le juge et le jury. Le poids direct des États-Unis dans les institutions de Bretton Woods est important (17 % des voix au FMI), mais à travers la complicité d'une véritable communauté financière internationale et l'existence d'alliés privilégiés au sein du G7, leur poids indirect est de beaucoup supérieur. Les mesures de rétorsion à leur encontre, en revanche, sont très difficiles à prendre, et plus difficiles encore à mettre en œuvre. Ainsi, ils n'ont pas hésité à punir l'Europe pour avoir refusé d'importer du bœuf aux hormones, tandis que celle-ci peine à engager des mesures comparables contre les Américains pour les torts causés à ses industriels par leur tarif protecteur sur l'acier, décidé unilatéralement. Seule une superpuissance peut user de façon si arrogante d'une telle politique. Lorsque Bill Clinton déclare : « Je suis déterminé à poursuivre une stratégie agressive d'ouverture des marchés dans toutes les régions du monde[2] », ce n'est pas au bien-être des Africains qu'il pense, mais aux intérêts des industriels américains, et accessoirement de ses électeurs. La superpuissance mondiale est ainsi devenue le champion toutes catégories de la diplomatie du carnet de commandes, et son président le plus grand représentant de commerce du monde.

Toutefois, d'ores et déjà, une part importante du commerce international ne consiste en réalité que dans la

---

1. J.E. Stiglitz, *op. cit.*, p. 228.
2. Discours à l'OMC, le 18 mai 1998.

circulation à l'intérieur de l'espace des firmes géantes de leurs produits finis, de leurs produits intermédiaires et de leurs sous-produits, ou correspond à des relations de sous-traitance avec les firmes vassales[1]. Parler de marché (et, qui plus est, concurrentiel), alors que les prix de ces importations et exportations intrafirmes sont soit manipulés pour des raisons fiscales, soit imposés par des rapports de forces, tient de la naïveté, de l'inconscience ou de la supercherie, voire des trois à la fois. La mise en concurrence des fournisseurs n'est plus que l'arme des grands pour écraser les faibles.

Derrière la façade du respect de la liberté et de la souveraineté des États, on assiste au déploiement de l'impérialisme des grandes puissances. À terme, c'est une véritable invasion « culturelle » – compagne et complice de la domination économique – du Sud par le Nord, sans réciprocité, qui est programmée. Le WTO (sigle anglais de l'OMC) mérite bien son surnom de World Tyranny Organization, et tout autant son équivalent français : « Oppression mondiale par le commerce »[2]. Quelle banque africaine, en effet, viendra ouvrir des guichets à Paris ? Les législations restrictives des pays du Nord sur l'immigration empêchent aussi les « cerveaux » du tiers-monde – cadres, ingénieurs, techniciens – de s'installer librement. Dans de nombreux États américains, il est même interdit à des ressortissants étrangers de siéger dans les conseils d'administration des banques.

Sur le plan écologique, la perversion de l'OMC résulte surtout de ce que le commerce est traité en lui-même, sans qu'il soit tenu aucun compte du reste. Très juste-

---

1. D'après le rapport 1995 de la CNUCED, 33,3 % du commerce mondial est fait des échanges entre maisons mères et filiales, 34,1 % des échanges entre firmes transnationales et 32,6 % des exportations de toutes les autres firmes.

2. A. Bertrand et L. Kalafatides, *op. cit.*

ment, le prix Nobel d'économie Maurice Allais avait demandé que le GATT fusionne avec le FMI pour que le problème de l'incidence des taux de change sur le prix des biens échangés, incidence souvent très supérieure à celle des tarifs douaniers, soit pris en considération[1]. Il faudrait également que le GATT fusionne avec le PNUE (Programme des Nations unies pour l'environnement). Traiter séparément le dossier écologique et le dossier commercial aboutit clairement à sacrifier l'environnement à l'impératif économique. L'attaque des États-Unis concernant l'interdiction européenne d'importer du veau aux hormones, qui ferait perdre 100 millions de dollars par an aux éleveurs américains, et la bataille sur les OGM sont significatives. Les précautions écologiques et les préoccupations environnementales ne pèsent pas lourd quand les intérêts économiques sont en jeu. Il faut apporter des preuves incontestables de la nocivité des hormones dans le bœuf ou des produits transgéniques pour que l'Organisation de règlement des différends (ORD) accepte de prendre des mesures de protection. Le secrétaire d'État américain à l'Agriculture, Dan Glickman, a déclaré en 1997 pour défendre les exportations d'OGM : « Nous devons nous assurer que le dernier mot appartienne à la science sérieuse, non à ce que j'appelle la culture héritée de l'histoire, qui n'est pas fondée sur la science sérieuse. L'Europe est bien plus attachée aux aspects culturels de la nourriture qu'à son évaluation scientifique. Mais, dans le monde moderne, il faut seulement se fonder sur la science. Dans les décisions de ce genre, la bonne science doit l'emporter[2]. » Sans doute pense-t-il à la science des

---

1. En raison des fluctuations du dollar, entre 1985 et 1987, par exemple, les importations en provenance d'Allemagne auraient dû voir leurs prix multipliés par 2,21, c'est-à-dire subir une hausse de 121 %, et celles en provenance du Japon augmenter de près de 570 %. Voir M. Rainelli, *Le GATT*, La Découverte, 1993, p. 112.

2. Cité par V. Shiva dans *Le Terrorisme alimentaire*, *op. cit.*, p. 167.

laboratoires des firmes transnationales, qui deviennent ainsi juges et parties. Le principe de précaution n'est pas reconnu par l'OMC, il est considéré comme une forme de protectionnisme nuisible au libre commerce. Or, au moment où les dangers sont reconnus, comme dans le cas du différend qui a opposé la France et le Canada sur le commerce de l'amiante, des dommages irréparables ont déjà été faits.

En tout état de cause, en poussant au productivisme et en prétendant relancer les exportations et la croissance pure et dure à tout prix, l'OMC contribue à la catastrophe écologique. La mondialisation actuelle est en train de parachever l'œuvre de destruction de l'*oikos* planétaire commencée depuis deux ou trois siècles par le développement du capitalisme industriel. La concurrence exacerbée pousse les pays du Nord à manipuler la nature sans retenue et avec peu de contrôles, et les pays du Sud à en épuiser les ressources non renouvelables. Dans l'agriculture, l'usage intensif d'engrais chimiques, de pesticides, l'irrigation systématique, le recours aux organismes génétiquement modifiés ont pour conséquence la destruction des sols, l'assèchement et l'empoisonnement des nappes phréatiques, la désertification, la dissémination de parasites indésirables, le risque de ravages microbiens... Tout cela est désormais connu et même souvent reconnu, mais sans incidence pratique significative. L'injection massive d'engrais chimiques et de pesticides dans le sol français continue d'augmenter (à un rythme certes ralenti), alors qu'une forte réduction serait, tout le monde en convient, nécessaire pour limiter l'empoisonnement des nappes phréatiques et l'eutrophisation ou asphyxie des eaux de surface (rivières, lacs, océans) par la prolifération d'algues vertes. Avec le démantèlement des régulations nationales, il n'y a plus de limite inférieure à la baisse des coûts et au cercle vicieux suicidaire. C'est un véritable jeu de massacre entre les hommes, entre les peuples et au détriment de la nature. Il n'est pas sûr du tout que les milliards de dollars de croissance supplémentaire promis par le modèle à 75 000 équations qu'ont mis au point les experts de l'OCDE en 1995 pour convaincre les pays indécis de participer à l'Uruguay Round voient le jour, ni surtout qu'ils profitent aux millions de chômeurs du Nord et aux populations déshéritées du Sud. En revanche, il est sûr qu'on aura détruit un peu plus de forêt, désertifié, bétonné, empoisonné les sols et l'eau davantage, qu'on aura accru l'effet de serre, élargi les trous dans la couche d'ozone, aggravé les pollutions chimiques et bactériologiques, etc.

Dans tout cela, les acteurs, industriels, agriculteurs, consommateurs, enfermés plus ou moins malgré eux dans la cage de fer de la banalité du mal, perdent complètement de vue les préoccupations de justice sociale et écologique.

Le renard libre dans le libre poulailler : les effets pervers sur les pays du Sud

Les effets pervers du libre-échange sont surtout sensibles dans les pays du Sud. Les méfaits du libéralisme économique n'y sont pas nouveaux ; ils datent de l'époque où les Occidentaux se sont arrogé le droit d'ouvrir à coups de canon la voie au libre commerce. Des guerres de l'opium au commodore Perry (ouverture forcée du Japon au commerce américain) en passant par l'élimination des tisserands indiens, l'analyse des conséquences désastreuses, pour les pays faibles, de la division internationale du travail n'est plus à faire. Les procédés actuels impulsés par le FMI, la Banque mondiale et l'OMC renouvellent le genre. Tout va dans le sens de la dérégulation, de la privatisation et de l'intégrisme libéral (ce que l'on a appelé à un certain moment le « consensus de Washington ») : les conseils du FMI, les conditionnalités liées à l'obtention des prêts, les plans d'ajustement structurel, les accords commerciaux signés sous forte pression à l'OMC, la libéralisation des mouvements de capitaux imposée par le FMI... L'ouverture au commerce des pays du Sud, avec l'octroi à tous de la clause de la nation la plus favorisée, aboutit à la « clause du traitement le plus défavorable de la nation déjà la plus défavorisée[1] ». Le pays pauvre sans défense voit ses rares entreprises ruinées par la concurrence des géants du Nord. Ainsi, Coca-Cola remplace partout les producteurs locaux de boissons industrielles.

Cependant, avec la mondialisation actuelle de l'économie, la misère atteint aussi le Nord. Des pans entiers du tissu industriel sont d'ores et déjà délabrés, certaines économies, certaines régions de vieille industrie sont proprement sinistrées : la Ruhr, le centre de l'Angleterre, la Wallonie, la Lorraine, le Nord-Pas-de-Calais, etc. Le processus, pudiquement appelé « reconversion », est loin d'être achevé. Tandis qu'on continue à détruire l'agriculture vivrière et l'élevage dans les pays d'Afrique en y exportant à bas prix nos excédents agricoles (d'ailleurs subventionnés), les pêcheurs, ou en tout cas les pêcheries, de ces mêmes pays ruinent les nôtres en exportant les poissons de leur misère. Le long des côtes de l'Afrique, les bateaux-usines et les chalutiers ex-soviétiques, espagnols, bretons ou japonais ruinent les systèmes locaux de pêche à la pirogue, contribuant ainsi à affamer le continent à court terme et à détruire son écosystème à long terme. On ne sait pas assez qu'en supprimant le pillage des fonds marins sur ses côtes, en assurant la survie de

---

1. R. Passet, *Éloge du mondialisme par un « anti » présumé*, Fayard, 2001, p. 142.

ses pêcheurs traditionnels et l'approvisionnement en poisson de ses villes, on ferait plus pour aider l'Afrique que par toute l'aide alimentaire du monde. Condamnés à développer toujours plus les cultures de rente (coton, café, cacao, arachide, mais aussi fleurs, crevettes, légumes et agrumes de contre-saison, etc.) pour satisfaire aux exportations exigées par les plans d'ajustement structurel, dont le résultat est de faire baisser le prix de ces produits, et finalement les recettes, ces pays ne peuvent accroître les cultures vivrières et nourrir leur population. La croissance de leur économie est de toute façon bornée par la surface de terre disponible et les gains de productivité de l'agriculture nécessairement limités, à la différence de ceux de la nouvelle économie. Dans le meilleur des cas, leur situation relative ne peut que se maintenir dans l'absolu, et se dégrader relativement face aux économies industrielles, dont la progression est potentiellement illimitée, tout particulièrement dans le secteur des nouvelles technologies dites « immatérielles ».

Les institutions financières internationales, toujours à la pointe du combat (symbolique) contre la pauvreté, ne manquent jamais une occasion de fustiger l'erreur des critiques de la mondialisation. Écoutons le *bon* docteur Wolfensohn, président de la Banque mondiale : « C'est un peu démoralisant que de voir des gens se mobiliser pour la justice sociale quand c'est exactement ce que nous faisons chaque jour [1]. » Et de rappeler que les pays industrialisés affectent plus de 300 à 350 milliards de dollars par an de subventions à leur agriculture, soit l'équivalent du PNB de toute l'Afrique subsaharienne et six fois l'aide au Sud. La conséquence du protectionnisme agricole du Nord serait un manque à gagner de 50 milliards de dollars par an pour les pays exportateurs du Sud. José Bové serait

---

1. *Le Monde*, 15 avril 2000.

ainsi le défenseur, à son insu peut-être, de l'injustice planétaire et du maintien de la pauvreté... C'est avec une
telle rhétorique qu'à chaque sommet les organisations
internationales réussissent à berner les pays du Sud et à
faire paradoxalement le jeu des puissances du Nord. Ces
plaidoyers sont d'autant plus suspects que ce sont souvent
les pays du Nord intéressés (Australie, Nouvelle-Zélande,
Canada) qui instrumentalisent les pays en développement
et prétendent parler en leur nom [1].

Il n'est pas question pour autant de nier les effets nocifs
pour le Sud de certaines subventions à l'agriculture quand
elles visent à exporter des surplus. Le cas des subventions
américaines au coton, dont le prix de *dumping* a
condamné les paysans maliens à réduire leur production
de 50 % en 2002, est proprement scandaleux. Il est possible que la Politique agricole commune (PAC) européenne ait de même un effet néfaste sur le marché du
sucre, faisant baisser les prix mondiaux au-dessous du
coût de production et limitant l'accès aux marchés européens des producteurs du Sud. Il convient de dénoncer la
monstrueuse malignité du raisonnement. En admettant
que les chiffres avancés soient corrects, ils résultent d'un
mélange de subventions aux exploitations, d'aides à certaines cultures, de primes à la reconversion, voire à l'arra-
chage, d'aides à l'exportation, au financement de la
transformation du lait excédentaire en poudre et à l'utilisation de ces poudres pour nourrir les veaux, de subventions de mise en jachère des terres, de coût du stockage
des excédents, etc. Une large part de ce pactole financé
par les contribuables est incontestablement scandaleuse,

---

1. Le vibrant plaidoyer du ministre australien du Commerce, Mark
Vaile, qui préside le groupe de Cairns en faveur du libre-échange des produits agricoles, publié par *Le Monde* daté du 29 novembre 2002 sous le
titre : « L'Europe étrangle les pays pauvres », est un modèle du genre. Plus
hypocrite, tu meurs !

mais n'a pas d'impact direct sur le Sud. Il en est ainsi de la prime à l'hectare pour le maïs, qui malgré la « vache folle » reste cinq à dix fois supérieure à la prime à l'herbe, favorisant ainsi l'industrie agroalimentaire (les farines pour bétail) au détriment de l'élevage traditionnel, ou encore des rentes touchées par les gros céréaliers. Une part substantielle de ce budget profite surtout aux firmes chimiques et pharmaceutiques fabriquant engrais, pesticides, désherbants, produits phytosanitaires, semences, additifs et agents conservateurs. Aux États-Unis, les subventions vont en priorité au géant Cargill, qui fournit tous les intrants et reçoit en outre les aides pour le stockage des céréales[1]. Il est indéniable que cet argent serait mieux utilisé à aider les exploitations qui pratiquent une agriculture respectueuse de l'environnement, à encourager le passage en douceur d'une agriculture trop productiviste et trop polluante à une agriculture plus raisonnable et plus biologique[2].

Cela dit, il faut être conscient que, sans aides ni subventions, il n'y aurait plus aujourd'hui de paysannerie européenne. Cela serait à la fois catastrophique socialement et dommageable pour l'environnement. L'impact de l'arrêt des subventions à l'agriculture du Nord serait très limité sur l'agriculture du Sud. Il profiterait à quelques grandes entreprises de plantation appartenant à des sociétés occidentales, mais ne suffirait pas à sortir la paysannerie africaine de la crise. L'agriculture africaine, plus

---

1. Voir A. Bertrand et L. Kalafatides, *op. cit.*, p. 69.
2. C'est ce qu'ont demandé récemment, sans grand espoir d'être entendus, la Confédération paysanne et les Jeunes Agriculteurs, appuyés par de nombreuses associations solidaires du Sud, proposant une réforme de la PAC. Celle-ci devrait assurer en Europe et partout dans le monde « le droit à la souveraineté alimentaire et le respect des agricultures paysannes, des prix rémunérateurs et des emplois pour les paysans, une nourriture saine et accessible à tous, la préservation de l'environnement, des ressources et du milieu naturel ». Voir G. Dupont, *Le Monde*, 17 décembre 2002.

encore que la nôtre, a besoin d'être protégée. Or les PAS et l'OMC interdisent pratiquement cette nécessaire protection. Ce n'est pas le libre-échange qui peut la sauver, la reconstruire et lui donner l'impulsion nécessaire à son épanouissement. D'abord, les 50 milliards éventuellement perdus par le Sud du fait que nous n'achetons pas son acier, son textile, ses arachides, son riz, son coton, son sucre, ses bananes, son café, son cacao ou ses fleurs coupées en quantité suffisante sont partiellement une richesse fictive, résultat de l'effet comptable d'une marchandisation accrue des ressources existantes. Jacques Sapir en fournit une illustration qui mérite d'être reprise intégralement : « Imaginons un pays dont les habitants, à la période initiale, produisent deux biens. Le premier sert à leur consommation alimentaire, et il est produit dans le cadre d'exploitations familiales et non commercialisé. Le second est entièrement vendu à l'étranger et sert à payer les autres dépenses. Supposons que, dans une seconde période, les habitants de ce pays, considérant les prix relatifs de ces deux biens sur le marché mondial, décident de ne plus produire que le second, et d'acheter aussi à l'étranger leur consommation alimentaire. Si on calcule le PIB de ce pays, on mesurera une forte croissance de la première à la deuxième période, sans que cela implique que la richesse réelle du pays ait augmenté dans les faits. Le paradoxe vient de ce que le PIB ne mesure que la production commercialisée. Imaginons maintenant que, au lieu de deux périodes, on ait deux pays différents. Le premier, celui où une large partie de la production est autoconsommée, apparaîtra dans les statistiques internationales comme bien plus pauvre que le second. Et l'économiste qui voudrait mesurer ce que l'ouverture sur le marché mondial apporte en richesse aux économies nationales pourra conclure, s'il n'y prend garde, que cet exemple prouve indiscutablement les bienfaits de l'ouverture.

Ne doutons pas d'ailleurs que si notre économiste est un expert travaillant pour le FMI ou l'OCDE, c'est exactement ce qu'il fera[1].» Bien vu, c'est ce que fait le *bon* docteur Wolfensohn...

Certes, un petit nombre de ces pays, dits « émergents », pensent à bon droit pouvoir conquérir des parts de marché dans les industries de main-d'œuvre grâce au démantèlement des protections tarifaires sur les produits manufacturés qui existent encore au Nord. Il n'est pas sûr pour autant que ces avantages potentiels, que les pays riches officiellement favorables au libre-échange rechignent à leur accorder, déboucheraient sur une amélioration substantielle des conditions de vie de leurs populations. En revanche, il est certain que leur dépendance économique et la dégradation de leur environnement en seraient accrues. Les conséquences de l'Accord de libre-échange nord-américain (ALENA) sur le Mexique en sont une nouvelle illustration. La proportion de produits alimentaires importés est passée de 20 % en 1992 à 43 % en 1996. Dix-huit mois après la signature de l'accord, 2,2 millions de Mexicains ont perdu leur emploi et 40 millions sont tombés dans l'extrême pauvreté. Un paysan sur deux n'a pas suffisamment à manger. Comme l'a déclaré Victor Suares Carrera, président de l'Association nationale des paysans producteurs de maïs, au Mexique, « manger à moindre coût grâce aux importations signifie ne pas manger du tout pour les pauvres du Mexique[2] ». Quant au manque à gagner dû aux freins aux exportations, il résulte du fait que ces derniers limitent la possibilité de brader des produits primaires et les richesses naturelles comme le bois tropical. Finalement, l'effet le plus sûr de la suppression du protectionnisme agricole serait la des-

---

1. J. Sapir, *Les Trous noirs de la science économique : essai sur l'impossibilité de penser le temps et l'argent*, Albin Michel, 2000, p. 32.
2. Cité par V. Shiva dans *Le Terrorisme alimentaire, op. cit.*, p. 21.

truction de ce qu'il reste de paysannerie au Nord et une forte régression de l'autosuffisance alimentaire au Sud, sans parler des retombées écologiques négatives déjà dénoncées.

Si, toutes choses égales par ailleurs, les pays émergents du Sud sont incontestablement victimes à court terme dans le contexte actuel de l'égoïsme des pays du Nord, les pays les moins avancés, eux, ont tout à perdre à l'ouverture sans précaution de leurs marchés. Les exemples du cacao et de la banane méritent aussi d'être médités. Alors que le cours mondial du cacao était au plus bas dans les années 80 et que les économies du Ghana et de la Côte d'Ivoire subissaient de ce fait une crise dramatique, les experts de la Banque mondiale n'ont rien trouvé de mieux à faire que d'encourager et de financer la plantation de milliers d'hectares de cacaoyers en Indonésie, en Malaisie et aux Philippines. On pouvait encore espérer réaliser quelques profits sur la misère plus productive des travailleurs de ces pays-là... Pour couronner le tout, à Bruxelles, les Européens, s'alignant sur la seule Angleterre, ont honteusement capitulé devant le lobby des grands chocolatiers. Définissant le chocolat comme un produit pouvant contenir jusqu'à 15 % de graisse végétale bon marché (sans vérification vraiment fiable) autre que le beurre de cacao, ils ont fait perdre à la Côte d'Ivoire et au Ghana quelques milliards de plus. Faut-il être scandalisé en apprenant que, dans ces conditions, certains planteurs auraient arraché leurs plants pour cultiver du haschich ?

Le cas de la banane est lié au système du Stabex, ce mécanisme de garantie des recettes d'exportation octroyé par l'Union européenne aux pays ACP (Afrique, Caraïbes, Pacifique). Instauré par les conventions de Lomé à la fin des années 70, il avait été à l'époque salué un peu hâtivement comme la mise en œuvre d'un nouvel ordre économique international. Le prix de la banane achetée en Guadeloupe, en Martinique, aux Canaries ou en Afrique noire permettait aux producteurs locaux de survivre (avec, bien sûr, de grandes inégalités de situation suivant qu'il s'agissait d'ouvriers agricoles, de petits ou de gros planteurs, nationaux ou étrangers...). Sans être nuls, les résultats de ce système ont été médiocres, avec certains effets pervers. Mais c'était encore trop pour les experts du GATT, qui ont réclamé et pratiquement obtenu le démantèlement de ces entraves aux « lois du marché ». Poussés par les multinationales nord-américaines, comme Chiquita Brands (ex-United Fruit) et Castel & Cooke, qui contrôlent l'essentiel de la production et de la distribution des républiques bananières et des plantations de Colombie, les pays d'Amérique centrale, relayés par les États-Unis, ont traîné l'Europe devant les panels du GATT, puis de l'Organisation de règlement des différends, pour dénoncer les barrières et entraves au libre jeu du marché. Leur objectif est d'accroître à tout prix leur part de marché grâce aux salaires de misère payés aux ouvriers agricoles, dont des centaines ont perdu la vie à cause de l'usage inconsidéré de nématocides (poison contre les vers). L'ORD leur a donné raison, et ce d'autant plus facilement que les Européens ne présentaient pas un front uni. En effet, les Allemands rechignent à payer leurs bananes un peu plus cher. Au président Jacques Chirac, qui lui reprochait cette trahison et dénonçait les conditions – « pires encore que l'esclavage » – de la production sur les plantations américaines, le chancelier allemand Helmut Kohl a répliqué : « La morale est une chose, les affaires en sont une autre[1]. » Le président des planteurs de bananes de la petite île de Sainte-Lucie, lui, a déclaré, en commentant le verdict : « Vous menez la pire des

---

1. Rapporté par *Le Canard enchaîné*, 23 août 1995.

guerres économiques contre un peuple sans défense. Vous importez nos bananes et nous laissez dans la misère, les conflits et la souffrance[1]. » Il a aussi condamné la campagne « politiquement incorrecte » de l'administration Clinton : en effet, le lobby bananier américain, Chiquita Brands en tête, a versé 500 000 dollars au parti démocrate quelques jours avant que l'administration Clinton dépose sa plainte devant l'OMC[2].

On pourrait passer en revue bien d'autres marchés, celui du café déstabilisé par le développement des exportations vietnamiennes, celui du bois, du coton, etc. Qu'ils exportent ou qu'ils n'exportent pas du fait des restrictions du Nord, les pays les moins avancés se retrouvent toujours perdants.

Le piège de la dette : la fausse charité dispense de la justice

Le problème de la dette n'est pas en lui-même directement lié au libre-échange, mais il est pour une large part la conséquence de la liberté de mouvement des capitaux. D'une certaine façon, il aggrave ou entraîne l'injustice faite aux PPTE (pays pauvres très endettés). Il se situe dans ce contexte de rapports de domination « impérialistes » Nord/Sud. La dette n'est que l'un des éléments de l'ensemble qui contribue à l'étranglement de l'Afrique et des pays du « quart-monde ». Comme le dit en effet André Franqueville : « Il y a une réelle hypocrisie à prétendre favoriser le développement des pays pauvres tout en les pillant sans vergogne [...]. Les deux faces du pillage actuel du Sud par les pays riches sont bien connues : d'une part, un remboursement exigé sans faille d'une

---

1. J. Habel, « L'OMC ou la déraison du plus fort », *Le Monde*, 23 mai 1997.
2. A. Bertrand et L. Kalafatides, *op. cit.*, p. 136.

dette externe en réalité inextinguible parce qu'elle augmente à mesure de son remboursement à la faveur d'un
engrenage financier réellement machiavélique, d'autre
part, un pillage des ressources naturelles, matières premières, minérales et énergétiques, productions agricoles
(et en conséquence la ruine des sols) pour obliger à ce
remboursement. De surcroît, ce pillage se trouve renforcé
par la dévaluation des prix de ces matières premières,
savamment organisée sur le marché international et déclarée inéluctable, et soumis à l'injonction néolibérale d'exporter toujours davantage celles-ci pour que soient
accordés de nouveaux prêts. Depuis les conquêtes colo-
niales, le saccage est continu ; sa dernière forme est celle
de l'accaparement des ressources génétiques de ces pays
grâce à des dépôts de brevets usurpés, tel celui des Nord-
Américains sur la quinoa en Bolivie[1]. »

On n'épiloguera pas ici sur la façon dont s'est mis en
place le piège de la dette, entre recyclage des pétrodollars
par les banques après 1974 et élévation conjoncturelle des
taux d'intérêt pour le financement de la dette américaine.
Les mythes du développement à crédit propagés par le
Nord, souvent en toute bonne foi, et les illusions sur
l'échange endettement-croissance économique entrete-
nues au Sud ont été à la fois les alibis et les arguments
du drame[2]. La perversion intrinsèque de l'anatocisme[3]
étrangle le débiteur dès lors qu'il utilise l'argent pour
financer des dépenses improductives (armement ou
consommation) ou fait de mauvaises affaires. Rappelons
qu'un sou placé à 3 % du temps de Charlemagne produi-

---

1. A. Franqueville, *Du Cameroun à la Bolivie : retours sur un itinéraire*,
Karthala, 2000, p. 17-18.
2. E. Fottorino, C. Guillemin, E. Orsenna, *Besoin d'Afrique*, Fayard,
1992, p. 32-33.
3. Lorsqu'un contrat de prêt prévoit une clause d'anatocisme, tous les
intérêts impayés à bonne date seront eux-mêmes productifs d'intérêts au
même taux.

rait aujourd'hui des globes d'or. Une nouvelle de science-fiction intitulée *Intérêt composé* imagine ainsi un héros voyageant dans le passé afin, justement, d'investir quelques pièces de menue monnaie, dont les intérêts lui serviront à construire sa machine à remonter le temps[1] ! Si les fonds de pension sont un peu dans cette situation grâce à l'exploitation des pays émergents, ce n'est pas le cas de l'Afrique ! De quelques unités il y a trente ans, la dette du tiers-monde a atteint 2 500 milliards de dollars en 2001. Certes, la croissance obéit en théorie à la même loi. Ainsi, avec un taux régulier d'accroissement de 10 % par an, le PNB serait en théorie multiplié par 867 au bout d'un siècle ! Hélas ! les plans d'ajustement structurel imposés par le FMI laissent peu d'espoir d'atteindre durablement de tels taux. Il faut toujours exporter plus et dégager des recettes d'exportation, ce qui a pour résultat de faire baisser les cours. Comme Sisyphe, il faut remonter indéfiniment la pente. Le fardeau devient toujours plus lourd. Même après que les recettes d'exportation obtenues laborieusement ont été confisquées, les nouveaux emprunts n'arrivent pas à apurer les intérêts échus. Une fois mis en place, l'étranglement se resserre, la dette nourrit la dette. La thérapeutique infernale des institutions financières internationales achève le malade en prétendant le guérir.

L'étau de la dette (pour reprendre le titre d'un livre d'Aminata Traoré[2]) constitue un excellent moyen de tenir les pays du Sud en étroite subordination. « Grâce à l'étau de la dette externe et de la baisse des cours des matières premières, écrit André Franqueville, s'est mise en place une recolonisation sous la coupe des organismes financiers internationaux dont les États-Unis sont le fer de

---

1. Cité par R. Butler, « Acheter le temps », *Traverses*, nos 33-34 : *Politique fin de siècle*, 1982.
2. A. Traoré, *op. cit.*

lance[1]. » On a clamé à grand renfort de publicité, en juin 1996, lors du G7 de Lyon, l'annulation possible de 80 % de la dette des PPTE ; puis, lors de celui de Cologne, le sacrifice des riches est monté jusqu'à 90 %. Toutefois, derrière l'effet d'annonce se cache une vaste escroquerie.

Les données sont impitoyables et révèlent l'indécence, voire l'obscénité, de la prétendue générosité du Nord. Entre 1982 et 1998, les pays du Sud ont remboursé quatre fois le montant de leurs dettes. Néanmoins, en 1998, celles-ci restaient quatre fois plus élevées qu'en 1982 et atteignaient 1 950 millions de dollars ! Le tiers-monde rembourse chaque année plus de 200 milliards de dollars, alors que les aides publiques au développement (prêts remboursables compris) ne dépassent pas le chiffre annuel de 45 milliards de dollars. L'Afrique subsaharienne, quant à elle, dépense chaque année 15 milliards de dollars pour rembourser sa dette, soit quatre fois plus que pour sa santé et son éducation. Entre 1990 et 1993, la Zambie, par exemple, a consacré 37 millions de dollars à l'enseignement primaire et 1,3 milliard au service de la dette !

Ainsi, les mesures d'annulation font figure de mauvais canular. Il faut en effet distinguer trois types de dettes : celles envers la Banque mondiale et le FMI, qui jusqu'à une date très récente n'étaient pas négociables[2] mais qui, pour les pays d'Afrique, représentent de 30 à 75 % de leur endettement ; celles envers les institutions privées, qu'il est hors de question d'annuler et qui représentent plus de 50 % de l'endettement des pays latino-américains et asiatiques ; celles enfin d'État à État, les seules dont l'annulation soit envisageable. Elle doit être négociée au

---

1. A. Franqueville, *op. cit.*, p. 13.
2. Depuis que le *bon* M. Camdessus est devenu conseiller du pape, cette dette aussi pourrait être annulée à hauteur de 30 %.

cas par cas avec le Club de Paris[1] pour les pays très pauvres, très endettés et très méritants.

Ainsi, un pays d'Afrique noire dont la dette s'élève, par exemple, à 4 milliards de dollars, dont 2 dus à la Banque mondiale ou au FMI et 1 à des banques privées, peut espérer une annulation de 80 à 90 % du milliard restant, dû au Club de Paris. Toutefois, un artifice technique permet de réduire encore le montant. Si un rééchelonnement a déjà eu lieu, comme c'est probable, par exemple sur 600 millions, l'annulation ne portera que sur la part non rééchelonnée, soit au mieux 360 millions, c'est-à-dire 9 % du total de la dette. Et encore cet allégement est-il conditionné par des mesures draconiennes de libéralisation imposées par le FMI, identiques à celles d'un plan d'ajustement structurel mais rebaptisées « cadre stratégique de lutte contre la pauvreté »[2]. C'est ainsi que, jusqu'à présent, les montants annulés ont représenté 25 milliards de dollars, soit moins de 2 % de l'ensemble[3]... On est loin de la revendication formulée par le mouvement Jubilé 2000, qui porterait sur environ 300 milliards, ce qui est encore très en deçà de l'ampleur du problème. Même si toutes les dettes étaient vraiment annulées, les « mécanismes » qui ont engendré cette situation perverse resteraient en place, et la partie recommencerait de plus belle. Ce n'est pas l'endettement qui crée la pauvreté, mais l'inverse.

---

1. Le Club de Paris est un regroupement de créanciers publics, et le Club de Londres son équivalent pour les créanciers privés. Tous deux travaillent en étroite liaison avec les institutions financières internationales. C'est au sein de ces deux clubs que sont négociés les accords de réaménagement et de rééchelonnement de la dette extérieure des pays du Sud.

2. J.-M. Harribey, « Triste histoire sous les tropiques : la dette », in *La Démence sénile du capital, op. cit.*, p. 228.

3. E. Toussaint, « Briser la spirale infernale de la dette », *Le Monde diplomatique*, septembre 1999.

Au total, l'annulation de la dette des pays pauvres, celle-ci constituant un élément de la farce tragique du libéralisme mondialisé et de l'injustice du monde, n'est qu'une mesure charitable calculée très parcimonieusement pour éviter que justice soit faite. On ne peut que souscrire à la conclusion de Jean-Marie Harribey : « L'annulation de la dette représente une exigence de justice élémentaire et ne serait de toute façon qu'une mince contrepartie de l'énorme dette sociale et écologique laissée par le développement occidental à la planète entière et aux plus démunis en particulier [1]. »

L'injustice culturelle faite au Sud : culture mondiale ou impérialisme culturel ?

Traiter la culture comme une banale marchandise, une attitude qui est dans le droit-fil de la mondialisation libérale, a des conséquences désastreuses sur des sociétés hors d'état de résister à l'invasion des produits de l'industrie culturelle.

Pour les thuriféraires de la mondialisation heureuse, le triomphe planétaire de l'économie de marché et de la pensée unique, loin de « broyer les cultures nationales et régionales », provoquerait une « offre » d'une diversité inégalée, répondant à une demande croissante d'exotisme. La société *globale* se réaliserait tout en préservant les valeurs fondamentales de la modernité : droits de l'homme et démocratie. Et, en effet, dans les grandes métropoles, le citoyen libre peut déguster, dans des restaurants « ethniques », toutes les cuisines du monde, écouter des musiques très diverses (folk, afro-cubaine, afro-américaine...), participer aux cérémonies religieuses de cultes variés, croiser des personnes de toutes couleurs, portant

---

1. J.-M. Harribey, *La Démence sénile du capital, op. cit.*, p. 230.

parfois les tenues de leur pays d'origine. Cette « nouvelle » diversité culturelle mondialisée s'enrichit encore des hybridations et métissages incessants que provoque le brassage des différences. Il en résulte l'apparition de nouveaux « produits », le tout dans un climat de grande tolérance. « Jamais, proclamait Jean-Marie Messier, l'ex-boulimique représentant français des transnationales du multimédia, l'offre culturelle n'a été aussi large et diverse. [...] L'horizon, pour les générations à venir, ne sera ni celui de l'hyperdomination américaine ni celui de l'exception culturelle à la française, mais celui de la différence acceptée et respectée des cultures [1]. »

Curieusement, cette position rejoint celle de certains anthropologues, comme Jean-Loup Amselle, pour qui, « plutôt que de dénoncer la domination américaine et de réclamer des quotas garantissant une exception culturelle, mieux vaut comprendre que la culture américaine est devenue un *opérateur d'universalisation* dans lequel nos spécificités peuvent se reformuler sans se perdre. Le vrai péril n'est pas l'uniformisation : s'il y a un effet inquiétant de la mondialisation actuelle, il est dans le repli et la *balkanisation* des identités [2] ». Ainsi, du constat incontestable que les cultures ne sont jamais « pures, isolées et fermées » mais vivent plutôt d'échanges et d'apports continuels, que, par ailleurs, une américanisation totale est vouée à l'échec, que même dans un monde anglicisé et « mcdonaldisé » les différences de langage et de cuisine peuvent se reconstituer, Jean-Loup Amselle conclut – hâtivement, à notre sens – que la crainte de l'uniformisation planétaire est sans fondement. L'invention de nouvelles

---

1. J.-M. Messier (alors P-DG de Vivendi Universal), « Vivre la diversité culturelle », *Le Monde*, 10 avril 2001.
2. N. Lapierre, « L'illusion des cultures pures », *Le Monde*, 4 mai 2001, (compte rendu de l'ouvrage de J.-L. Amselle, *Branchements : anthropologie de l'universalité des cultures,* Flammarion, 2001).

sous-cultures locales et l'émergence de « tribus » dans nos banlieues gommeraient les effets de l'impérialisme culturel. C'est aller un peu vite en besogne. Un tel point de vue n'est soutenable que si l'on confond les tendances lourdes du système dominant avec les résistances qu'il suscite, si l'on dissocie à la façon anglo-saxonne l'économie de la culture et si l'on refuse de voir que l'économie est en passe de phagocyter en Occident tous les aspects de la vie.

Loin d'entraîner la fertilisation croisée des diverses sociétés, la mondialisation impose à autrui une vision particulière, celle de l'Occident, et plus spécifiquement celle de l'Amérique du Nord. Des flux *culturels* à sens unique partent des États-Unis et, à un moindre degré, des autres pays développés pour inonder la planète. Ils se déversent des unités créatrices vers le reste du monde par le biais des médias (journaux, radio, télévision, films, livres, disques, vidéos, et maintenant réseaux informatiques et télématiques), mais aussi des produits culturels (comme les « dysniaiseries ») et non culturels (comme le Coca-Cola ou le McDo). L'essentiel de la production mondiale de *signes* se concentre au Nord (70 % de la production mondiale de journaux et 73 % de la production de livres) ou se fabrique selon ses normes et ses modes dans les officines qu'il contrôle. En plus de l'implantation de la quasi-totalité des industries culturelles, le Nord bénéficie du quasi-monopole du patrimoine accumulé par les vieux États-nations, y compris grâce au pillage des richesses mondiales, à travers les musées, les bibliothèques, les banques de données. Une poignée de pays riches et développés constitue un centre dont les États-Unis sont le cœur, tout le reste formant une vaste *périphérie*.

Il existe plus de cent officines d'information à travers le monde ; cependant, cinq agences transnationales contrôlent désormais à elles seules 96 % des flux d'information mondiaux. Toutes les radios, toutes les chaînes de télévision, tous les journaux du monde y sont abonnés. Soixante-cinq pour cent des informations mondiales partent des États-Unis ; de 30 à 70 % des émissions de télévision en sont importées[1]. La *mise en conserve* de la culture, avec l'avènement du CD-Rom interactif, représente un gigantesque marché que se disputent les géants du multimédia. L'émergence des autoroutes de l'information et des réseaux renforce encore la suprématie des groupes médiatiques transnationaux, principalement à dominante américaine. On peut donc parler d'une véritable invasion culturelle de la part des États-Unis, avec çà et là l'apport complémentaire d'un autre pays du Nord.

« Nous sommes à la tête d'un système économique qui a définitivement sonné le glas de toute autre forme de production et de distribution, note le journaliste américain Ronald Steel dans un article publié bien avant le 11 septembre 2001, laissant dans son sillon de formidables richesses, mais parfois aussi de gigantesques ruines. Nous diffusons une culture fondée sur le divertissement de masse et la satisfaction des masses, qui prône l'hédonisme et l'accumulation même lorsqu'elle parle d'individualisme et d'abondance. Les messages culturels que nous disséminons par le biais d'Hollywood et de McDonald's se répandent dans le monde pour séduire, mais aussi pour miner d'autres sociétés.

« Contrairement aux conquérants traditionnels, nous ne nous contentons pas d'assujettir les autres : nous tenons à nous faire aimer. Tout cela, bien entendu, pour leur plus grand bien. Notre prosélytisme est le plus impitoyable du

---

1. A. Mattelard, *Multinationales et Systèmes de communication*, Anthropos, 1976, et « Multimédia et communication à usage humain », *Dossier pour un débat*, Fondation pour le progrès de l'homme, n° 56, 1996.

monde. [...] Pas étonnant que beaucoup de gens se sentent menacés par ce que nous représentons[1]. »

Dans un article au titre provocateur (« In praise of cultural imperialism ? »), un ancien responsable de l'administration Clinton, David Rothkopf, s'efforce de confirmer cette analyse. Il déclare froidement : « Pour les États-Unis, l'objectif central d'une politique étrangère de l'ère de l'information doit être de gagner la bataille des flux de l'information mondiale, en dominant les ondes, tout comme la Grande-Bretagne régnait autrefois sur les mers. » Et il ajoute : « Il y va de l'intérêt économique et politique des États-Unis de veiller à ce que, si le monde adopte une langue commune, ce soit l'anglais ; que, s'il s'oriente vers des normes communes en matière de télécommunications, de sécurité et de qualités, ces normes soient américaines ; que, si ses différentes parties sont reliées par la télévision, la radio et la musique, les programmes soient américains ; et que, si s'élaborent des valeurs communes, ce soient des valeurs dans lesquelles les Américains se reconnaissent. » Il conclut en affirmant que ce qui est bon pour les États-Unis est bon pour l'humanité : « Les Américains ne doivent pas nier le fait que, de toutes les nations dans l'histoire du monde, c'est la leur qui est la plus juste, la plus tolérante, la plus désireuse de se remettre en question et de s'améliorer en permanence, et le meilleur modèle pour l'avenir »[2].

Instruction est donnée aux représentants des pouvoirs publics américains, partout dans le monde, dans la lignée des grandes manœuvres pour le contrôle du marché des autoroutes de l'information, de prêter main-forte aux géants du multimédia en exigeant que les « produits »

---

1. R. Steel, in *The New York Times*, repris dans *Courrier international*, n° 300, 1er-21 août 1996.

2. D. Rothkopf, « In praise of cultural imperialism ? », *Foreign Policy*, n° 107, été 1997 (traduction du *Monde diplomatique*).

culturels soient traités comme des marchandises « comme les autres », et les exceptions culturelles comme un banal et nuisible protectionnisme, alors même que 80 % du marché est d'ores et déjà aux mains des firmes américaines et de ses « industries culturelles »[1]. Ce serait chose faite avec l'AMI (Accord multilatéral sur l'investissement), concocté secrètement par l'OCDE et rejeté à la suite d'un mouvement d'opinion, mais qui revient insidieusement à travers toutes sortes de biais, dont l'AGCS. L'accord prévoit par exemple explicitement que, si un État accorde des subventions à son industrie cinématographique nationale, tous les producteurs étrangers doivent automatiquement bénéficier des mêmes avantages. Ce serait la fin du principe même d'exception culturelle.

Rappelons d'ailleurs qu'en dépit de l'exception culturelle européenne, qui est dans le « collimateur » des Américains et de certains de leurs alliés européens comme Jean-Marie Messier, le cinéma français, de beaucoup le mieux loti, représente en 2001 seulement 25 % des parts du marché national, et ce pourcentage diminue d'année en année. Il faut dire qu'avec les *blockbusters*, ces superproductions aux budgets faramineux, comme *Titanic* ou *Spiderman*, les majors d'Hollywood ont trouvé l'arme quasi absolue pour écraser les résistants. Les budgets de promotion de ces films permettent en effet d'acheter en France 600 à 800 écrans contre 40 à 50 pour les productions nationales les plus fortunées[2] ! S'il en est ainsi en Europe, est-il besoin de s'appesantir sur la situation culturelle de l'Afrique ? En revanche, les États-Unis importent moins de 2 % de leur consommation audiovisuelle, traduisent au

---

1. A.P. Vasconcelos, rapport de la cellule de réflexion sur la politique audiovisuelle dans l'Union européenne, Luxembourg, 1994, repris *in* A. Mattelard, « Multimédia et communication à usage humain », *op. cit.*, p. 170.

2. P. d'Hugues, *L'Envahisseur américain : Hollywood contre Billancourt*, Favre, 1999.

compte-gouttes. Ils sont, de fait, les plus réfractaires à l'importation de la culture d'autrui, et les champions toutes catégories du protectionnisme culturel. Où est la loyauté – le *fair-play* – dans cette concurrence planétaire [1] ?

Ces flux d'information ne peuvent pas ne pas *informer* les désirs et les besoins, les formes de comportement, les mentalités, les systèmes d'éducation, les modes de vie des récepteurs. On peut inverser et généraliser la formule célèbre de Malraux : le cinéma n'est pas qu'une marchandise, il est aussi un art, donc une expression de la culture. Or toute marchandise n'est pas qu'une marchandise. Elle est toujours plus ou moins l'expression et le vecteur d'une culture. L'impérialisme culturel est une « invasion » qui asphyxie et détruit la culture réceptive. Il consiste dans la circulation *à sens unique* de mots, d'images, de gestes, de représentations, de pensées, de théories, de croyances, de critères de jugement, de normes juridiques. De tout cela, qui passe avec la marchandise, les sociétés du Sud sont des consommateurs passifs. Ce processus aboutit à une dépossession : la culture envahie ne se saisit plus elle-même à travers ses propres catégories mais à travers celles de l'autre. Elle n'a plus de désirs propres, mais uniquement le désir de l'autre. Cette *identification* à l'autre ne se produit qu'au niveau imaginaire, la « base matérielle » ne suit pas, ne peut pas suivre. Atomisée par son insertion dans le cadre culturel étranger et jugée avec les critères de la civilisation étrangère, l'entité agressée est déjà misérable *avant même* d'avoir été détruite. En fin de compte, l'invasion culturelle prive les sociétés du Sud

---

1. L'ignorance dans laquelle est systématiquement maintenu le peuple américain (et parfois ses dirigeants au plus haut niveau) de ce qui se pense et se fait ailleurs est peut-être tragique et pourrait avoir à terme des effets négatifs, tant il est vrai que les dominants finissent par être dominés par leur domination. Voir H.I. Schiller, « Décervelage à l'américaine », *Manière de voir*, n° 57, mai-juin 2001.

de leur histoire, d'une mémoire collective. Les structures de communication et d'information transnationales propagent et reproduisent les modes de comportement et de consommation des sociétés du centre. Le terme ultime du processus est l'incapacité des sociétés du tiers-monde à engendrer des projets socio-économiques autonomes et libérateurs. Le sous-développement préexiste ainsi dans l'imaginaire avant même de s'inscrire cruellement dans la réalité des peuples du Sud. La circulation des biens culturels a des conséquences trop graves pour être abandonnée sans contrôle à la main invisible du marché.

Le démantèlement de toutes les « préférences » nationales, c'est tout simplement la destruction des identités culturelles. On peut penser, quand on est bien nourri, que cela n'est pas très grave, voire que cela émancipe des contraintes communautaires. L'ennui, pour les peuples du Sud, c'est que cette identité est souvent, dans tous les sens du terme, leur seule raison de vivre. Ce « capital symbolique » est tout ce qui leur reste pour s'en sortir.

Le libre-échange culturel, comme le libre-échange économique, est une injustice faite au reste du monde par les puissances économiques dominantes. En conséquence des logiques libre-échangistes, outre les dégâts écologiques signalés, les modes de vie sont détruits, les patrimoines sociaux constitués par l'accumulation des savoirs ancestraux sont dilapidés. La dictature du catéchisme de la pensée unique et de son clergé est telle qu'elle fait apparaître comme honteux, voire réactionnaire, d'en tirer les conséquences et de prôner une protection raisonnable. Aujourd'hui, comme à l'époque de List, « tous les fonctionnaires publics instruits, tous les rédacteurs de journaux et de brochures, tous les écrivains qui traitent les matières économiques, élevés comme ils le sont à l'école cosmopolite, voient dans une protection douanière quelconque une abomination théorique[1] ». Traduit dans le langage contemporain, il faut y inclure tous les membres du FMI, la plupart des experts de la Banque mondiale, tous les responsables de l'OMC, le Trésor américain au grand complet, tous les présidents des banques centrales, l'immense majorité des ministres de l'Économie, des Finances, du Commerce et de l'Industrie.

« Oui à l'économie de marché, non à la société de marché[2]. » Telle serait la formule miracle du socialisme libéral prôné par les leaders de l'Internationale socialiste. Walras n'aurait sans doute pas renié la formule, alors que pour les purs économistes libéraux l'opposition de l'économie et de la société n'a pas de sens. Si le marché est bon, il n'y a pas de raison d'en limiter l'empire. Mais, à l'inverse, si l'on prétend sérieusement refuser la société de marché, alors il est urgent de protéger la société des effets destructeurs du tout-marché. Le protectionnisme, un protectionnisme raisonnable, reconnu, débattu et légitime, voire altruiste, et non pas honteux comme celui qu'imposent les lobbies, reste aujourd'hui, comme au temps de List, l'un des meilleurs moyens pour protéger la société, c'est-à-dire limiter les injustices engendrées par le fonctionnement du marché[3]. Certes, le niveau actuel des protections, comme ne manquent jamais de le faire remarquer les partisans du libre-échange, est très élevé et sans doute excessif dans de nombreux cas, mais celles-ci sont surtout érigées par les riches, ce qui ajoute l'hypocrisie à une injustice renforcée.

Le protectionnisme n'est pas le seul instrument de la nécessaire régulation du marché, ni un outil suffisant pour

---

1. F. List, *op. cit.*, p. 43.

2. « Les socialistes sont pour une économie de marché, mais contre une société de marché » (L. Jospin, discours à l'université d'été des socialistes en 1999 à La Rochelle).

3. Sur ce protectionnisme altruiste, voir B. Cassen, « Inventer ensemble un protectionnisme altruiste », *Le Monde diplomatique*, février 2000.

avancer vers un monde plus juste, mais sans doute est-il irremplaçable. Il permet de découpler les effets positifs de la concurrence interne (l'économie de marché) des effets négatifs externes (l'impérialisme de puissances hégémoniques et la prédation des firmes transnationales). Un protectionnisme avoué et si possible équitable, qui ne serait pas dirigé contre les pays sous-développés, bien sûr, viserait à sortir les uns et les autres du jeu de massacre de la mondialisation. Le climat actuel de compétition déréglée étant suicidaire pour tous et désastreux pour les écosystèmes, il paraît sain et tout indiqué de dresser des barrières au niveau de l'Europe pour la protection sociale et celle de l'environnement. Autrement dit, il est nécessaire de réhabiliter un protectionnisme sélectif face à l'empire indécent du libre-échange effréné, qui cache par ailleurs un protectionnisme inavoué et pervers. Une population ne peut vivre dans la dignité si elle ne produit pas, au moins en partie et même de façon imparfaite, les produits dont elle a un besoin essentiel. Réduire à la misère et au désespoir des régions entières, avec tout le cortège de drames familiaux et individuels que cela implique, au nom d'un mythique *one best way*, c'est-à-dire d'un calcul économique étroit qui ne tient compte ni des patrimoines organisationnels et culturels acquis, ni de l'impact sur l'environnement, voilà qui est déraisonnable et souvent criminel. Le plus extraordinaire est que le règne de l'*intégrisme* libéral oblige à énoncer de telles évidences... Protéger la société du marché ne peut en effet signifier que construire l'indépendance économique et la souveraineté alimentaire, préserver l'identité culturelle, sauver l'environnement, défendre un modèle social, conserver une vie locale avec son emploi et son terroir, réintroduire le politique dans l'économie avec un sens renouvelé de la justice dans le trafic social. La nécessaire décolonisation de notre imaginaire, c'est-à-dire un renforcement de notre résistance au lavage de cerveau auquel nous sommes soumis en permanence par les médias et, plus profondément, par le fonctionnement même de la société moderne, devrait nous permettre d'échapper au prisme déformant qui nous donne à voir le monde comme exclusivement économique et de reprendre en main notre destin. En attendant, si les « évolutions » nous condamnent à nous ouvrir sur le monde, alors que ce soit pour échanger nos différences, non pour intensifier une circulation de produits standardisés dans un monde marchand homogène[1].

---

1. C'était déjà d'une certaine façon, avec des accents nationalistes et « souverainistes » en plus, la conclusion de List : « Conserver, développer et perfectionner sa nationalité, tel est donc aujourd'hui, et tel doit être l'objet principal de ses efforts. Il n'y a là rien de faux et d'égoïste ; c'est une tendance raisonnable, parfaitement d'accord avec le véritable intérêt du genre humain ; car elle conduit naturellement à l'association universelle, laquelle n'est profitable au genre humain qu'autant que les peuples ont atteint un même degré de culture et de puissance et que, par conséquent, elle se réalise par la voie de la confédération » (F. List, *op. cit.*, p. 95). C'était aussi l'opinion de Keynes : « Je sympathise, par conséquent, avec ceux qui souhaiteraient réduire au minimum l'interdépendance entre les nations, plutôt qu'avec ceux qui souhaiteraient la porter à son maximum. Les idées, la connaissance, l'art, l'hospitalité, les voyages : ce sont là des choses qui, par nature, doivent être internationales. Mais produisons les marchandises chez nous chaque fois que c'est raisonnablement et pratiquement possible ; et, surtout, faisons en sorte que la finance soit en priorité nationale » (J.M. Keynes, « L'autosuffisance nationale », in *La Pauvreté dans l'abondance*, *op. cit.*, p. 200-201).

TROISIÈME PARTIE

REMÉDIER À L'INJUSTICE ÉCONOMIQUE

« Il n'y aurait jamais de justice réelle et absolue, mais seulement l'expression criante d'un désir sans cesse réitéré et sans cesse différé, en tout cas constamment contradictoire, d'être juste[1]. »

La justice n'est pas de ce monde, et la justice économique moins encore que toute autre. Toutefois, aucune société n'a jamais pu fonctionner sans avoir pour horizon une certaine forme de justice, et si des États ont pu vivre et se maintenir dans la corruption et le mépris de fait de toute norme morale, les périodes « heureuses » de l'aventure humaine sont celles où les abus les plus criants ont pu être normalement limités et sanctionnés. Prétendre faire justice dans une économie mondialisée est une gageure, mais c'est aussi une exigence compte tenu de la situation. Il importe d'ébaucher les traits de ce que pourrait signifier une société juste dans le contexte d'un monde ravagé par l'économie, tout à la fois unifié par le marché et divisé par les intérêts multiples et incompa-

---

1. P. Audi, *Supériorité de l'éthique : de Schopenhauer à Wittgenstein et au-delà*, PUF, 1999, p. 49.

tibles entre eux que ce même marché engendre, ou du moins exacerbe.

Avant même de s'attaquer au problème de la réalisation de ce monde plus juste, ce qui sera la tâche des générations à venir, le premier défi réside dans la seule conception de ce dessein utopique, tant est forte la prégnance de l'imaginaire économique. La mise en évidence de la banalité économique du mal était une première étape. C'en est une autre de concevoir le remède à l'injustice économique, et elle est infiniment plus redoutable. L'aspiration à la justice est universelle et criante, mais le moyen de la satisfaire est caché. Entre le monde radieux auquel nous aspirons et notre perception se dresse un écran opaque. Certes, le remède est intimement lié au diagnostic du mal. Il en résulte que c'est dans un échange égal ou équitable dans le commerce humain que consiste l'utopie actuelle de justice. Toutefois, mise à part la beauté de la formule, reste à définir dans cette affaire le contenu possible d'une égalité dans l'échange et les rôles possibles de marchés et d'une monnaie fonctionnant dans un monde au-delà de l'économie.

Chapitre six

L'utopie de l'échange égal [1]

« Dans son dernier livre *www.capitalisme.fr*, Alain Minc annoncerait la venue d'une société où le règne du marché mondial rendrait obsolète la démocratie représentative : la liberté se mesurerait "au pouvoir d'achat et non sur la base de l'égalité des droits" et les instruments de la souveraineté populaire seraient condamnés à "sécher sur pied" [2]. »

« Trade, not aid ! » (« Du commerce, pas de l'aide ! »), martelait encore avec succès, en 1999, le président Clinton lors de sa tournée africaine pour justifier la pingrerie des dons officiels américains et opposer à la pratique européenne de l'aide et de l'assistance une approche plus *réaliste* dans une économie mondialisée. Il est vrai que le rapport marchand semble reconnaître dans l'autre un partenaire commercial à part entière et constituer ainsi en quelque sorte le versant économique du face-à-face

---

1. Ce chapitre reprend très largement le chapitre 6 de mon livre *La Déraison de la raison économique (op. cit.)*, dont le présent ouvrage est le prolongement.
2. L. Joffrin, « Messier-Minc : capitalistes de tous les pays... », *Le Nouvel Observateur*, 14-20 septembre 2000.

démocratique, tandis que l'aide n'est pas exempte de paternalisme et de corruption. Le slogan « *Trade, not aid !* » sonne comme « La justice, pas la charité ! ». Or, on l'a vu précédemment, l'économie de marché serait en elle-même porteuse de justice. Pour Adam Smith déjà, si l'ordre naturel n'est pas toujours parfaitement moral, il est juste. La pensée unique le claironne tous azimuts et en a fait un dogme. La justice sert aussi dans cette affaire à conforter la liquidation de la morale en s'y substituant. « Il faut donc laisser à la sagesse des hommes d'État et des législateurs futurs, écrivait Smith, le soin de déterminer de quelle façon ouvrir peu à peu le commerce colonial, quelles restrictions supprimer en premier et lesquelles en dernier, ou de quelle façon rétablir peu à peu le *système naturel de la liberté et de la justice parfaites* [1]. » On peut se demander ce que la justice a à voir dans cette affaire... Eh bien, il s'agit, précise-t-il, de « cette administration égale et impartiale de la justice qui rend les droits du plus humble sujet britannique respectables au plus grand, et qui, en assurant à tout homme les fruits de sa propre industrie, donne l'encouragement le plus grand et le plus efficace à toute sorte d'industrie [2] ».

Cette justice-là, purement formelle, évacue le contenu concret de l'égalité. L'égalité théorique des droits dans la relation contractuelle suffit à la définir. Une telle conception de la justice est d'autant plus appréciable qu'elle favorise le plus grand développement économique, dont on a vu qu'il constituait une valeur fétiche de la modernité. Dès lors, tout frein au commerce et au libre-échange est aussi une entrave à la justice et une source de pauvreté (au moins en partie). Mike Moore, le directeur général de l'OMC, relayé par ses collègues du FMI et de la Banque

---

1. A. Smith, *RDN*, livre IV, chap. VIII, p. 696.
2. *Ibid.*, p. 701.

mondiale, le répète de façon incantatoire, tant et si bien qu'il est indécent et malvenu de s'y opposer. Le mouvement antimondialisation est peut-être généreux, dit-il, mais il va à l'encontre des objectifs de justice qu'il proclame. « Ces manifestations me donnent envie de vomir [1] », confie-t-il après Seattle. Et pourtant, l'évidence est plutôt en sens contraire. Les plans d'ajustement structurel imposés par le FMI et fondés sur le dogme de la liberté économique (privatisation, ouverture des marchés des biens et des capitaux, suppression des subventions) auraient été responsables du décès de quelque 500 000 enfants africains. Huit pays d'Afrique ont vu l'état nutritionnel de leurs enfants diminuer pendant leur application. Le taux d'inscription dans les écoles primaires, qui avait progressé de 41 à 79 % de 1965 à 1980, était redescendu à 67 % en 1988. Les experts de la Banque mondiale ont reconnu eux-mêmes pudiquement que le « coût social » des programmes était « excessif » [2].

Prolongeant les réflexions d'Adam Smith, les philosophes anglo-saxons contemporains sont intarissables sur la question de la justice. Toutefois, lorsque le département d'État reprend ce thème, on sent bien que « justice » signifie avant tout *just us* (« seulement nous ») [3]. Est-il vraiment conforme à la justice (avec ou sans limites) que les inégalités s'accroissent de plus en plus, au point que le PIB de toute l'Afrique, avec ses 700 millions d'habitants, pèse moins que celui de la Belgique et que la somme des 15 premières fortunes mondiales, selon les

---

1. Cité par M. Barrillon, *ATTAC : encore un effort pour réguler la mondialisation !?*, Climats, 2001.
2. Rapport UNICEF 1989, cité *ibid.*, p. 44.
3. Avec l'opération *Enduring Justice* (« Justice sans limites ») – l'intervention musclée en Afghanistan –, il n'en était pas à son coup d'essai. En 1999, déjà, l'opération de bombardement et d'invasion du Panama était baptisée « Juste cause ». Pour une étude approfondie de cette conception très particulière de la justice, voir W. Blum, *op. cit.*

statistiques du Programme des Nations unies pour le développement en 1999 ?

Il est incontestable qu'un *fair trade*, un commerce vraiment *équitable* et loyal qui rétribuerait correctement les producteurs du Sud, vaut infiniment mieux que toute l'aide et l'assistance avec leurs effets pervers [1]. Cette exigence suppose cependant de comprendre pourquoi et en quoi le commerce n'est pas normalement équitable. Cette idée d'un échange équitable ou *fair* entre les hommes et entre les peuples, condition pour que le commerce soit vraiment « doux », comme le dit Montesquieu, et pacifique, n'est qu'une autre façon de reposer les problèmes du juste prix, du salaire équitable, de l'égalité, et donc de la justice dans le trafic social.

ÉCHANGE ÉGAL, JUSTE PRIX ET COMMERCE ÉQUITABLE

« Il n'y a pas d'échange inégal pour celui qui n'a pas de théorie de l'échange égal », avait coutume de dire Emmanuel Arghiri, auteur de *L'Échange inégal* [2] dans les années 60. Pour les économistes orthodoxes, en effet, parler d'échange égal ou inégal est une aberration : le prix est ce qu'il est. Résultat de lois naturelles et universelles, sinon éternelles, il contribue même, si nul n'interfère dans le jeu de l'offre et de la demande, au bien commun, donc à la justice. On démontre mathématiquement, en effet, que l'équilibre général des prix en théorie pure correspond à une situation optimale. « Non seulement la valeur ainsi obtenue sera le juste prix, écrit Bernard Lavergne, mais il ne peut même pas y avoir d'autre juste prix que

---

1. Voir notre livre *L'Autre Afrique*, *op. cit.*, en particulier la conclusion.
2. E. Arghiri, *L'Échange inégal*, Maspero, 1969.

celui-là[1]. » Bien sûr, la concurrence pure et parfaite n'existe pas ; la concurrence détruit la concurrence et les producteurs recherchent toujours les situations de monopole. Aussi certains libéraux intégristes réclament-ils une politique destinée à maintenir ou recréer la concurrence. Par conséquent, une fois les monopoles démantelés et les rentes de situations abusives abolies, si l'échange marchand engendre misère et pauvreté, ce ne peut être qu'en raison de l'insuffisante productivité des victimes. Renouant avec les idéologues libéraux du XIXe siècle, le prix Nobel Gary Becker proclame bien fort que l'économie n'a pas l'obligation de nourrir tout le monde. Chacun est responsable de son destin. « Il est bon, affirmait simplement Charles Dunoyer un siècle plus tôt, qu'il y ait, dans la société, des lieux inférieurs où seront appelées à tomber les familles qui se conduisent mal et d'où elles ne pourront se relever qu'à force de se bien conduire. La misère est ce redoutable enfer[2]. » « Les pauvres savent [...] que dans une large mesure ils ont choisi leur situation et ne sauraient s'en prendre qu'à eux-mêmes[3] », confirme aujourd'hui George Gilder, gourou de l'école de l'offre. Et, en effet, d'après la théorie standard du « marché » du travail, le salaire correspond à la productivité du dernier

---

1. Cette affirmation est d'autant plus étonnante qu'elle émane d'un théoricien des coopératives et que celui-ci élimine finalement la notion même de « juste prix » : « Nous sommes convaincus que l'opinion publique et la pensée économique marqueraient un progrès réel si enfin elles se décidaient à exclure de la liste des notions économiques le concept plusieurs fois séculaire du juste prix. Concept moral à contours nécessairement indécis, cette notion n'a pas de signification scientifique » (B. Lavergne, « L'École coopérative par rapport à la doctrine libérale », *Revue d'économie coopérative*, n° 85, décembre 1951, p. 179). Voir aussi B. Patar, « Le juste prix ? », *Catholica*, automne 1998, et G. Even-Granboulan, *op. cit.*

2. C. Dunoyer, cité par R. Passet dans *L'Illusion néo-libérale, op. cit.*, p. 56.

3. G. Gilder, cité *ibid.*, p. 94.

salarié embauché et le chômeur est un paresseux volontaire qui préfère l'oisiveté au salaire du marché[1].

Comme chez Smith, il ne reste donc plus pour ces
« mendiants » que le recours à la charité (privée, si possible) pour corriger ce qui peut apparaître éventuellement
comme des défaillances du marché *(market failures)* au
regard des aspirations humanitaires à une richesse mieux
partagée. Ronald Reagan et Margaret Thatcher ont ainsi
largement fait appel à la générosité de leurs concitoyens
pour pallier la suppression du *welfare* qu'ils mettaient en
œuvre. Les ONG caritatives sont invitées à faire de même
au niveau international. Pour Friedrich Hayek, toute
médiation politique de l'économie serait fondamentalement immorale et injuste. La pensée unique a réussi à
imposer l'idée que l'efficience réalise la justice, prime
sur elle de toute façon et, en tout cas, la conditionne. Si
par malheur dans les pays du Sud, à la suite d'une mauvaise dotation en facteurs, la richesse produite est insuffisante pour satisfaire les besoins de tous, la loi naturelle
retrouve ses droits ; c'est la loi de la jungle, la lutte pour
la vie, mais dans le respect de la propriété des possé-
dants... De ce point de vue, la théorie de la justice de
Rawls elle-même n'échappe pas complètement à l'esprit
du temps, non plus que la philosophie qui inspire ou a
inspiré les divers gouvernements socialistes d'Europe
dans la période récente. La question de la justice dans
l'économie étant supposée réglée une fois pour toutes,
personne n'ose plus la soulever.

À la vérité, cette liquidation ne s'est pas faite du jour
au lendemain. Les bases en ont été posées, nous l'avons
vu, avec le premier libéralisme de Jean-Baptiste Say et de
Frédéric Bastiat, dès la première moitié du XIXe siècle.

---

1. L. Cordonnier, *Pas de pitié pour les gueux : sur les théories économiques du chômage,* Raisons d'agir, 2000.

Mais l'arrogance de la loi du marché ne s'affiche de façon aussi exclusive et ne se réalise pleinement qu'aujourd'hui. C'est qu'entre-temps, pour remédier aux carences engendrées par l'inhumanité marchande, les victimes se sont organisées en associations, partis et syndicats, ont réclamé et obtenu l'intervention de la puissance publique. Acte étant pris de l'échec ou de l'insuffisance de l'économie sociale, les États, sous la pression de l'électorat et pour assurer la cohésion nationale, ont adopté toute une série de mesures. Celles-ci visaient moins à lutter contre les monopoles qu'à protéger la société du mécanisme même de la concurrence et de la régulation par le marché.

Cette évolution est inaugurée par la législation bismarckienne sur le travail, se poursuit par l'État social, puis par la social-démocratie, enfin par le compromis keynésio-fordiste des Trente Glorieuses : assurance-maladie, assurance-chômage, caisses de retraite, Sécurité sociale, législation sur le travail, allocations familiales, etc. Plutôt que d'affronter l'injustice consubstantielle à la relation économique, on a préféré contourner l'obstacle et en atténuer les conséquences, dissociant ainsi la sphère de la production, soumise à l'efficience (sans souci de justice), et la sphère de la redistribution. L'objectif était à la fois d'intégrer la classe laborieuse dans la nation en lui offrant des conditions de vie décentes et de désarmer les tendances révolutionnaires du prolétariat, tout en maintenant en place un marché à la consommation et sans bouleverser l'ordre économique. Si bien que, au cours des Trente Glorieuses, la revendication de justice économique avait pratiquement disparu au Nord, car on était relativement content de son sort. Tout au plus, au nom d'une justice sociale idéale, s'efforçait-on d'arracher une part plus importante du gâteau. La domination de l'imaginaire économique ayant peu à peu accoutumé à l'idée que la justice économique se résolvait dans la redistribution, on en vint à oublier de s'interroger sur le phénomène qui rendait nécessaire cette correction, à savoir l'injustice du mode de production – une négligence qui a entraîné les effets pervers qui se manifestent aujourd'hui.

Toutefois, cette régulation pratique se fondait sur un équilibre des forces en présence, et non sur une conception de la justice économique se substituant à celle du libéralisme. La mondialisation a bouleversé cet équilibre au détriment des salariés. La mise en concurrence des travailleurs des pays riches avec ceux des pays les plus pauvres du Sud par les délocalisations massives et la mise en concurrence des pays du Nord entre eux dans le jeu du moins-disant social et environnemental ont balayé les normes protectrices. Une fois contourné, grâce à la trans-nationalisation des firmes, le contre-pouvoir des travailleurs, une fois liquidé l'État social, avec la complicité active de l'État tout court, on s'est retrouvé dans une situation proche de celle du XIXe siècle, et on a pu alors exhumer inchangée la vieille théorie libérale de la « justice » économique, c'est-à-dire la loi impitoyable du capital.

Pendant l'euphorie de la période consumériste, seuls les laissés-pour-compte du Sud faisaient les frais du système et témoignaient de son injustice récurrente. Victimes de formes néocoloniales de domination qui limitaient fortement leur capacité d'action, ils se retrouvaient démunis dans le jeu du marché mondial. Seuls ceux que l'on a appelés les « tiers-mondistes » ont tenté de faire entendre la revendication légitime des peuples « sous-développés » à une part plus importante du gâteau, à un mode moins injuste de fixation des cours mondiaux des produits primaires qu'ils exportaient. On sait que, pour donner une infrastructure théorique à ce courant, les économistes anti-impérialistes des années 60 ont eu recours à la dénonciation de l'échange inégal. Ils en ont appelé pour ce faire à la vieille théorie classique et marxiste de la valeur-travail. Selon sa formulation originelle simplifiée, les marchandises devraient s'échanger sur le marché proportionnellement aux quantités de travail (direct et indirect) qu'elles contiennent. Autrement dit, si 1 kg de café représente 20 heures de travail et une automobile 2 000 heures, une voiture devrait s'échanger au prix de 100 kg de café.

Bien sûr, c'est loin d'être le cas dans la pratique, et la *loi* se heurte à des objections et à des difficultés qui excluent qu'elle puisse constituer spontanément au niveau national, et *a fortiori* au niveau international, la règle objective[1]. La détermination de prix internationaux correspondant à des rémunérations identiques de facteurs ne peut être qu'une norme idéale, conforme à une certaine idée de la justice. Outre que la détermination exacte d'une telle norme poserait quantité de problèmes, car les facteurs ne sont pas identiques, elle n'a jamais fait consensus, même à gauche. Compte tenu des différences énormes de productivité du travail, faut-il considérer comme égal l'échange d'une heure de travail du Nord (par exemple 100 kg de blé) contre une heure de travail du Sud (par exemple 1 kg de mil) ? Ou encore un échange selon ce que l'on pourrait appeler un « coût d'opportunité en travail », à savoir 1 kg de blé contre 1 kg de mil, puisqu'il faudrait aussi une heure de travail au Sud pour produire 1 kg de blé[2] ? On a pu proposer ainsi bien d'autres définitions de l'échange égal. Un échange international

---

1. Il faudrait en particulier que l'on puisse résoudre l'insoluble problème de la réduction des travaux de toute nature à une grandeur homogène.

2. M. Decaillot, *Demain l'économie équitable : bases, outils, projets*, L'Harmattan, 2001, p. 166. Si « les produits reçus ne représentent ni plus ni moins de travail local que les produits cédés, il [l'échange] est équilibré. Les pays ont des échanges internationaux viables ».

qui entraîne la création d'autant d'emplois qu'il en détruit semble relativement équilibré et constitue une norme souhaitable. Dans ce cas, un pays qui voit son emploi menacé par la concurrence internationale peut s'estimer victime d'un échange « inégal » et d'une injustice [1].

Quoi qu'il en soit, l'idée de la valeur-travail constitue une base éthique intéressante pour réfléchir sur le rapport d'échange équitable et sur le « juste prix », renouant ainsi avec les cogitations des théologiens scolastiques. Rappelons que ceux-ci définissaient le « juste prix » comme celui permettant à chacun de tenir son rang grâce à un profit raisonnable [2]. Pour les économistes tiers-mondistes, les distorsions de prix, considérables par rapport à cette norme, observées dans les rapports Nord-Sud s'expliqueraient par la répercussion des différences énormes de salaires, même à productivité égale. Ces écarts seraient largement responsables du sous-développement.

Au XIXe siècle déjà, pour contourner les distorsions dans les rapports d'échange dues au profit et éviter les prélèvements abusifs du capital, les théoriciens socialistes préconisaient un système d'échange fondé sur les quantités de travail. Ainsi, Pierre Joseph Proudhon voulait instaurer des « certificats de travail » qui serviraient de bons d'achat. Robert Owen et Étienne Cabet (et bien d'autres après eux) ont tenté de mettre en pratique de tels systèmes. Aujourd'hui, à Itaca aux États-Unis, se développe une expérience du même genre avec le *time dollar*, un dollar gagé sur l'heure de travail effective. Le mouvement des Banche del Tempo en Italie, ainsi que les boutiques d'échange de savoir en France fonctionnent selon le même principe : une heure de travail égale une heure de travail.

---

1. Voir notre article « Éthique et esprit scientifique », art. cit.
2. J. Mousse, « Éthique et profit aujourd'hui », *Revue française de gestion*, n° 112, janvier-février 1997.

L'expérience des LETS *(local exchange trade systems)* anglo-saxons et leurs équivalents français, les SEL (systèmes d'échange local), constituent un banc d'essai intéressant pour la réflexion sur le « juste prix » et, par là, permettent d'éclairer sous un jour nouveau les perspectives du commerce équitable. Les SEL sont des associations dont les membres échangent, hors marché, à l'aide d'une « monnaie » créée par eux et valable au sein du groupe, des biens et des services de toute nature, allant des travaux de réparation de logement ou de voiture aux gardes d'enfants, en passant par les cours de langue, les massages, les outils de jardinage, et bien sûr toute la gamme des produits de seconde main. Des listes mises régulièrement à jour et gérées par ordinateur centralisent les *offres* et les *demandes*, et permettent de connaître la position, créditrice ou débitrice, de chacun. Ainsi, des exclus dont les compétences ont été rejetées par le système marchand peuvent retrouver des formes d'activité et de reconnaissance sociale en même temps que des compléments non négligeables de ressources[1]. Dans les SEL, le prix évalué en monnaie interne (grains de sel ou glands) est l'objet d'une discussion. Normalement, le rapport d'échange se négocie de gré à gré. Toutefois, comme il faut bien un point de départ ou de référence pour cadrer le débat, on est renvoyé soit au prix du marché, soit à la quantité de travail. On comprend facilement que, si l'on adopte systématiquement le prix du marché, très rapidement les vrais exclus (chômeurs non qualifiés, SDF, sans-papiers, délinquants) qui se sont raccrochés à cette planche de salut pour retrouver estime d'eux-mêmes et se procurer des moyens de subsistance seront condamnés une nouvelle fois à l'exclusion. Si la

---

1. Voir notre article « La monnaie au secours du social ou le social au secours de la monnaie : les SEL et l'informel », *Revue du MAUSS*, La Découverte, n° 9, 1er semestre 1997.

seconde chance est offerte sur un second marché qui fonctionne selon la même logique que le premier, elle n'est guère avantageuse... Dans le SEL de l'île de Vancouver, par exemple, un dentiste avait commencé par appliquer son tarif officiel. Il espérait louer les services des autres membres pour effectuer des travaux non qualifiés en pratiquant aussi les prix du marché, donc en leur versant des montants dérisoires par rapport à ses propres honoraires. Mais il s'est heurté à la protestation générale. La communauté a ramené l'écart à une plus *juste* proportion[1].

L'obscénité et la démesure actuelles des écarts de rémunération, que l'anonymat du supermarché rend possibles, ne tiennent plus dans le face-à-face au sein d'une petite communauté. Confrontés occasionnellement à ce problème, les SEL ont mis en œuvre différentes parades. Réunis en assemblées du peuple ou en conseils des sages et des anciens, au terme de longues palabres, certains ont décidé d'annuler ponctuellement les dettes et de remettre les compteurs à zéro, d'autres d'infléchir le système des prix, d'autres encore d'imposer la norme de l'égalité des heures de travail. La première solution n'est pas exempte de paternalisme dans la mesure où, même si elle stimule le bon fonctionnement des échanges, elle constitue une grâce accordée aux mauvais payeurs. Ceux-ci restent implicitement stigmatisés comme coupables tandis qu'est accordée une prime indue aux membres indélicats de l'association. La troisième voie consiste à adopter la norme d'Itaca : une heure de travail égale une heure de travail. Elle s'inscrit dans la tradition du socialisme égalitaire. Elle peut fonctionner dans l'enthousiasme des commencements, et pour autant que les échanges au sein des sys-

---

1. P. Walker et E. Goldsmith, « Le monde de la table de cuisine », *Silence*, n⁰ˢ 246-247, juillet-août 1999, p. 20.

tèmes locaux ne constituent qu'une fraction minime de l'activité économique des membres. Peut-être est-elle un idéal à atteindre dans l'imaginaire démocratique. Ses partisans font remarquer qu'une heure de vie équivaut à toutes les autres quelle que soit la *grandeur* des personnes[1]. Ainsi, pourquoi l'heure du laveur de carreaux aurait-elle moins de valeur que celle de l'informaticien ? Après tout, nul n'est responsable de ses incapacités, et celui qui bénéficie de dons, ou même de compétences durement acquises, est déjà largement récompensé par leur jouissance sans avoir besoin d'une rémunération supplémentaire. Peut-être même pourrait-il en faire profiter les autres à moindre prix... En tout cas, la reconnaissance par autrui du don que l'on détient ne devrait-elle pas être elle-même de l'ordre du don plutôt que de faire l'objet d'un tarif obligatoire ? L'égalité des heures de travail est ainsi posée comme une norme de justice visant à corriger les inégalités dues au hasard de la naissance.

Toutefois, en dépit de l'intérêt qu'il y a à en débattre, cette norme idéale n'est pour l'heure ni réaliste à grande échelle, ni nécessairement juste. En effet, on attribue partiellement l'échec de la colonie de New Harmony, fondée par Owen aux États-Unis en 1825, et celui, ultérieur, de sa banque de bons de travail, l'Equitable Labor Exchange, en Angleterre, au déséquilibre des professions représentées. À la longue, une telle organisation fait fuir les travailleurs les plus qualifiés et les compétences techniques nécessaires au bon fonctionnement de l'ensemble. Médecins, dentistes, ingénieurs même sympathisants ne sont pas intéressés à vivre à temps plein dans un SEL trop égalitaire. La culture de l'austérité et de la frugalité étant très marginale, ceux qui la pratiquent dans le contexte

---

1. S. Laacher, « Solidarités informelles. Les deux monnaies des systèmes d'échange local », rapport au ministère de la Culture, janvier 2001.

consumériste contemporain finissent généralement par
s'en lasser au bout de quelques années. Même si l'on
rejette l'impérialisme de l'égoïsme, il faut tenir compte de
l'universalité des comportements intéressés. De toute façon,
avec une division du travail un peu poussée, dans l'échange
de biens sophistiqués, le calcul des heures contenues nécessiterait un appareil technocratique contraire à l'esprit d'une
transaction humaine transparente.

La seconde voie envisagée dans les SEL, moins dogmatique et moins routinière, nous paraît la plus intéressante.
Elle fait de la détermination du prix le résultat d'une
délibération politique. À ce stade, il semble qu'Aristote
puisse nous donner un coup de main pour nous tirer d'affaire. Les quelques pages célèbres de l'*Éthique à Nicomaque* sur l'échange juste, qui ont mis à la torture des
générations d'économistes et de philosophes (dont saint
Thomas d'Aquin et Marx, mais aussi Schumpeter et
Polanyi), s'éclairent de la pratique des SEL, en même
temps qu'elles offrent en retour une solution à notre problème [1].

Derrière l'échange de marchandises, ce sont toujours
des hommes qui se rencontrent et se mesurent. Cette rencontre n'est pas nécessairement un affrontement si les
protagonistes ont des statuts établis et reconnus. Dans ces
conditions, l'échange *équitable* sera probablement celui
qui assure à chacun la permanence et la reproduction de

---

1. « La justice et la réciprocité. Rôle économique de la monnaie », in
Éthique à Nicomaque, V, 8, Vrin, 1972, p. 238 et suiv. Assez curieusement,
Schumpeter semble avoir compris l'enjeu. « Au reste, écrit-il, ses justes
valeurs étaient des valeurs sociales – traduisant, comme il le pensa presque
certainement, l'évaluation par la communauté de chaque marchandise »,
mais c'est pour ajouter aussitôt : « Il n'y a aucun sens réaliste dans lequel
on puisse affirmer que toute société non socialiste en tant que telle évalue
les marchandises » (J.A. Schumpeter, *Histoire de l'analyse économique*,
t. 1 : *L'Âge des fondateurs : des origines à 1790*, Gallimard, 1983 p. 99).

son statut. Autrement dit, quand l'architecte se mesure au cordonnier dans l'échange, le rapport du prix d'un devis représentant une heure de travail à celui d'une paire de chaussures représentant le même temps doit être tel qu'il permette au cordonnier de continuer à vivre comme cordonnier et à l'architecte de continuer à vivre comme architecte. Si les statuts ne sont pas attestés et reconnus, il peut y avoir marchandage, comme sur les marchés traditionnels. Si, enfin, l'échange tourne à l'affrontement, l'intervention délibérative du groupe est requise. La renégociation des statuts est un problème politique dont la solution constitue un préalable théorique à l'établissement du rapport d'échange. Alors, le fétichisme de la marchandise est démasqué. La transparence du rapport social (architecte/cordonnier) est médiatisée par la société, en l'espèce l'assemblée du SEL – ou des Nations unies, ou de l'OMDS (Organisation mondiale du développement social), institution proposée par Ricardo Petrella pour remplacer les organes de Bretton Woods. On retrouve là l'intuition, malheureusement pervertie par la suite par l'économisme, des premiers socialistes. « On ne peut dissocier la politique et la science sociale tout entière, écrivait Pierre Leroux, pas plus qu'on ne peut fonder une science économique en dehors de toute problématique politique [1]. » La détermination sociale des dettes réciproques à travers la fixation des rapports d'échange de biens et de services est une procédure de reconnaissance de l'autre qui n'est pas radicalement étrangère à l'esprit du don et rapproche l'échange marchand des rapports de réciprocité.

Les SEL représentent des microsociétés de 300 à 500 membres environ, soit la taille des bandes de chas-

---

1. P. Leroux, *in* « Trente-cinq années de colloques sur le socialisme républicain de Pierre Leroux aux dreyfusards », *Le Bulletin des amis de Pierre Leroux*, Aix-en-Provence, n° 14, 1998, p. 116.

seurs-cueilleurs qui constituent les « démocraties sauvages ». Il leur appartient de se déterminer sur le statut de leurs membres. Nul ne peut être exclu d'un tel système pour insuffisance de valeur économique. La charte éthique des SEL (« Esprit de SEL »), adoptée en janvier 1997, précise les objectifs écologiques et sociaux auxquels les réseaux sont conviés à se rallier. Le postulat implicite des organisations alternatives, souvent inscrit explicitement dans les statuts, comme chez les compagnons d'Emmaüs, est que tous les membres doivent pouvoir vivre décemment du fruit de leur travail. Chacun a droit à sa part de dignité, même si le marché la lui refuse.

À l'inverse, il y a peu de chances pour qu'une assemblée populaire de « sélistes » ratifie des « arrangements » comme celui qui préside aux destinées de la grande famille Disney. Dans le village-monde, une heure de travail du P-DG, Michael Eisner, est estimée 1 385 714 fois plus chère que celle de son *frère* birman qui fabrique les tee-shirts « Donald and Co »[1] ! Plus modeste, Phil Knight, le patron de Nike, héros du film de Michael Moore *The Big One*, se contente de 20 millions de dollars, soit plus que les 30 000 ouvriers indonésiens de sa firme réunis[2]. Il devrait être indécent dans n'importe quelle instance humaine d'afficher de telles prétentions. En revanche, il n'est pas nécessairement choquant que le groupe trouve normal d'accorder à son chaman-guérisseur ou à son ingénieur informaticien cinq ou même dix fois plus de revenu (ou de loisirs) qu'à celui qui ne peut produire que du baby-sitting ou du gardiennage. Dans

---

1. En 1993, cela représente 97 000 dollars l'heure pour le P-DG et 7 cents pour le travailleur birman (source : Sweatshop Watch, 1998, 720 Market Street, San Francisco). Selon d'autres sources, Eisner n'aurait gagné cette année-là que 203 millions de dollars, soit seulement 325 000 fois le salaire de ses employés haïtiens...

2. *Le Monde*, 10 novembre 1999.

tous les cas, la question est politique. Je serais tenté de dire que c'est *la* question politique. Elle se discute comme telle au sein de l'instance *ad hoc*. Dans le contexte actuel d'une injustice économique extrême, il s'agit moins de définir une hypothétique justice parfaite que d'indiquer la voie vers la réduction massive d'une inégalité économique colossale[1].

LA RELATIVITÉ DE LA JUSTICE DES PRIX ET DES SALAIRES DANS LE CONTEXTE MONDIAL

Pour l'économie classique, la concurrence établit en moyenne le prix à la valeur-travail, et c'est donc le juste prix. De même, pour les néoclassiques, le juste prix se réalise du seul fait de l'agrément volontaire des deux parties à l'échange. Dans les deux cas, la justice règne sans qu'il soit besoin d'avoir recours à aucun médiateur, ni à aucune intervention politique. Le marché concurrentiel est un mécanisme d'ajustement. Il crée le « juste » dans le sens de *justesse,* qui se trouve ainsi abusivement posé en norme de *justice.* Ce sont les monopoles ou quasi-monopoles, voire les interventions publiques, qui, dans cette optique, seraient sources de rentes, de distorsions et donc d'injustice. Et cela également dans l'échange de cette marchandise très particulière qu'est le travail humain. Pour Marx, qui entre dans le dispositif classique, ce mécanisme et cette « justice » sont perturbés par deux circonstances : d'une part la modification des prix par le

---

1. Alain Caillé place la barre très haut. « Tu refuseras de gagner plus de 100 fois le revenu individuel moyen de ta communauté », propose-t-il dans son « Décalogue éthico-politique à l'usage des modernes », *Revue du MAUSS*, La Découverte, n° 20, 2ᵉ semestre 2002, p. 167. Nos responsables économiques ont cependant encore des efforts à faire ! Il faudrait aux smi-cards 554 années de labeur pour atteindre le revenu moyen pour 2001 des patrons des sociétés du CAC 40 (selon *Le Monde*, 29 novembre 2002).

taux de profit en faveur du capital, avec l'émergence d'un « droit du capital », donc d'une autre répartition « juste », et d'autre part le fait que la force de travail devient une marchandise. L'aliénation du travail sur le marché de l'emploi réalise en théorie le « juste » prix du travail comme marchandise, puisque ce prix résulte du libre jeu de l'offre et de la demande. Le modèle des prix de production du livre III du *Capital* satisferait l'exigence de la justice selon le capital, c'est-à-dire fixerait des prix tels que le taux de profit soit le même pour tous.

Mais le marché de la marchandise « force de travail » pose de tout autres problèmes. Aucune industrie, et encore moins capitaliste, ne fabrique cette marchandise-là. Il n'y a donc pas de prix normal ni, à plus forte raison, juste de ladite marchandise. Personne n'a jamais pu déterminer quel était le temps nécessaire à la production ou à la reproduction de la force de travail. Il en résulte que, contrairement à ce que dit Marx à la suite des classiques (et que les néoclassiques ne se font pas faute de reprendre au moins implicitement), *il n'y a pas de salaire plancher.* Autrement dit, il n'y a pas de limite à la baisse des salaires sous l'effet de la concurrence. Les coutumes, les mœurs, les habitudes de consommation des travailleurs, la nécessité de manger et d'élever ses enfants ne constituent en rien des obstacles définitifs ni décisifs à cette baisse. La mondialisation est en train de nous le démontrer. Laurent Cordonnier le note très justement : « La mise en concurrence des salariés dont le nombre excède les postes disponibles tire virtuellement leur salaire vers zéro[1]. » La flexibilité réclamée pour les salaires européens consiste à s'aligner sur les salaires coréens, mais la flexibilité réclamée en Corée consiste à s'aligner sur les

---

1. L. Cordonnier, *op. cit.*, p. 61.

salaires chinois[1]. Qui dit mieux ? L'Afrique se dévelop-
pera, selon la Banque mondiale et le FMI, quand les travailleurs africains, à productivité égale, offriront leur
force de travail pour moins cher que les Vietnamiens...
Et la justice selon l'économie sera parfaitement respectée
puisque, entre le patron et l'ouvrier, elle ne peut résulter
que de la marchandisation automatique de la force de travail, et que, au surplus, celui-ci serait-il nul, le salaire
n'en serait pas moins égal à sa productivité marginale,
soit à la valeur de la contribution productive du salarié
(« la seule bonne justice en économie[2] », comme le note
encore Laurent Cordonnier). Mais point n'est besoin
d'être titulaire d'un doctorat d'économie pour voir que
cette justice-là est sans contenu. Elle est vide de sens.
L'absence de plancher la rend indéfendable. Il n'y a pas
moyen d'invoquer le merveilleux mécanisme du marché
pour évacuer la médiation politique et rendre justice aux
travailleurs. La baisse des prix qui restituerait à ces derniers, comme consommateurs, une partie de ce qu'elle
leur retire comme salariés est loin de rétablir l'équilibre.
Il n'y a aucune garantie de compensation, du fait que la
baisse du prix des marchandises est freinée par le plancher des coûts, la baisse des salaires par rien. Dans ce
contexte-là (mais dans celui-là seulement), la liberté,
toute sacrée et précieuse qu'elle soit, opprime. Henri

---

1. *Le Monde* daté du 13 février 1997 rend compte d'une étude du secrétariat de l'OCDE, dans laquelle les experts suggèrent de « reconsidérer le
rôle du salaire minimum » et de « diminuer la générosité des systèmes de
prestations » européens. Le très catholique président de « gauche » de la
Commission européenne, Romano Prodi, en prend acte sans état d'âme :
« La mondialisation récompense la flexibilité et les pays qui font des
efforts pour s'adapter à la concurrence, elle punit ceux qui ne veulent pas
ou sont incapables de s'y confronter. » Déclaration de juillet 1999, rappor-
tée par A. Bertrand et L. Kalafatides, *op. cit.*, p. 309.

2. L. Cordonnier, *op. cit.*, p. 101.

Lacordaire l'affirmait au xixᵉ siècle dans une formule célèbre, et ses arguments valent toujours [1].

Marx, on le sait, ne dénonce pas explicitement l'exploitation comme une injustice faite au prolétariat. Il ne s'intéresse pas au problème de la justice dans l'échange en tant que tel (ce qui placerait sa critique du capitalisme sur le terrain du jugement moral, suspect d'idéalisme, et non sur celui de la signification historique et du sens objectif de l'évolution), mais au fond c'est bien de cela qu'il parle. C'est l'injustice qui lui est faite, et pas seulement l'exploitation brute, qui explique que le prolétariat devienne révolutionnaire ; c'est elle surtout qui justifie qu'au nom de l'universalisme certains intellectuels, dont Marx lui-même, se déclarent solidaires des luttes des travailleurs. L'injustice faite aux salariés et aux producteurs en général, qu'ils soient du Nord ou du Sud, nous touche tous dans notre humanité. La justice dans le rapport social concerne donc tout autant, sinon plus, le juste salaire que le juste prix. Au fond, il s'agit de la même chose, sauf que l'essence politique du problème apparaît plus évidente dans le premier cas que dans le second.

Cela étant, si le salariat est, dans son principe, porteur d'un risque d'injustice, tout échange de force de travail contre de l'argent n'est pas nécessairement inique. Il est certainement utopique d'imaginer l'abolition du jour au lendemain de la marchandisation du travail (et de toute forme de marché). En attendant la suppression, souhaitable et légitime, sans doute, du salariat, il est possible de concevoir une certaine « moralisation » du *marché* du travail (comme des autres marchés, d'ailleurs). Pour ce faire, il faudrait passer de la liberté formelle de l'échange à la liberté plus réelle du contrat de louage de services.

---

1. « Entre le pauvre et le riche, c'est la liberté qui opprime et la loi qui affranchit. »

Comme pour tout échange marchand, c'est-à-dire monétaire, chacun entre dans le jeu parce qu'il dispose d'une « denrée » qui ne lui est pas très utile et qu'il souhaite vendre en contrepartie d'une autre plus utile. La même valeur objective représentée par le prix des deux marchandises échangées enrichit chacun des coéchangistes puisque la nouvelle répartition des biens et services accroît le quantum d'utilités. Toutefois, pour que ce marché idéal ne soit pas un marché de dupes et que la jouissance de l'échange soit bien réelle, il faut que les échangistes soient vraiment libres. Il en est ainsi quand le paysan amène son surplus sur le marché pour acquérir des biens de luxe auprès d'un artisan qui, de son côté, a une clientèle assurée et n'est donc pas lui-même condamné à vendre « à tout prix ». Le rapport d'échange peut alors s'établir en toute sérénité et atteindre à la justice. Pour que la vente de la force de travail s'effectue dans des conditions comparables, il faudrait au minimum que le prolétaire ait le choix entre de nombreux acquéreurs éventuels, et surtout qu'il ne soit pas contraint par la nécessité la plus forte – celle de sa survie et de la survie des siens – d'en passer par les conditions de l'homme aux écus, c'est-à-dire du détenteur de capital.

Dans le contexte moderne, le revenu de citoyenneté – une allocation universelle garantissant sans conditions à chacun un minimum vital décent – permettrait de réaliser à peu près cette situation et, ce faisant, d'introduire un peu plus d'équité dans le rapport salarial. Libre d'arbitrer entre son loisir et son effort, comme disent les ultralibéraux, le propriétaire de la force de travail échapperait alors largement à l'arbitraire de l'employeur et à l'anonymat du mécanisme infernal du marché. Le sacrifice du temps consacré au labeur serait compensé par un plus grand luxe de consommation. Dégagé partiellement de l'instrumentation, le travailleur s'accomplirait dans une activité volontairement choisie. Évidemment, dans ces conditions, le prolétaire n'en serait plus vraiment un. Mais n'est-ce pas justement l'existence même d'un prolétariat qui constitue la plus grande injustice des temps modernes ?

Cette allocation, évoquée sous des noms divers et souvent présentée comme un palliatif au chômage et à la précarité, surtout à travers ses mises en œuvre partielles et caricaturales, comme le RMI, pourrait constituer une étape intéressante dans la reconquête de la justice. En même temps, elle induirait un changement considérable des mentalités. Le problème est que celui-ci est également requis au départ pour qu'elle puisse jouer vraiment son rôle. En effet, pour que l'opinion publique accepte une telle réalisation, il faudrait qu'elle cesse de voir le revenu comme la rétribution d'une peine et perçoive le travail libre comme une forme d'épanouissement personnel. Les discussions qui ont eu lieu lors du vote parlementaire du revenu minimum d'insertion sont un indice intéressant de la distance qui reste encore à parcourir pour y parvenir [1].

CONSOMMATEURS DE TOUS PAYS, UNISSEZ-VOUS !

Avec la mondialisation, le consommateur – qu'il soit enfant mineur, mère de famille, travailleuse ou travailleur, producteur ou retraité(e) –, acheteur en bout de chaîne des marchandises fabriquées dans le monde entier, se trouve investi d'une responsabilité nouvelle. Il peut paraître étrange, après que l'on a dénoncé l'économisme et le développement, de nous voir « réhabiliter » le consommateur, voire la consommation, fussent-ils *critiques*. Le

---

1. « Vers un revenu minimum inconditionnel ? », *Revue du MAUSS*, La Découverte, n° 7, 1er semestre 1996. Voir aussi L. Geffroy, *Garantir le revenu : histoire et actualité d'une utopie concrète*, La Découverte, 2002.

consumérisme, en effet, participe pleinement de la société de croissance responsable de l'injustice du monde. Pas de croissance de la production sans une croissance illimitée de la consommation, suscitée par tous les moyens, et en particulier par la manipulation systématique du consommateur. La consommation dite « critique » ou « éthique », le commerce équitable peuvent apparaître comme des oxymores, au même titre que le développement durable. Il est tout aussi urgent, sinon plus, de sortir du consumérisme que du développementisme. Des slogans comme « Consommez éthique » ou « Achetez équitable » sont contradictoires et pervers, car ils reprennent ce qui fait problème : l'impératif de consommer. Et, de fait, les ONG qui s'investissent dans le commerce équitable sont confrontées à ces contradictions. « Ne consommez jamais » ne serait pas un mauvais slogan, en un sens. Bien sûr, il ne faut pas l'entendre comme une grève radicale des achats, mais comme une autolimitation du recours aux circuits commerciaux, ce qui n'exclut pas une débauche d'échanges festifs. Il s'agit avant tout d'un changement d'attitude dans le rapport avec ce que l'on se procure auprès des autres pour satisfaire ses besoins en échange de ce qu'on leur offre.

La provocation éducative de l'appel à la mobilisation des consommateurs trouve sa justification dans le fait que le pouvoir d'achat reste pour le citoyen l'un des derniers pouvoirs disponibles qui puissent contrebalancer ou contrer ceux de la finance transnationale. Il ne peut plus se contenter d'être l'*usager* passif – rôle auquel l'avait réduit le système consumériste –, laissant aux syndicats et à l'État (ou à ce qu'il en reste...) le soin d'assumer le contre-pouvoir face au marché. Il est désormais sommé de redécouvrir une forme de citoyenneté au cœur même de la dépossession marchande. Contre l'emprise quasi totalitaire du marché, lequel se prétend son porte-parole, la résistance et l'insurrection deviennent nécessaires. Il ne s'agit plus, comme dans les projets de l'économie sociale, de nier ou de contourner la lutte des classes, mais bien de l'assumer par ce biais.

« On vote chaque fois qu'on achète quelque chose », dit très justement le responsable de l'Association de solidarité avec les peuples d'Amérique latine (ASPAL), l'une des organisations membres de la plate-forme pour le commerce équitable. Comme l'explique en des termes très forts Francesco Gesualdi : « Tu vas au supermarché et tu prends un paquet de spaghetti et, sans le vouloir, tu finances l'industrie d'armement parce que la multinationale à laquelle tu achètes possède aussi des fabriques d'armes. Ou bien tu acquiers un pot de tomates pelées et tu contribues à l'exploitation des journaliers africains, puisque la multinationale à laquelle tu achètes possède aussi des plantations d'ananas [Del Monte, filiale d'United Fruit, en l'occurrence]. En d'autres termes, chaque fois que tu achètes à l'aveuglette, tu peux te transformer en complice d'entreprises qui polluent, qui maltraitent les animaux ou qui accomplissent d'autres méfaits[1]. » Dans ces conditions, acheter du café labélisé « Max Havelaar » ou « Transfair » plutôt qu'une marque du grand commerce ordinaire est peut-être un acte citoyen. Acheter équitable, c'est-à-dire, en théorie, à un juste prix, plutôt que se laisser vendre un produit *inéquitable* au prix du marché serait une façon d'affirmer la médiation politique dans l'échange commercial, donc aussi la solidarité avec des partenaires lointains et inconnus, sans nier leur existence ni se montrer indifférent à leur sort.

Malheureusement, il n'est pas facile pour le consommateur d'être citoyen, à la fois subjectivement et objecti-

---

1. F. Gesualdi, *Manuale per un consumo responsabile : dal boicottaggio al commercio equo e solidale*, Milan, Feltrinelli, 1999. (La traduction est la nôtre.)

vement. Subjectivement parce que la manipulation de ses goûts et de ses désirs est quasi totale à travers la publicité et les sollicitations de la grande distribution. Objectivement parce que, serait-il déterminé à adopter un comportement citoyen, à acheter écologiquement, politiquement et éthiquement correct, il se lancerait dans un véritable parcours du combattant sans garantie de résultat. Pour la plupart des produits, un tel choix n'existe même pas. Où sont la voiture équitable, le réfrigérateur éthique, la machine à laver solidaire, le logiciel social ? On peut déjà s'estimer heureux si la *traçabilité* est poussée assez loin pour que l'on puisse se procurer un complet-veston confectionné ailleurs que dans un bagne modernisé pour femmes du Sud-Est asiatique...

Votons-nous vraiment pour l'esclavage des enfants pakistanais quand nous achetons une paire de chaussures d'une grande marque transnationale ? Adhérons-nous à la destruction des identités culturelles quand nous offrons à nos proches un forfait vacances ? Oui ! L'achat est un vote. Mais cette affirmation ne se suffit pas à elle seule. Les ultralibéraux, comme les grands capitalistes, l'ont toujours répété, opposant aux décisions imposées par un État régulateur le « plébiscite des consommateurs ». « Le consommateur est roi, comme on dit. Sa rationalité est souveraine et sa souveraineté est rationnelle : d'une part, il est le meilleur juge de ses préférences et de ses valeurs et, d'autre part, pour reprendre une métaphore souvent utilisée par les économistes, la somme d'argent qu'il accepte de consacrer à tel ou tel bien ou service apparaît comme un ensemble de bulletins de vote. De là à dire que "la démocratie, c'est le marché", il n'y a qu'un pas à franchir[1]. » La pensée unique actuelle le franchit allégre-

---

1. F.-D. Vivien et A. Pivot, « À propos de la méthode d'évaluation contingente », *Natures, sciences, sociétés*, vol. 7, nº 2, 1999, p. 51.

ment : elle a remis au goût du jour le slogan démagogique des « petits porteurs », imaginé par les adversaires du Front populaire en 1936. Elle clame haut et fort ce thème mystificateur en même temps que celui, plus mystificateur encore, du référendum des petits actionnaires. C'est la prétendue « démocratie actionnariale »[1]. « Un *électeur ordinaire* détenant 250 000 bulletins de vote ! Cette démocratie-là laisse un peu songeur[2] », note René Passet en soulignant la répartition asymétrique des titres. Ce serait la ménagère qui plébisciterait le super- ou l'hyper-marché au détriment du petit commerce de proximité, dont la disparition entraîne la mort de la vie urbaine et d'une certaine forme de convivialité ; elle encore qui plébisciterait l'agriculture productiviste pour avoir des produits alimentaires *propres* ou pasteurisés et meilleur marché. Il faudrait aussi lui imputer la mort des campagnes et la disparition de l'eau potable, la pollution des nappes phréatiques et des sols par les pesticides et les engrais chimiques. Si l'on en croit Monsanto, la ménagère du tiers-monde réclamerait même les OGM pour échapper à la famine[3] ! C'est l'usager, enfin, qui ratifie-

---

1. « De fait, rien n'est plus facile que de pousser à son terme une métaphore démocratique qui ne cesse d'affleurer dans le discours de la finance. L'exposition des projets économiques (ceux des entreprises comme ceux de la politique économique) à l'opinion des marchés n'est-elle pas communément présentée comme une forme de suffrage ? Et les décisions d'engagement ou de désengagement des investisseurs ne sont-elles pas l'expression d'une sorte de vote ? Les pratiques de la *corporate governance* font un cran supplémentaire à cette analogie en donnant à la *politeia* financière son agora : l'assemblée générale des actionnaires [...]. Fausse démocratie dans une société qui ne connaît pas d'autres préoccupations communes que celles du patrimoine : il n'est pas certain que la *polis* des fonds de pension soit une cité radieuse » (F. Lordon, *op. cit.*, p. 106 et 109).

2. R. Passet, *Éloge du mondialisme par un « anti » présumé, op. cit.*, p. 30.

3. Ce n'est pas encore le cas, mais grâce à la propagande appuyée par l'argent des firmes et avec la complicité des élites locales, cela semble en bon chemin. Déjà, Mohamed Yunus, le « banquier des pauvres », se fait au Bangladesh le propagandiste des semences de Monsanto. Plusieurs ministres africains de l'Agriculture relaient cette campagne de pénétration

rait les licenciements, les dégraissages, les délocalisations, la flexibilité des salaires et des horaires, pour obtenir des transports toujours plus rapides, plus performants et moins chers, des vêtements et de l'électronique à bas prix provenant des pays émergents, des voitures, des téléphones portables et des ordinateurs bon marché.

Certes, tout n'est pas absolument trompeur dans l'argumentaire libéral. Au nom des petits retraités, les fonds de pension exigent la « bonne gouvernance » des grandes firmes. Celle-ci implique plus de transparence, moins de détournements de fonds, parfois accompagnés de limitations de salaires et d'avantages abusifs, que s'accordent volontiers les dirigeants d'entreprise, mais surtout la hausse des cours et un taux confortable du *return on equity*, ou « retour sur placement » (nouveau nom pour désigner pudiquement le vieux profit d'exploitation), par tous les moyens, y compris les plus sauvages : dégraissage, sous-traitance, précarisation des travailleurs[1]. Comme le reconnaît cyniquement un patron responsable du licenciement de dizaines de milliers de personnes : « L'entreprise appartient à ceux qui investissent dedans, pas aux employés, pas aux fournisseurs, et pas à la localité où elle est située[2] », et pas non plus aux clients, naturellement...

Dans cette optique, la demande, et elle seule, est reine ; sa souveraineté est légitime, puisque démocratique et populaire. Tous les discours sur les bienfaits de la mondialisation des marchés (la « mondialisation heureuse »)

---

insidieuse. Les Américains, en offrant des surplus de céréales génétiquement modifiées aux États affamés d'Afrique, accentuent encore la pression.

1. Voir S. Jourdain et A. Durieux, *L'Entreprise barbare*, Albin Michel, 1999.

2. A.J. Dunlap, avec B. Andelman, *MEAN Business : How I Save Bad Companies and Make Good Companies Great*, New York, Times Books, 1996, p. 199-200.

reprennent cette antienne *ad nauseam*. « Le principe de la souveraineté du consommateur [...] constitue [...] le principe de démocratie directe pratiquée dans un référendum [1] », proclame tout naturellement l'économiste. Il est essentiel de dégonfler cette argumentation arrogante, formulée au nom des consommateurs mais émanant exclusivement des lobbies des grandes firmes. Ce n'est en tout cas pas la voix des consommateurs telle qu'elle s'exprime à travers les associations.

D'abord, serait-elle effectivement populaire, il n'est pas sûr que cette demande souveraine serait *ipso facto* légitime et n'aurait point besoin d'être régulée. On rencontre en effet toutes sortes de demandes. Il existe par exemple incontestablement un marché pour la drogue, la prostitution ou le crime. Doit-on pour cela considérer que la satisfaction de ce « besoin solvable » est légitime, que la production d'une offre correspondante doit être légalisée (comme le soutiennent certains ultralibéraux, les libertariens) ? Devrait-on par réalisme dépénaliser certaines drogues ou certaines formes de prostitution, voire toutes ? Peut-on et doit-on en conclure qu'une fois dépénalisées ces productions seraient *morales,* puisque contribuant à l'optimum de Pareto, donc au plus grand bonheur du plus grand nombre ? On retrouve là tous les paradoxes éthiques de l'économie.

Si des arguments solides et des expérimentations concluantes peuvent justifier certains aménagements du droit (sur la drogue douce, l'euthanasie, etc.), la question, en tout état de cause, mérite au moins d'être débattue. Et le débat ne peut manquer de rejaillir sur toute une série d'activités « normales » qui, par certains côtés, touchent à la drogue ou au crime, comme le tabac, l'alcool, certains

---

1. Ici, il s'agit de M. Williger dans « La méthode d'évaluation contingente : de l'observation à la construction des valeurs de préservation », *Natures, sciences, sociétés*, vol. 4, n° 1, 1999.

produits pharmaceutiques, les machines à sous et les jeux de hasard, voire tout simplement la voiture ou le portable, qui peuvent faire des « accros » et présenter en outre des dangers pour la santé. Mais discuter de ces questions, c'est reconnaître implicitement qu'il y a une instance supérieure, même à la *loi* économique. Cette instance appelée à se prononcer sur le juste, le légitime, et finalement à dire la loi, avec le risque inévitable de se *tromper*, ne peut être que la société. Même ce que l'on appelle les « lois économiques » doit être en dernier ressort ratifié implicitement ou explicitement par une autorité politique. Celle-ci est donc parfaitement fondée à limiter les effets du marché.

Le plébiscite des consommateurs lui-même invoque, à l'insu de ses partisans, une légitimation politique du rejet du politique. Le plébiscite et le référendum sont en effet des procédures de droit constitutionnel et non des accessoires du marché[1]. Il est alors possible de retourner l'argumentation économiste contre ses promoteurs. Le citoyen est aussi un consommateur. Par conséquent, le consommateur est également un citoyen. Le discours politique considère le citoyen comme souverain, tandis que le discours économique affirme que le consommateur est roi. Le *consommacteur*, comme disent les ONG, c'est-à-dire le consommateur-citoyen, serait celui qui entend revendiquer cette double reconnaissance de sa suprématie et exercer pleinement les prérogatives légitimes qui en découlent. Comment lui interdire alors de savoir ce qu'il achète, de connaître la provenance de ce qu'il mange, comme prétendent le faire les firmes agroalimentaires et l'OMC ? La « traçabilité » est vraiment le minimum que l'on puisse offrir à celui que l'on dit souverain. Or elle

---

1. La gouvernance elle-même est le résultat de l'appropriation par le monde des affaires d'un concept politique, que l'on repropose sur le marché politique après essorage dans le circuit économique.

est loin d'être totale. Derrière l'étiquette « Première pression à froid » sur les bouteilles d'huile d'olive, par exemple, le consommateur français ne dispose à ce jour d'aucune garantie de provenance ni de fabrication. Celle-ci a par ailleurs été refusée concrètement par les instances européennes pour le chocolat. Quant aux OGM, les firmes transnationales pratiquent sauvagement la politique du fait accompli, avec la bénédiction du gouvernement américain, revendiquant le refus d'étiquetage pour ne pas fausser le jeu de la concurrence. La secrétaire d'État à l'Agriculture, Ann Venemann, s'est d'ailleurs faite auprès de Bruxelles le soutien du lobby des OGM. « Il sera difficile, a-t-elle déclaré au commissaire européen chargé de la protection des consommateurs, de considérer les mesures d'étiquetage des produits génétiquement modifiés comme n'étant pas des mesures de discrimination commerciale [1]. » En effet, déclare Mme Sarah Thorn, responsable de l'association américaine des industriels de l'alimentation, « écrire sur un produit qu'il contient des ingrédients génétiquement modifiés équivaut à le condamner à rester sur les rayons des supermarchés [2] ». On ne saurait dire plus clairement que le consommateur-roi n'a pas à connaître le contenu de la boîte, qu'il n'a pas à avoir d'opinion sur le danger éventuel des OGM ni à faire prévaloir son choix, qu'il n'a qu'à payer...

La transformation du consommateur, normalement citoyen passif (et infiniment patient !), en citoyen actif et en consommateur exigeant un minimum de respect s'observe occasionnellement en cas de crise, lorsque les ménagères et les usagers refusent les hormones dans le

---

1. « De telles mesures, poursuit-elle, pourraient coûter des millions aux industriels états-uniens » (F. Prat, « Europe et OGM : Bruxelles, le passage en force », *Courrier de l'environnement de l'INRA*, n° 46, juin 2002, p. 76).

2. Citée par *Politis*, 10 octobre 2002.

bœuf, les organismes génétiquement modifiés ou les ballons de football fabriqués par des enfants-esclaves et sont prêts à aller jusqu'au boycott. Après la condamnation de l'Europe par l'OMC pour refus d'importer du bœuf aux hormones et en réponse aux mesures de rétorsion américaines sur divers produits, dont le roquefort, le président du CNJA (Centre national des jeunes agriculteurs) a déclaré : « Ils ne connaissent que le fric. Il faut donc frapper là où ça fait mal, au tiroir-caisse. » Dommage qu'il faille attendre une crise et le démontage de quelques McDo pour découvrir ces solides vérités et l'évidence de la « malbouffe »... C'est effectivement aussi en se réappropriant le pouvoir politique de l'acte de consommation que le citoyen d'une société économiquement mondialisée peut espérer infléchir encore le cours des choses.

Il y a dans cette situation nouvelle un défi éthique manifeste. L'action syndicale et la militance politique supposent des sacrifices et comportent une dimension morale souvent importante, mais elles peuvent apparaître justifiées par des intérêts très concrets : hausses de salaires, conditions de travail, avantages divers. Avec la volonté citoyenne de se réapproprier la décision de consommer, le rapport entre éthique et intérêt est inversé. Certes, il est de l'intérêt bien compris de tous que la planète survive et soit sauvée, que les produits soient sains, et même que justice soit faite pour éviter le chaos, mais cet intérêt-là se heurte à d'autres, plus immédiats, qu'il faudrait lui sacrifier. Il est indécent de demander au smicard ou au RMIste de payer 30 % plus cher pour un produit biologique, 50 voire 100 % plus cher pour une marchandise équitable. Comment suggérer au banlieusard de renoncer à son supermarché favori pour des formes moins injustes de distribution, alors que celles-ci n'existent pas à proximité et que les marchés traditionnels font encore plus défaut ? Bien sûr, des circuits courts producteurs-consommateurs peuvent être organisés, y compris en zone urbaine, sous la forme de « paniers-fraîcheur » avec abonnement ou avec les jardins ouvriers[1]. Quelques intégristes écologistes ou écosolidaires y ont recours. Nul doute qu'il soit souhaitable que de telles initiatives se développent. Sous la pression citoyenne, les pouvoirs publics peuvent venir en renfort et infléchir les politiques agricoles dans un sens moins productiviste. L'Allemagne a ouvert courageusement la voie en prévoyant d'accorder une part significative à l'agriculture biologique. Toutefois, peut-on généraliser ces formules ? Et, encore une fois, où trouver la voiture équitable, le juste kilowatt-heure et le mètre cube d'eau moral ?

Il est clair que l'on ne va pas effacer d'un trait de plume la manipulation des puissances économiques, qu'il est impossible de méconnaître et qu'il faut se garder de sous-estimer. Toutefois, l'objectif est bien de refaire le monde, et le moyen, de contrer la manipulation et le lavage de cerveau auxquels nous sommes soumis. Il est temps de commencer la décolonisation de notre imaginaire, c'est-à-dire la *déséconomicisation* des esprits ; de prendre conscience que nos désirs de consommation ne reposent pas sur une véritable nécessité, que notre vision du monde dominée par le caractère incontournable de l'économie est le résultat de la manipulation insidieuse d'un système. Les choses ont été autrement, pourraient être autrement, devraient être autrement. Il faut toujours avoir comme horizon l'idéal d'un échange juste, c'est-à-dire d'économies et de marchés médiatisés par le social ou le politique.

Les débats internes aux organisations alternatives prennent ainsi un autre visage. Réussir à imposer les produits

---

1. La revue *Silence (écologie, alternatives, non-violence)* (9 rue Dumenge, 69004 Lyon) est une source irremplaçable d'informations et d'adresses, de même que *Nature et Progrès* (68 boulevard Gambetta, 30700 Uzès).

du commerce équitable ou de l'agriculture biologique sur les gondoles d'un supermarché, à côté des produits « iné-quitables » ou « antibiologiques », n'est pas nécessaire-ment mauvais, mais ne constitue pas un objectif en soi. Cette politique de « labellisation » s'inscrit plus dans ce que l'on peut appeler une « stratégie de créneau » que dans l'optique du renforcement de la *niche*. Le *créneau* est un concept emprunté à une stratégie militaire de conquête et d'agression, lié à la rationalité économique dominante. On risque ainsi à tout moment de se faire « pi-quer » son créneau par un concurrent moins délicat qui fera de l'équitable et du solidaire au rabais, voire usurpera légalement ou illégalement le label, comme cela se pro-duit pour le biologique. Par exemple, l'authentique bonnet péruvien en laine de vigogne, commercialisé en France par la firme de commerce équitable Andine, vient de se faire coiffer au poteau, à la faveur des grands froids de l'hiver 2001, par les imitations tricotées dans les bagnes du Sud-Est asiatique et vendues dans la grande distribu-tion[1]. Ce qui peut faire vivre l'entreprise alternative, à terme, c'est plutôt la *niche*. Il s'agit d'un concept écolo-gique beaucoup plus proche de l'antique prudence (la *phronèsis* d'Aristote) et d'une conception sociale de l'*ef-ficacité*, étrangère à l'*efficience* économique[2]. Il est plus important de s'assurer du caractère *équitable* de la totalité de la filière, depuis la production jusqu'à la commerciali-sation en passant par le transport et le conditionnement, que de la diffusion du produit labellisé dans des officines qui ne sont ni équitables, ni solidaires. Cette stratégie

---

1. « Le bonnet péruvien, terre de contrastes », *Le Monde*, 22 décembre 2001.

2. Cette opposition me paraît complémentaire de celle faite par Rai-mundo Panikkar entre l'arène et l'agora. L'arène est l'espace social de la compétition agressive, tandis que l'agora est celui du face-à-face démocra-tique. R. Panikkar, « Les fondements de la démocratie », *Interculture*, Montréal, n° 136, avril 1999.

exclut d'emblée le supermarché et élargit le tissu porteur, c'est-à-dire la niche. On chercherait en vain, en effet, le moindre souci de justice dans les instructions données aux acheteurs des centrales d'achat des grandes surfaces pour passer commande auprès des exploitations paysannes ou des coopératives agricoles. Les événements de l'été 1999, lorsque les producteurs d'agrumes du Midi ont bloqué les routes, détruit des cargaisons de fruits et légumes et se sont révoltés face à la mévente de leurs produits, alors même que le consommateur devait les payer toujours plus cher, ont révélé que les procédés les plus retors, les chantages les plus éhontés sont recommandés et pratiqués systématiquement pour « casser les prix » – pourtant déjà très bas – des fruits et des légumes (mais aussi de la viande et d'autres produits), obtenir des rabais, des remises, des livraisons gratuites hors contrat, sous toutes sortes de prétextes, acculant les producteurs les plus fragiles à la faillite et parfois au suicide. La plus savoureuse de ces pratiques – mais l'imagination des « commerciaux » est sans limites – est sans doute la « corbeille de la mariée ». Il s'agit des *cadeaux* exigés cyniquement par les centrales d'achat, sous forme de quotas de livraisons gratuites, hors facture, de la part des producteurs, lorsque deux géants fusionnent (comme Carrefour et Promodès en mai 2001), renforçant encore leur pouvoir de pression. Les rapports des supermarchés avec leur petit personnel ne s'inspirent pas, que l'on sache, d'un plus grand souci de justice. Et si l'intérêt des consommateurs semble pris en compte à travers des prix en baisse (surtout pour les produits d'appel...), il s'agit essentiellement de tuer la concurrence des petits commerces de proximité, en attendant d'atteindre une position de monopole et de se rattraper... Fussent-ils les plus bas possible, c'est aux citoyens, aux salariés, aux producteurs divers de dire, en tant que consommateurs, si ces prix, calculés au plus juste, sont bien de justes prix.

L'extension et l'approfondissement du champ des complicités constituent le secret de la réussite et doivent être le souci premier des entreprises alternatives. L'existence de vrais *consommacteurs* pourrait devenir un élément clef d'un ensemble qui devrait articuler SEL, producteurs alternatifs, néoruraux, systèmes financiers éthiques et mouvements associatifs résolument engagés dans cette voie. Il s'agit de coordonner la protestation sociale et la protestation écologique, d'articuler la solidarité envers les exclus du Nord et du Sud avec toutes les initiatives associatives. Lorsque les agriculteurs bio participent à un SEL dont certains membres sont par ailleurs investis dans le commerce équitable et solidaire, d'autres dans des organisations syndicales ou citoyennes, et que tous fonctionnent financièrement en mutuelle avec une banque éthique, les initiatives et l'activité de chacun renforcent celles de tous. Le producteur de miel trouvera ses principaux clients au sein du réseau, mais à son tour il nourrira aussi les affaires des autres membres (du moins si l'insecticide Gaucho n'a pas détruit ses ruches...). Toutes ces formes de résistance et de dissidence doivent fonctionner en réseau pour déboucher à terme sur une société autonome. C'est cette stratégie que tente de mettre en place, en Italie, la Rete di Lilliput. Il s'agit d'une immense toile d'araignée tissée par les innombrables petites organisations alternatives pour paralyser le géant Gulliver du capitalisme transnational[1]. La stratégie de la niche n'est pas un repli frileux ; elle ne consiste pas à

---

1. C'est aussi ce que tente à un niveau plus modeste en France le Réseau d'échanges et de pratiques alternatives et solidaires (REPAS). Voir *Quand l'entreprise apprend à vivre : une expérience inspirée du compagnonnage dans un réseau d'entreprises alternatives et solidaires*, Éd. Charles Léopold Mayer, 2002. Voir aussi *La Rete di Lilliput : alleanze, obiettivi, strategie*, Bologne, Editrice Missionaria Italiana, 2002.

construire une oasis dans le désert du marché mondial, mais un organisme vivant et cohérent qui réaffirme en son sein la présence du problème moral, susceptible de proliférer et de fertiliser peu à peu le désert ambiant. C'est cette cohérence qui représente une véritable voie alternative au système.

FAIRE SOCIÉTÉ AVEC LES DIFFÉRENTS PARTENAIRES
DU JEU ÉCONOMIQUE MONDIAL

Bien sûr, la transposition au niveau des rapports et des échanges économiques mondiaux n'est pas simple. Ce que les SEL nous ont appris, c'est que la « justice » dévoile son contenu dans l'exigence de « faire société ». Il est difficile, cependant, de concevoir ce « faire société » avec le planteur de canne à sucre ou de café vénézuélien, le paysan sénégalais cultivant de l'arachide, le paysan camerounais producteur de banane ou l'artisan quechua. Il n'y a pas de véritable société mondiale, et il n'est pas sûr qu'il en existe une un jour, ni que cela soit souhaitable. On ne se mesure qu'avec des proches, fussent-ils étrangers à l'ethnie ou à la nation, et l'échange social est forcément local, même si le site peut, dans certaines limites, être virtuel. De nouvelles formes de « localisme », à travers les réseaux télématiques, ne sont pas nécessairement à exclure. Toutefois, la plupart des problèmes de l'injustice sociale et écologique ne peuvent trouver un commencement de solution que dans un réenracinement de la vie collective (réduction des transports, des déplacements, du gaspillage, etc.).

Le problème se complique encore du fait qu'il n'existe pas non plus de véritables sociétés locales, tout simplement parce que nous les avons détruites et que nous continuons à le faire. L'exemple du Ladakh est particulièrement intéressant. Jusqu'en 1975, ce pays ignorait pratiquement tout du développement. Dans une incroyable frugalité, le peuple bouddhiste de cette haute vallée himalayenne rattachée au Cachemire avait construit une civilisation *heureuse*, équilibrée, respectueuse de l'environnement. L'ouverture par l'Inde d'une route, au nom du développement et de la modernisation, a détruit ce qu'un regard extérieur serait tenté de présenter comme un « paradis perdu ». Le contact avec le monde *civilisé* et ses gadgets a inculqué aux populations la conscience de leur sous-développement et de leur arriération. En les traitant avec le mépris dû aux *sauvages*, en multipliant les besoins non satisfaits, en accroissant l'endettement des plus pauvres et la richesse de quelques-uns, les nouveaux venus ont engendré la frustration de tous et rompu la solidarité villageoise [1].

La question de la justice dans l'échange ne sera pas résolue automatiquement si, par miracle, nos fournisseurs du Sud vendent leur production à la centrale d'achat d'Artisans du monde. La charge de la responsabilité ne s'en trouverait que déplacée. Comment ces organismes peuvent-ils résoudre le problème ? Comment « faire société » avec nos partenaires ? Comment ne pas participer au mouvement de destruction des cohérences sociétales, source ultime de l'appauvrissement économique ? Comment ne pas être complice de fait du bazar mondial ? Là réside le grand défi du commerce équitable. Il devrait d'une certaine façon viser à sa propre destruction, en ce sens qu'il devrait contribuer à la reconstruction des socialités éclatées du Sud, et par exemple encourager la reconversion

---

1. H. Norberg-Hodge, *Quand le développement crée la pauvreté : l'exemple du Ladakh*, Fayard, 2002. Dans ce livre, fondé sur des années d'observations patientes et de vécu, l'anthropologue britannique Helena Norberg-Hodge montre et démonte ce processus, qu'ont connu la plupart des pays du Sud dans un passé plus reculé.

des cultures spéculatives livrées au commerce mondial en cultures vivrières nécessaires à l'alimentation des populations locales affamées. De même, il devrait inciter l'artisanat à répondre aux besoins d'une clientèle de proximité au lieu d'exporter des colifichets pour Occidentaux en mal d'exotisme.

On sent bien que la question est délicate. Elle ne peut être résolue de façon dogmatique et du jour au lendemain. Mais ce n'est sûrement pas une raison pour ne pas s'y attaquer. La justice ici est indissociable de la solidarité, et donc d'une certaine forme de civisme. Elle dépasse la seule question du prix et concerne le bien commun[1]. On voit bien que le « faire société » éclate en plusieurs sphères enchevêtrées. S'il existe une sorte d'exploitation en chaîne – du paysan andin à la firme transnationale nord-américaine en passant par le cacique local, le citadin provincial, la bourgeoisie nationale ou *compradore*, le consommateur américain, et finalement le capitaliste, ou le financier apatride, comme le disaient les tiers-mondistes –, alors se pose le problème d'une « chaîne » de justice. Les systèmes de prix, de pouvoir d'achat, les exigences, les salaires étant très divers, on est loin de l'homogénéité. Si le travail du planteur d'ananas kenyan de la firme Del Monte était payé le double de son niveau actuel, ce planteur deviendrait un privilégié local. On serait encore très loin de l'égalité avec le travailleur du Nord (qui touche un salaire environ 20 à 50 fois supérieur), mais, pour l'intéressé, dans son environnement, cette hausse signifierait l'accès à une aisance inouïe. Et il n'en coûterait qu'un ou deux centimes (peut-être moins) supplémentaires par boîte d'ananas en Europe ! Justice serait-elle faite pour autant ? Sûrement pas. Il suffit de

---

1. Voir F. Bellino, *op. cit.*

penser que le travailleur du Nord aurait encore la possibilité de partir en vacances au Sud et de s'y comporter comme en pays conquis, tandis que notre planteur ne pourrait sûrement pas songer à venir se faire bronzer sur la Côte d'Azur. Sans doute le travailleur kenyan peut-il se prévaloir de certains avantages locaux dont ne jouit pas son collègue du Nord. La justice économique et sociale n'est pas mathématiquement calculable. Quoi qu'il en soit, avec cette hausse, un grand pas en avant aurait été accompli et le débat pourrait s'instaurer. C'est en considérant que nous « faisons société » avec nos partenaires et que leurs problèmes sont les nôtres, mais aussi que les nôtres sont les leurs, que l'on doit rechercher le *juste* rapport d'échange. La délibération du peuple, virtuel ici par la force des choses, n'en doit pas moins médiatiser la détermination des prix. La réflexion sur la justice dans l'échange, même si elle ne fournit pas une solution clefs en main, constitue un guide pour l'action citoyenne, et probablement une nécessité pour la survie de l'humanité.

L'important, dans cet effort pour obtenir un échange moins injuste, réside dans la déconstruction du fétichisme de la marchandise. Autrement dit, il faut démasquer le rapport entre les choses pour retrouver un rapport entre les hommes. On restitue ainsi le face-à-face proprement politique de l'échange. L'*agora*, qui signifie aussi « marché » en grec moderne, est le lieu où l'on se mesure pacifiquement (à la différence de l'arène) sous le regard de l'ensemble des citoyens. Comme on l'a vu, c'est là que le cordonnier peut s'évaluer concrètement face à l'architecte. Cet esprit d'essence démocratique, qui constitue la condition de vie et de survie des SEL, est aussi celui qui devrait animer le commerce « équitable » pour qu'il soit vraiment solidaire et citoyen – et donc le commerce citoyen pour qu'il devienne équitable.

Jusqu'où doit aller ce « faire société » ? Sûrement pas jusqu'à la constitution du village global, comme l'entend la mondialisation libérale. L'unification et l'uniformisation planétaires comme condition de la paix, même en dehors de l'imposture économique, sont très vraisemblablement de fausses bonnes idées. C'est maintenant qu'il convient de s'interroger sur ces « opérateurs » d'universalité et d'économicité que sont l'argent et le marché, et de repenser leur rôle social possible au-delà de l'économie.

Chapitre sept

Sortir de l'économie et se réapproprier l'argent et le marché

« Faire justice, ce n'est donc pas seulement donner plus aux autres, mais c'est aussi prendre moins pour que les autres aient plus [1]. »

Relever le défi de l'éthique dans une économie globalisée ne peut se faire sans une transformation radicale des modes de vie et de pensée. Il faut littéralement « sortir » de l'économie, c'est-à-dire remettre en cause sa domination sur le reste de la vie en théorie et en pratique, mais surtout dans nos têtes. Cela doit certainement entraîner une *Aufhebung* (renonciation, abolition et dépassement) de la propriété privée des moyens de production et de l'accumulation illimitée de capital. Toutefois, cette transformation ne passe probablement pas par des nationalisations ni par une planification centralisée, dont l'expérience de l'Union soviétique a montré les résultats décevants et les effets désastreux. Sortir de l'économie doit aussi conduire à abandonner le développement, puisque cela ferait disparaître ses mythes fondateurs, en

---

1. W. Sachs, *in* Wuppertal Institut, *Futuro sostenibile*, Bologne, EMI, 1997, p. 33.

particulier la croyance au progrès. L'économie entrerait simultanément en *décroissance* et en dépérissement. La construction d'une société moins injuste consisterait dans la réintroduction à la fois de la convivialité et d'une consommation plus limitée quantitativement et plus exigeante qualitativement. La remise en question de la quantité considérable de déplacements d'hommes et de marchandises sur la planète, avec l'impact négatif correspondant sur l'environnement, celle non moins importante de la publicité tapageuse et souvent néfaste, celle enfin de l'obsolescence accélérée des produits et des appareils jetables sans autre justification que de faire tourner toujours plus vite la mégamachine infernale constituent des « réserves » non négligeables de *décroissance* dans la consommation matérielle. Les seules retombées sur notre niveau de vie de ces réductions de nos prélèvements sur la biosphère ne peuvent constituer qu'un mieux-être. Il est même possible de concevoir cette décroissance avec la poursuite, jusqu'à un certain point, de la sacro-sainte croissance d'un revenu calculé de façon plus judicieuse[1]. Herman Daly et John Cobb ont mis sur pied un indice synthétique, le *Genuine Progress Indicator* (indicateur de progrès authentique), qui corrige ainsi le PIB des pertes dues à la pollution et à la dégradation de l'environnement. Leur calcul montre qu'à partir des années 70, pour les États-Unis, l'indice du progrès authentique stagne et même régresse, tandis que celui du produit intérieur brut ne cesse d'augmenter[2]. Autant dire que, dans ces conditions, la croissance est un mythe ! Et je ne parle pas de

---

1. M. Bonaïuti, « À la conquête des biens relationnels », *Silence*, n° 280, février 2002.

2. C. Cobb, T. Halstead, J. Rowe, *The Genuine Progress Indicator : Summary of Data and Methodology*, San Francisco, Redefining Progress, 1995, et, des mêmes auteurs, « If the GDP is up, why is America down ? », *Atlantic Monthly*, n° 276, octobre 1995.

la réduction possible des dépenses militaires, ni bien sûr des changements en profondeur de nos valeurs et de nos modes de vie, nous conduisant à accorder plus d'importance aux « biens relationnels » et bouleversant nos systèmes de production et de pouvoir.

Le mot d'ordre de la décroissance a surtout pour objet de marquer fortement l'abandon de l'objectif insensé de la croissance pour la croissance, objectif dont le moteur n'est autre que la recherche effrénée du profit par les détenteurs du capital. Bien évidemment, il ne vise pas le renversement caricatural qui consisterait à prôner la décroissance pour la décroissance. En particulier, la décroissance n'est pas la croissance négative. On sait que le simple ralentissement de la croissance plonge nos sociétés dans le désarroi en raison du chômage et de l'abandon des programmes sociaux, culturels et environnementaux qui assurent un minimum de qualité de vie. On peut imaginer quelle catastrophe représenterait un taux de croissance négatif ! De même qu'il n'y a rien de pire qu'une société travailliste sans travail, il n'y a rien de pire qu'une société de croissance sans croissance. La décroissance n'est donc envisageable que dans une « société de décroissance ». Cela suppose une tout autre organisation, dans laquelle le loisir est valorisé plutôt que le travail et les relations sociales priment sur la production et la consommation de produits jetables inutiles, voire nuisibles. Une réduction féroce du temps de travail imposée pour assurer à tous un emploi satisfaisant est une condition préalable[1]. Tout cela n'est pas nécessairement

1. On peut, avec Osvaldo Pieroni, s'inspirant de la charte « Consommations et styles de vie » proposée au Forum des ONG de Rio, synthétiser tout cela dans un programme en six « R » : réévaluer, restructurer, redistribuer, réduire, réutiliser, recycler. Ces six objectifs interdépendants enclenchent un cercle vertueux de décroissance conviviale et soutenable. Réévaluer, cela signifie revoir les valeurs auxquelles nous croyons et sur lesquelles nous organisons notre vie, et changer celles qui doivent l'être. Restructurer, cela signifie adapter l'appareil de production et les rapports

antiprogressiste ni antiscientifique. On pourrait même
parler d'une *autre croissance* en vue du bien commun, si
le terme n'était pas si galvaudé. Nous revendiquons une
forte croissance de la qualité de vie, des espaces verts,
etc. Tout simplement, la diminution de la pression excessive du mode de fonctionnement occidental sur la biosphère est une exigence de bon sens en même temps
qu'une condition de la justice sociale et écologique.

Un véritable réenchâssement de l'économique dans le
social signifierait-il la fin de l'argent et du marché ?
La question peut paraître saugrenue ou paradoxale.
Comment, en effet, concevoir l'abolition de l'économique
en maintenant ces deux institutions qui en sont, en apparence du moins, le fondement même ? Très certainement,
cela serait impossible si l'on identifiait le marché au
Marché, c'est-à-dire à l'économie de marché et à la
société de marché [1]. Il en serait de même si l'on ne voyait
dans l'argent que son usage spéculatif, sa (fausse) nature
d'espèce féconde (l'argent comme moyen de faire de l'argent). Toutefois, puisque l'on remarque que les marchés
et la monnaie sont attestés dans de multiples sociétés sur
tous les continents, et cela bien avant la naissance du capitalisme et en dehors de son mode de production, la question mérite d'être posée, car ces deux institutions
facilitent incontestablement le *commerce* social, et pas
nécessairement dans le sens du développement des inégalités et de l'injustice.

---

sociaux en fonction du changement des valeurs. Redistribuer s'entend de
la répartition des richesses et de l'accès au patrimoine naturel. Réduire
veut dire diminuer l'impact sur la biosphère de nos modes de produire et
de consommer. Pour ce faire, il faut réutiliser au lieu de jeter les appareils
et les biens d'usage, et bien sûr recycler les déchets incompressibles de
notre activité. O. Pieroni, *Fuoco, Acqua, Terra e Aria : lineamenti di una
sociologia dell'ambiente*, Rome, Carocci, 2002, p. 282.

1. Sur cette distinction importante, voir notre ouvrage *L'Autre Afrique*,
op. cit., chap. 1 : « Marché et marchés ».

SE RÉAPPROPRIER L'ARGENT

Au terme d'un long débat entre économistes sur le dépérissement des rapports marchands en système socialiste, on demande un jour à Staline de trancher la question de savoir si, dans la société communiste, l'argent existera encore. Staline réfléchit longuement, soupèse la force des contraintes, évalue la pesanteur des habitudes, jauge le poids des arguments et des partis en présence, et finalement déclare dogmatiquement : en ce qui concerne l'argent, dans la société communiste, certains en auront, d'autres n'en auront pas !

Derrière la plaisanterie, on retrouve le malaise de toute la pensée alternative vis-à-vis de l'argent et des rapports monétaires et marchands. Plus fondamentalement encore, l'ensemble de la pensée occidentale est marquée par une ambiguïté radicale sur l'économique et l'argent. L'affaire remonte à Aristote, et c'est toujours à lui qu'il nous faut revenir. On sait qu'il exprime deux opinions différentes, sinon contraires, sur la monnaie. Dans l'*Éthique à Nicomaque* il en fait la juste mesure des choses et un instrument irremplaçable du commerce social, alors que dans la *Politique* il dénonce le danger de sa perversion lorsqu'elle sort de sa nature, de son rôle d'intermédiaire des échanges et d'étalon des valeurs, pour devenir une fin en soi. Cet objectif « contre nature » se réalise avec le rapport marchand et le rapport usuraire, lorsque l'accumulation devient le but de l'échange : faire de l'argent avec de l'argent. L'argent, en effet, on l'a vu, est au cœur de la critique de la chrématistique et de la dénonciation du prêt à intérêt. De là cette antique malédiction évoquée en ouverture de cet ouvrage.

Et pourtant, dans toutes les sociétés dites « primitives » qui connaissent des phénomènes paléomonétaires, les « biens précieux », les objets « cérémoniels » – colliers

soulava ou bracelets mwari de la kula, cuivres blasonnés
du potlatch, wampums des Indiens des plaines, etc. – sont
considérés comme des symboles incontestés de vie et de
pouvoir. Ils sont recherchés par tous et leur possession est
considérée comme bonne[1]. Faut-il rappeler les belles
pages de Bronislaw Malinowski où il raconte comment
les mourants des îles Trobriand aimaient à contempler les
objets de la kula comme ultime consolation[2] ? Ainsi, chez
les Achuars de l'Amazonie, plus connus sous le nom de
Jivaros comme collectionneurs de têtes savamment
réduites, « le désir d'avoir des têtes est comme celui des
Blancs pour l'or[3] ». Leurs chamans peuvent dans une certaine mesure accumuler de la puissance et en contrôler la
circulation en se procurant des « esprits serviteurs » qu'ils
trouvent enfermés dans des cristaux de quartz, ce qui
économise les meurtres. Tout naturellement, les Achuars
en ont conclu que les équivalents espagnols de leurs
chamans étaient les *banquiers*[4] ! Seulement, ces ban-
quiers-là, qui ont comme les nôtres le pouvoir d'accorder
des « crédits », loin d'être maudits, sont honorés et respectés par tous comme des bienfaiteurs de l'humanité. La
« monnaie » archaïque, au moins autant désirée que la
nôtre, ne semble pas stigmatisée ni faire l'objet d'un
opprobre quelconque. Il est vrai que son pouvoir, pour
être considérable, n'est pas *marchand*. La paléomonnaie
a peu d'influence sur la production, l'échange et la
consommation des produits de survie. Son accumulation
n'est pas illimitée et elle ne peut être utilisée pour l'exploitation massive de la force de travail. Elle n'affame

---

1. P. Rospabé, *La Dette de vie : aux origines de la monnaie*, La Découverte, 1995.
2. B. Malinowski, *Les Argonautes du Pacifique occidental*, Gallimard,
1963.
3. M.J. Harner, cité par D. Temple et M. Chabal, *La Réciprocité et la
Naissance des valeurs humaines*, L'Harmattan, 1995, p. 166.
4. *Ibid.*, p. 140.

pas. Elle sert parfois à des jeux agonistiques et cruels, comme le potlatch, mais ceux-ci ont pour enjeu les statuts et ne font courir de risques qu'aux participants volontaires. Pourtant, dans ce cas précis, l'argent n'est pas « moyen en soi », « moyen par excellence », selon l'expression de Georg Simmel, il est désiré pour lui-même, il est une fin[1]. Seulement, il est largement déconnecté de ce que nous appelons « économique », c'est-à-dire de la production, de la circulation et de la consommation de ce qui assure la « survie ».

Plus généralement, dans les sociétés où les « biens monétaires » participent de l'intermédiation du commerce social, y compris avec les morts et les dieux, favorisant la circulation de denrées, de certains services, mais aussi le paiement du prix du sang et des délits, ainsi que des tarifs sacrificiels, l'argent est mesure. Il est mesure de la justice et de la justesse (donc aussi de l'injustice). Emmanuel Lévinas a bien saisi ce rôle irremplaçable : « Si la différence radicale entre les hommes (celle qui ne tient pas aux différences de caractère ou de position sociale, mais à leur identité personnelle, irréductible au concept, à leur ipséité même, comme on le dit aujourd'hui) n'était pas surmontée par l'égalité quantitative de l'économie mesurable par l'argent, la violence humaine ne saurait se réparer que par la vengeance ou le pardon. [...] L'argent laisse entrevoir une justice de rachat se substituant au cercle infernal ou vicieux de la vengeance ou du pardon. Nous ne pouvons atténuer la condamnation qui, depuis le verset 6 du chapitre II d'Amos jusqu'au *Manifeste communiste*, pèse sur l'argent précisément à cause de son pouvoir d'acheter l'homme. Mais la justice qui doit en sauver ne peut cependant renier la forme supérieure de l'économie – c'est-à-dire la totalité humaine – où apparaît

---

1. G. Simmel, *Philosophie de l'argent*, PUF, 1987, p. 420.

la quantification de l'homme, la commune mesure entre
hommes dont l'argent – quelle qu'en soit la forme empi-
rique – fournit la *catégorie*. Il est certes bien choquant de
voir dans la quantification de l'homme [le texte porte à
tort "qualification", selon nous] une des conditions essen-
tielles de la justice. Mais conçoit-on une justice sans
quantité et sans réparation[1] ? »

Dans la modernité même et jusqu'au cœur de sa « perversion » marchande, l'argent, selon la belle analyse de
Simmel, est un opérateur de la démocratie. « En enfon-
çant ainsi un coin entre la personne et la chose, écrit-il,
l'argent commence par déchirer des liens bienfaisants et
utiles, mais il introduit cette autonomisation de l'une par
rapport à l'autre dans laquelle chacune des deux peut
trouver son plein et entier développement, à sa satisfaction, sans subir les entraves de l'autre[2]. » L'argent permet
par là une mise à égalité des hommes, dépouillés des hiérarchies et des statuts ; il détruit les dépendances personnelles, avec les oppressions et les humiliations afférentes.
De ce point de vue aussi, son objectivité et son anonymat
sont irremplaçables. Il nourrit incontestablement l'imaginaire démocratique, ce nivellement des conditions analysé
par Tocqueville, mais en poussant la chose jusqu'à la destruction des différences. Les équivalences sont réduites
à l'identité, alimentant ainsi le danger du conformisme
dénoncé par le grand sociologue. Plus grave encore, livré
à lui-même sans frein ni garde-fou, il pousse à une égalité
purement abstraite et quantitative, celle du « 1 euro =

---

1. E. Lévinas, *op. cit.*, p. 48. Il y revient à propos de Heidegger, soulignant le fait que dans *Sein und Zeit* « manque la philosophie de l'échange
commercial où les désirs et soucis des hommes se confrontent et où l'argent – serait-il simple *Zuhandenheit* – est un mode de la mesure rendant
possible égalité, paix et "juste prix" dans cette confrontation, malgré et
avant son *Verfallen* en capitalisme esclavagiste et en Mammon » (*ibid.*,
p. 238).

2. G. Simmel, *op. cit.*, p. 420.

1 euro », quel que soit son détenteur. La démocratie qu'il réalise est finalement une caricature ; c'est la démocratie actionnariale. Les citoyens sont membres du capital à proportion du montant des actions détenues.

Ainsi, si la monnaie, par un usage pervers, peut contribuer à la banalité du mal, elle constitue aussi dans toute société humaine un moteur du commerce social, sans doute irremplaçable, que les organisations alternatives doivent songer à se réapproprier. Seulement que signifie se réapproprier l'argent ? On peut tenter de s'en réapproprier l'usage sans s'en réapproprier la production – c'est ce que font la banque éthique italienne ou les systèmes de financement alternatifs (CIGALEs en France, MAG, ou mutualités d'autogestion, en Italie). C'est ce que fait, de façon moins consciente, la société vernaculaire de Grand Yoff évoquée dans *L'Autre Afrique*. On peut tenter de s'en réapproprier la production, sans peut-être s'en réapproprier l'usage – c'est ce que font les LETS, les SEL et les autres systèmes de monnaie locale (dont la monnaie « fondante », sur laquelle nous allons revenir). Finalement, se réapproprier pleinement l'argent, c'est instaurer le contrôle social et citoyen sur toute la chaîne, qui part de son émission à son utilisation finale à travers la formation de l'épargne directe ou indirecte (cotisations sociales, retenues pour retraites, etc.), son investissement, sa dépense. C'est donc aussi se réapproprier la banque, la finance et l'assurance. En bref, il s'agit bien, à travers cette réappropriation de l'argent, de ré-enchâsser toute l'économie dans le social et le politique. Le rappel du fonctionnement de l'argent dans le monde des exclus des banlieues d'Afrique et l'expérience de la monnaie inventée des systèmes d'échange local apportent un éclairage intéressant sur les modalités possibles de cette réappropriation.

Le détournement d'argent
dans la société vernaculaire africaine [1]

La recherche d'un profit alimenté par la spéculation, qui porte aussi sur les produits d'exportation comme le café, le cacao ou le coton, est largement responsable des difficultés quotidiennes de l'Afrique. Les habitants de ce continent, victimes des jeux financiers transnationaux, auraient de bonnes raisons de maudire l'argent. Et pourtant, dans les sociétés africaines contemporaines, celui-ci ne semble pas faire l'objet de la même réprobation que dans l'Occident riche. Il donne ainsi lieu à des « détournements » qui traduisent la créativité locale. L'argent est omniprésent dans les faits et dans l'imaginaire de la société vernaculaire, mais il n'a pas la même signification ni le même usage sur notre planète et sur celle des exclus des banlieues d'Afrique. Dans la grande société, l'argent, équivalent général, est une abstraction. Il est la *monnaie*[2]. Les billets de banque et les pièces sont d'un usage restreint. La monnaie est avant tout comptable ; elle circule à travers les chèques et les cartes de crédit. C'est un jeu d'écritures qui détermine l'essentiel des droits des agents dans la cité grâce à la garantie d'institutions solides : les banques. Dans les banlieues populaires d'Afrique, au contraire, l'argent est concret et tangible, il est un instrument d'acquisition de positions par le jeu des placements. Il participe encore des « biens cérémoniels » en usage dans le don agonistique, et sert au versement des dots ainsi qu'au paiement des sacrifices. Il prend volontiers

---

1. Tout ce paragraphe reprend largement, pour les besoins de la cause, un développement déjà présenté dans le chapitre 6 de *L'Autre Afrique*, *op. cit.* L'analyse se fonde principalement sur l'expérience d'auto-organisation dans une périphérie de Dakar, Grand Yoff.

2. Sur cette distinction argent/monnaie, rappelons l'article déjà cité en introduction de J.-J. Goux, « La monnaie ou l'argent ».

les formes archaïques des bijoux d'or et d'argent, voire du bétail ou des pagnes, qui affichent des statuts. Les *alhaji* du Niger, ceux qui ont fait le pèlerinage à La Mecque, s'efforcent tout au long de leur vie d'exhiber en souriant les dents en or qu'ils se sont fait poser là-bas... L'argent qui circule sert à nourrir les réseaux sociaux. Les multiples tontines participent de ce fonctionnement. Ces « banques des pauvres », bien différentes de leur récupération par la Banque mondiale sous la forme du « microcrédit », assurent un contrôle social sur l'usage de l'épargne, mais remplissent aussi bien d'autres fonctions, sans parler des festivités qui les accompagnent.

La monnaie et même les rapports marchands feraient ainsi fonctionner une société non marchande, c'est-à-dire, entendons-nous bien, une société qui, tout en pratiquant des échanges nombreux et en connaissant une circulation monétaire intense, n'obéit pas massivement à la logique marchande. L'obligation de solidarité domine encore largement la vie économique et sociale. Les observations de Guy Nicolas à propos des Hausa du Niger, qu'il appelle « les marchands par excellence », sont tout à fait transposables au reste de l'Afrique, et l'on peut reprendre en partie ses analyses[1]. Loin de disparaître avec l'irruption de la modernité, les rituels oblatifs conservent d'autant plus d'importance qu'ils sont une façon, pour une société même très commerçante, de préserver son identité tout en s'insérant de gré ou de force dans le marché mondial. « Les pratiques oblatives, en pleine transformation, que nous observions, écrit Guy Nicolas, n'étaient pas des vestiges d'un passé archaïque, mais une réponse moderne à des menaces contemporaines mettant en jeu la permanence de l'identité de cette société. Elles avaient une

---

1. G. Nicolas, *Don rituel et Échange marchand dans une société sahélienne*, Institut d'ethnologie, 1986.

fonction politique manifeste. Elles témoignaient, en outre, de l'efficacité de la fonction symbolique, en tant que principe de base de l'échange interhumain, opposé à celui du marché[1]. » Il précise : « Tout se passe comme si une sorte d'appréhension spontanée des dangers qu'elle [la société] court du fait de sa fascination pour la monnaie et les biens d'importation la conduisait à annuler ceux-ci en les dénaturant, en les transformant en purs "jetons" de communication. Car c'est bien la monnaie et son pouvoir qui menacent le plus directement les bases de son organisation collective, à commencer par la parenté. C'est pour s'en procurer que l'épouse s'écarte des liens du mariage, que le fils abandonne son père, que le sujet se refuse à toute allégeance ou que le maître change son client en salarié ou le dépouille. C'est parce que certains veulent en posséder davantage que d'autres meurent de faim et de misère, situation impensable dans une collectivité africaine traditionnelle[2]. » Le recours au don « apparaît, dans le même contexte, comme la manifestation d'une volonté de résistance au pouvoir extérieur utilisant les ressources du rite oblatif en vue d'opposer à ce pouvoir un contre-pouvoir populaire, lequel empêche celui-ci de réaliser ses fins ultimes, à savoir l'éclatement de tout cadre social étranger au marché et la prolétarisation totale des populations locales en vue de leur insertion, en tant que collection ou marché de producteurs et consommateurs isolés, atomisés, et concurrents, dans son ordre uniforme[3] ». Et il conclut : « Le jeu oblatif a acquis de ce fait un caractère subversif[4] », et « la coutume sert au producteur à maintenir un contre-pouvoir[5] ». Les observations d'Ismael Moya

---

1. *Ibid.*, p. 10.
2. *Ibid.*, p. 247.
3. *Ibid.*, p. 233.
4. *Ibid.*, p. 240.
5. *Ibid.*, p. 244. On retrouverait des comportements analogues chez les Amérindiens. « Si nous continuons à nous faire des dons, déclare l'un d'eux, c'est que donner nous affirme dans notre nature d'Indiens » (Tahca

sur le *ngente*, le jeu cérémoniel des femmes de Dakar, corroborent tout à fait ces remarques. Les rituels oblatifs se transforment mais se maintiennent, et parfois se renforcent[1].

Tout cela nous plonge au cœur des problèmes du pôle monétaire de la société vernaculaire. L'univers de l'économie néoclanique crée des valeurs symboliques, certes, mais ne crée pas encore de titres de paiement validés en dehors de sa sphère et de ses dépendances. Bien au contraire, il utilise largement pour sa circulation interne la monnaie créée par les institutions du monde officiel, en l'espèce un organisme extranational, la BCAO (Banque centrale d'Afrique de l'Ouest). À la différence de nos systèmes d'échange local, les réseaux néoclaniques ne créent pas la monnaie, ils *préfèrent* le détournement de l'argent réellement existant, dont la *transcendance* garantit le pouvoir fétiche à l'invention locale. Ils n'ont eu besoin jusqu'à maintenant d'aucune unité de compte fictive (glands, grains de sel, cocagne, etc.) pour construire une pyramide de crédit, faire circuler les créances et se réapproprier jusqu'à un certain point la monnaie étrangère.

Pour détournée qu'elle soit dans ses nombreux usages, cette monnaie doit d'abord être captée. On sait que bien des gens vivent avec un pied dans l'officiel et un autre dans l'informel. En particulier, les salariés viennent largement s'approvisionner auprès des « débrouillards », des « tabliers » (vendeurs derrière une table) ou des « sauveteurs » (vendeurs à la sauvette). Mais ces rentrées sont insuffisantes pour couvrir les *importations* et les besoins internes. On sait d'autre part que, dans les banlieues africaines, la monnaie ne chôme pas entre les mains de ses

---

Ushte, cité par A. Testart dans *Des dons et des dieux : anthropologie religieuse et sociologie comparative*, Armand Colin, 1993 p. 94.

1. I. Moya, *Démesure, jeu et ironie : argent et don au féminin à Dakar*, document EHESS, 2002.

détenteurs. Elle est aussi brûlante que celle de la grande spéculation internationale... L'argent, sitôt reçu, est « placé » dans le réseau, c'est-à-dire remis en circulation. Les tontines, les caisses d'épargne mutuelles, les dons, les prêts sont autant de *tiroirs* qui absorbent instantanément la liquidité. Sans entrer dans des raffinements techniques sur la définition de la masse monétaire (pièces, billets, comptes de dépôt, comptes à terme, etc.), rappelons la formule simplifiée et tautologique de l'équation des échanges : $MV = PT$, où M est la masse monétaire, P le niveau moyen des prix, T le volume des transactions en monnaie et V la vitesse de rotation de la monnaie, c'est-à-dire le nombre de fois où, en moyenne, au cours de la période, un même billet a été utilisé.

D'après les enquêtes réalisées par l'ONG dakaroise Enda à Grand Yoff en 1990-1991, on peut évaluer, en première approximation, la vitesse de circulation de la monnaie à 7, ce qui est considérable[1]. Reste le mystère de la masse monétaire. Elle provient des revenus que les « reliés », selon l'autodésignation des membres de ces réseaux, captent de la sphère officielle, et essentiellement des sommes perçues en échange des prestations de travail. Les mêmes enquêtes donnaient un revenu monétaire moyen de 40 000 francs CFA par mois et par unité familiale moyenne de 12 personnes. Pour les 100 000 habitants de Grand Yoff, cela représenterait une masse monétaire dans la circulation courante de 330 millions de francs CFA. Cette masse qui rentre périodiquement doit correspondre approximativement à la valeur des *importations* mensuelles, si l'on admet que la thésaurisation est nulle ou inchangée, puisqu'elle correspond à ce qui sort en un mois du circuit. La masse d'argent étranger à la

---

1. À titre de comparaison, on l'évalue à 4,3 pour la France. M. Beziade, *La Monnaie et ses mécanismes*, La Découverte, 1995, p. 41.

microsociété de Grand Yoff qui rentre ainsi dans le circuit des réseaux néoclaniques, en circulant à vitesse accélérée, pour régler les dettes mutuelles, alimenter tontines et cérémonies, achats de biens et services internes, avec un pouvoir d'achat largement autonome, est littéralement *détournée* pour nourrir les trafics locaux.

Ainsi, la relative réappropriation de l'argent officiel aboutit à relever le niveau de vie *réel* des « naufragés du développement » de trois à cinq fois par rapport aux évaluations officielles. En mettant leur dénuement et leur précarité en commun, les *reliés* du Grand Yoff produisent de la dignité, une grande richesse de vie sociale et une indéniable joie de vivre, même si l'on reste très loin de l'opulence, car on part d'un chiffre incroyablement bas. Le détournement de l'argent dans l'univers néoclanique fonctionne donc comme un opérateur de multiplication de « richesses » selon une logique très proche de celle des SEL. Les *spéculations* des pauvres atténuent de la sorte l'injustice du fonctionnement mondial de ce même argent, engendrée par la spéculation des riches.

L'invention monétaire des systèmes d'échange local (SEL)

La « monnaie de singe » des SEL est-elle une vraie monnaie ? Les membres de ces systèmes se posent la question et ils répondent, souvent par ignorance ou opportunisme vis-à-vis des autorités, que les SEL fonctionnent sans monnaie et sont des systèmes de troc. Pour un économiste, cette utilisation de billets de Monopoly peut en fait s'analyser soit comme une élévation de la vitesse de rotation de la *vraie* monnaie dans l'équation des échanges (v), soit comme l'ajout d'une monnaie complémentaire dans la circulation. Toutefois, même s'il invente sa propre monnaie, le SEL vit, plus encore que l'*œconomie* vernaculaire de Grand Yoff, en symbiose avec l'économie marchande. La réappropriation porte davantage sur l'émission de la monnaie que sur son usage. Une partie importante de ce qui est produit, gagné, échangé, dépensé par les « sélistes » provient pour l'instant du marché mondial ou de l'économie formelle. Seulement, le volume total de la consommation (PT) est supérieur au Mv officiel, car il convient d'ajouter à M, la quantité de monnaie *normale*, un M' (les truffes ou les pavés). Comme ce M' n'est pas (officiellement) de la monnaie, tout se passe comme si c'était v qui supportait une augmentation. On se retrouve ainsi dans le cas de figure de Grand Yoff ; l'invention d'une monnaie propre a le même effet qu'un détournement, celui de multiplier les richesses.

« Un jeune homme, raconte Alfred Sauvy, entre dans une bijouterie et achète une bague 1 000 dollars, qu'il paie avec un chèque : le bijoutier, satisfait de cette recette, achète la voiture qu'il désirait depuis quelque temps déjà et endosse, à cet effet, le chèque. Et le circuit se poursuit, jusqu'au dixième possesseur du chèque, qui n'acquiert rien, présente le chèque à la banque et apprend qu'il est sans provision.

« Les dix signataires se réunissent et décident de se partager, en parties égales, la perte de 1 000 dollars ; chacun doit donc perdre 100 dollars et se résigne. Le marchand de tableaux annonce cependant qu'il ne perdra pas 100 dollars, car il a gagné 200 dollars dans la vente. Il gagne donc net 100 dollars. Chacun s'aperçoit alors qu'il est dans le même cas. Ainsi, les dix personnes ont gagné chacune 100 dollars. En outre, le jeune homme a eu une bague pour rien[1]. »

Une dette de 1 000 grains de sel, c'est comme un chèque non encaissé de 1 000 dollars qui circule. C'est

---

1. A. Sauvy, *La Machine et le Chômage*, cité par F. Bonsack dans *Symposium : spéculation financière et économie productive*, Institut de la méthode, août 1995, p. 14.

très exactement une monnaie locale de secours, comme les innombrables *patacones* qui circulent en Argentine entre des millions de personnes depuis l'effondrement du peso et de l'économie officielle[1]. De combien cette « monnaie » élève-t-elle le niveau de vie des « sélistes » ? La réponse dépend de la vitalité des SEL eux-mêmes et de l'importance de leurs échanges. Le dynamisme de l'acteur individuel doit trouver du répondant dans le groupe. Dans un SEL, on n'assure pas son salut économique tout seul... À l'heure actuelle, des RMIstes de l'Ariège parviennent à doubler leur revenu[2]. Ce n'est pas encore Grand Yoff, mais, compte tenu de la différence de contexte, il s'agit d'une assez belle performance.

L'impulsion de la production et du commerce social peut encore être accrue si l'on introduit une monnaie « fondante », comme l'a fait le SEL de Saint-Quentin-en-Yvelines, ce qui marque un degré supplémentaire dans l'appropriation de l'instrument monétaire. À la différence de l'économie de marché version banque centrale, ici la monnaie perd de sa valeur si elle reste oisive pour le trafic collectif, et il n'y a pas d'usuriers pour la faire rapporter...

L'expérience de la monnaie fondante est un cas très intéressant d'appropriation de l'argent par une organisation pas nécessairement *alternative* au départ. Il s'agit d'une « trouvaille » déjà ancienne de l'économiste germano-argentin Silvio Gesell (1862-1930), à propos

---

1. Le terme *patacones* (« patates ») désigne ces monnaies d'initiative populaire ou locales. Voir sur ce point H. Primavera, « Les réseaux de troc en Argentine », in *Défaire le développement, refaire le monde*, Parangon, 2002. Sur les monnaies locales, voir D. Favre et P. Foucou, « La crise économique : un problème d'économie ou d'épistémologie ? », *in* F. Bonsack, *op. cit.*

2. Mais pour la plupart cela ne représente qu'un modeste 5 %. Voir « Pour changer, échangeons », *Silence*, supplément au n° 229, 1ᵉʳ trimestre 1998, p. 82.

duquel Keynes, avec son goût bien connu de la provocation, écrivait : « Nous estimons que l'avenir aura plus à
tirer de la pensée de Gesell que de celle de Marx [...],
c'est là qu'il faut chercher à notre avis la vraie réponse
au marxisme [1]. » Pour Gesell, la monnaie est le seul bien
qui ne supporte aucun frais pour conserver sa valeur. Tous
les biens subissent une usure et doivent être amortis ; la
monnaie, au contraire, réclame un intérêt. Comme chez
Keynes, ce privilège exorbitant n'est pas tant dénoncé
pour l'injustice de l'anatocisme [2] que pour son effet négatif sur la conjoncture. L'épargne, même placée, se fait au
détriment de la consommation et engendre la crise, source
de souffrances, et donc d'injustices autrement plus massives que la perception d'un profit ou de rentes indus.
Pour éviter ce grave dysfonctionnement, Gesell préconise
d'instaurer sur les billets de banque une taxe de 1 ‰ par
semaine, soit 5,2 % par an, sous la forme d'une vignette
ou d'un timbre à coller sur le billet, d'où le nom de monnaie « fondante », « estampillée » ou « franche » (pour
« affranchie ») [3]. Cette idée a été appliquée avec succès à
Vörgl, en Autriche, en 1932, puis, à une échelle plus
modeste, en 1953 à Lignières, dans le Berry et en
quelques autres endroits. À chaque fois, les banques centrales sont intervenues pour faire cesser l'expérience au
nom du privilège d'émission, dépossédant la population
de cette tentative de réappropriation de l'instrument
monétaire. On peut dire que le taux d'inflation modéré
(le *gentle rise of price level* préconisé par Keynes) a réalisé sur une large échelle, pendant les Trente Glorieuses,

---

1. J.M. Keynes, *Théorie générale de l'emploi, de l'intérêt et de la monnaie*, Payot, 1959, p. 369.
2. Voir *supra*.
3. Ce taux est un prix de renonciation à la liquidité, calculé à partir
d'une analyse des taux d'intérêt depuis 2 000 ans ! S. Gesell, *L'Ordre économique naturel*, Bruxelles, Vromant, 1918.

une expérience de monnaie fondante. Aussi n'est-ce pas sans raisons que l'économie de cette période est perçue comme considérablement moins injuste que celle de la « désinflation compétitive » qui a suivi. Toutefois, il est difficile d'assimiler l'inflation à une véritable réappropriation de la monnaie, même si la complicité des classes populaires y est bien présente. Par ailleurs, le taux d'intérêt, qui a parfois été négatif pendant la période, loin d'être aboli en son principe, a continué à fonctionner comme un piège mortel pour certaines catégories sociales et pour les pays du Sud, qui se sont retrouvés surendettés. L'argent, en effet, conserve son pouvoir de rançonner les citoyens.

L'expérience actuelle, plus limitée, du SEL de Saint-Quentin-en-Yvelines, commencée en 1997, a permis un triplement des échanges [1]. En outre, l'« impôt » sur la liquidité que représente la perte de pouvoir d'achat mensuel de l'argent, appelé « cotisation citoyenne et solidaire », est perçu par le collectif pour être réinvesti dans des actions décidées par les membres. Transposé à l'échelle d'un État, un tel système n'empêcherait pas la spéculation financière, mais il la pénaliserait fortement [2].

---

1. A. Tardella, « Transformer l'argent spéculatif en argent citoyen », note du SEL de Saint-Quentin.

2. Faisant preuve d'un bel optimisme, Armand Tardella conclut : « Il est possible, dans le contexte légal actuel, au nez et à la barbe des financiers et des gouvernants, de créer une banque centrale citoyenne. Il suffit que des citoyens le décident. Plus qu'une banque, c'est un État citoyen qu'il est possible de créer en toute impunité. Cet État citoyen prend juridiquement la forme d'une société coopérative. C'est peut-être la meilleure manière de s'opposer aux sociétés multinationales » *(ibid.)*. Dans un opuscule ultérieur (« Construire la société du 3e type sur les ruines du collectivisme et du capitalisme », publié en 1998 par l'association Parti pris d'action citoyenne et solidaire, 20, rue Toulouse-Lautrec, 78280 Guyancourt), s'inspirant de l'expérience de la banque suisse WIR, vaste mutuelle de 60 000 clients qui utilise une unité de compte pour gérer leurs échanges et se finance par un prélèvement sur les transactions, il propose un système généralisé de crédit fournisseur, avec un deuxième prélèvement justifié comme une sorte d'assurance mutuelle sur les soldes positifs des comptes, ceux-ci devenant ainsi monnaie fondante. Voir *Transversales Science Culture*, n° 58, juillet-

Plus ambitieux encore à certains égards est le système de financement alternatif proposé par Maurice Decaillot. Il procède d'une critique du système dominant et des fausses solutions proposées. Le microcrédit, présenté par de nombreuses ONG comme la voie miracle pour les pays sous-développés, et la finance éthique sont considérés avec un grand scepticisme. « Les fonds de placement "éthiques", écrit Decaillot, quelles que soient les motivations des participants, ont pour projet un "capitalisme propre" ne sortant pas d'un cadre classique de placement de capitaux rémunérés. Les banques de microcrédit, si elles se différencient des circuits classiques par de moindres exigences de garanties patrimoniales immédiates, fonctionnent elles aussi sur le modèle du prêt à intérêt et de la rentabilité financière [...]. Certains enregistrent (ils s'en vantent) "des taux de rentabilité supérieurs à ceux de certaines des plus grandes et des meilleures banques du monde" (CNUCED) [1]. » Ce capitalisme financier du pauvre n'en fonctionne pas moins selon la même logique capitaliste et ne débouche pas sur une « alternative » authentique. Decaillot estime que « de tels prêts, outre qu'ils seraient inefficaces, voire aggravants, dans un contexte de prix mondiaux inchangé, accroîtraient le rôle des technocraties financières et encourageraient leur ambition de prééminence sur les instances sociopolitiques [2] ». Il s'agit toujours de s'opposer à la rançon de l'argent.

En revanche, dans l'arsenal des inventions populaires, il existe un moyen de parer à ces inconvénients. « Des systèmes différents de financement, connus au moins

---

août 1999 ; A. Tardella, « Transformer l'argent spéculatif en argent citoyen », *op. cit.* ; et « 50 millions de francs pour changer le monde », *Le Monde de l'économie*, 29 septembre 1998.

1. M. Decaillot, *op. cit.*, p. 190.
2. *Ibid.*, p. 121.

depuis l'Antiquité romaine, et depuis lors sur plusieurs continents, dont l'Afrique, restent peu répandus, et dans le contexte actuel dérivent facilement vers le prêt traditionnel à intérêt. Ils fournissent pourtant l'esquisse de ce que pourrait être un mode de circulation des avances maintenant les relations de réciprocité entre prêteurs et emprunteurs, excluant la dette perpétuelle et la rémunération du prêt d'argent[1]. » En conséquence, Maurice Decaillot préconise le recours au financement « rotatif » ou réciproque, selon la logique de la tontine africaine. Ce système permet de satisfaire sans coût spécifique les besoins momentanés de financement, les mêmes agents étant alternativement prêteurs et emprunteurs[2]. Dans le fonctionnement de l'économie, l'injustice première portée par la logique anonyme et aliénante de l'argent pourrait être conjurée par le fonctionnement rotatif du crédit, un peu comme dans le système de crédit fournisseur mutuel proposé par Armand Tardella : « L'apparition de réseaux de financement de type réciproque paraît être aujourd'hui une condition pour que la nécessaire constitution de réseaux adaptés à d'amples besoins d'entraide financière ne débouche pas sur de nouvelles confiscations ou dévoiements, et [...] le meilleur gage d'une permanence démocratique de tels réseaux serait certes, partiellement, dans des structures comportant des instances de décision proches des usagers, et tout autant dans le caractère de réciprocité des flux financiers impliqués, qu'il s'agisse de financement de l'activité économique ou de maintien d'équilibres entre participants à travers des règles communes claires[3]. » Il faut donc recourir à l'autofinancement collectif, « la prestation mutuelle prenant la forme d'avances temporaires vers les producteurs demandeurs,

---

1. *Ibid.*, p. 123.
2. *Ibid.*, en particulier le chapitre VI.
3. *Ibid.*, p. 191.

éventuellement ultérieurement équilibrées par des avances temporaires en sens inverse [1] ». Il s'agit tout simplement de la systématisation de l'expérience de la tontine [2].

Une mutualisation véritable de la finance est sans doute un élément clef dans la construction d'une société plus juste. Toutefois, comme il s'agit aussi d'animer la vie matérielle de cette société nouvelle, l'introduction complémentaire des idées keynésiennes rencontrées avec la création d'une monnaie fondante pourrait être féconde. Le jeu avec l'argent peut donner au jeu social une dimension ludique et euphorique dont il n'y a pas lieu de frustrer une société alternative. Investir à crédit au-delà des capacités tontinières ou mutualistes disponibles, sans spolier personne, mais en anticipant les résultats positifs à venir, est une façon efficace d'animer l'activité productive. Cet essor n'est pas un objectif en soi, mais un moyen de faciliter la convivialité dans le rapport social. Il est en effet plus facile d'instaurer un commerce social juste dans le contexte d'une certaine prospérité. L'abondance relative atténue la tendance de chacun à exiger ce qu'il croit être son dû. Une société plus équitable mais où régnerait la

---

1. *Ibid.*, p. 129.

2. L'objectif est « de parvenir à un mode de circulation qui place les partenaires du prêt en position d'égalité et de réciprocité, dans la gestion des prêts comme dans le bénéfice des emprunts, sans créer de flux unilatéral vers des prêteurs structurels, ou entre partenaires quelconques, et dissociant le sujet organisateur des prêts, devenu un prestataire de service, des sujets prêteurs et emprunteurs parties prenantes. [...] Le principe de fonctionnement de ce circuit serait le financement circulant analogue à celui que pratiquent les tontines, étendu à grande échelle. La somme des contributions collectées est égale à la somme des financements accordés, les participants bénéficiant du financement à tour de rôle. [...] La motivation des prêteurs n'est pas la perception d'un gain net sous forme d'intérêt, mais la possibilité de bénéficier eux-mêmes dans des conditions de réciprocité et de neutralité des avantages d'une avance des ressources non immédiatement accessibles autrement. [...] On peut alors projeter, selon le principe du financement circulant, un système de financement courant de l'activité économique ainsi conçue » (*ibid.*, p. 124).

pénurie serait peu alléchante et à coup sûr moins supportable aujourd'hui qu'une société injuste qui endort et euphorise par une consommation abrutissante. La politique patricienne, puis impériale, du *panem et circenses* a eu raison de l'ambition des Gracques d'établir une société plus juste mais plus austère... D'autre part, la ponction légère sur l'argent oisif, selon le principe de la monnaie fondante, constitue un mode de financement d'activités d'intérêt collectif plus juste et plus indolore que bien d'autres formes d'imposition, et un mode de redistribution plus équitable que l'inflation classique.

La réappropriation de l'argent passe donc par l'expérimentation de la création monétaire, de l'usage détourné, et par l'invention d'instruments financiers pour contribuer à l'apparition d'une autre forme de commerce social. Dans tous les cas, comme dans les SEL et l'informel de Grand Yoff, la « monnaie » reste encadrée par la *philia*, c'est-à-dire l'esprit du don qui anime toutes ces expériences alternatives. Le fait que Bruxelles s'efforce de démanteler, au nom de la logique libérale, l'ensemble des systèmes de mutuelles d'assurances, de retraite, de crédit, survivances pourtant bien dégénérées des utopies socialistes et des ambitions de l'économie sociale, montre qu'une véritable révolution mentale est un préalable pour répondre sur ce plan au défi éthique de la finance et ré-enchâsser le fonctionnement de l'argent dans la civilité.

SE RÉAPPROPRIER LE MARCHÉ

Tout récemment, sur les ondes, Denis Kessler, le supporter du MEDEF, se gargarisait du fait que les Parisiens adorent fréquenter les marchés le dimanche matin et concluait à la popularité du Marché. Il jouait ainsi sur l'ambiguïté du terme, qui désigne à la fois une institution humaine millénaire – les places de marché – et une forme extrême d'aliénation – le Marché de la théorie économique –, et glissait subrepticement des puces de Clignancourt au marché mondial et à sa violence impitoyable. Se réapproprier le marché, c'est en quelque sorte faire le mouvement inverse et redécouvrir la rencontre et le don derrière la circulation anonyme de la marchandise.

L'un des indices de la pérennité de l'institution du marché-rencontre, en dehors de l'invention de l'économie (et du contexte capitaliste occidental), est le fait que, à la différence des autres notions économiques fondamentales comme le développement ou le travail, il existe des mots pour la désigner dans presque toutes les langues, et en particulier dans les langues africaines[1]. Un bref survol des marchés africains est riche d'enseignements pour saisir toute la différence entre les marchés-rencontres et le marché de l'économie mondialisée. Les premiers, comme nos foires médiévales, sont périodiques et leur localisation obéit à des logiques complexes, plus sociales qu'économiques[2]. Les marchés africains sont des agoras où la fonction sociale prime sur la fonction économique, mais ce sont aussi des lieux où se manifeste la « société civile », voire des lieux de contestation avec lesquels les pouvoirs en place doivent compter. S'y exprime, en particulier, un contre-pouvoir essentiellement féminin.

1. J.-P. Guingane, « Le marché africain comme espace de communication », conférence-débat, document personnel.

2. La théorie économique de la localisation des marchés d'August Lösch et Walter Christaller, qui n'est que le prolongement de la géographie économique hypothético-déductive de Johann Heinrich von Thünen (1783-1850), est un exercice de virtuosité formelle. On n'en apprend guère plus que ce qu'avec le bon sens et un peu d'intuition on savait déjà. La localisation idéale, selon ce modèle, doit minimiser les coûts de déplacement des vendeurs et des acheteurs. Mais toutes sortes de facteurs extra-économiques interviennent dans la détermination d'une place de marché, et, comme la relation entre l'emplacement et les acteurs n'est pas à sens unique, on finit par s'accommoder d'une localisation « non rationnelle » au départ, pourvu qu'elle ne soit pas déraisonnable.

Les marchés africains comme agora

« Un marché ? note Dominique Fernandez. Quel terme plat et mercantile pour désigner le territoire magique où se déroule la plus fastueuse des cérémonies à la gloire des couleurs et des parfums [1] ! » Cette remarque, qui s'applique encore (mais pour combien de temps ?) aux marchés des villages et des villes de nos pays latins, est cent fois plus vraie pour les marchés d'Afrique. Sur ce continent, un marché sans odeur risque même de n'avoir aucun succès. C'est du moins la leçon que tire Jean-Pierre Guingane de l'expérience de Ziniare, au Burkina Faso. Les musulmans, devenus majoritaires dans cette ville, ont fait pression pour que leur soit installé un marché « propre » où ils ne seraient pas incommodés par l'odeur du dolo (la bière de mil) et de la viande de cochon. Toutefois, après avoir obtenu satisfaction, ils étaient encore malheureux : « Tous [étaient] partis pour l'odeur du dolo et du cochon, et voilà ! ils n'avaient plus d'acheteurs. » Tant et si bien qu'ils ont renégocié pour revenir au marché unique, avec une séparation interne plus nette [2].

Le festival de couleurs et d'odeurs des marchés africains est d'abord un espace de sociabilité spécifique avant d'être un lieu d'échange de denrées. L'agora, comme le forum, était un marché (*agora* est d'ailleurs encore le terme utilisé en grec moderne pour désigner l'institution), mais l'histoire a surtout retenu que l'une et l'autre étaient les lieux par excellence de la vie publique. Le marché est ainsi l'occasion de rencontrer des amis, des proches, qu'ils soient du même village ou des villages avoisinants. C'est un lieu où se mêlent les générations, les sexes et les ethnies diverses. Le marché est un terrain neutre où peu-

---

1. D. Fernandez et F. Ferranti, *L'Or des tropiques : promenades dans le Portugal et le Brésil baroques*, Grasset, 1993, p. 113.
2. J.-P. Guingane, *op. cit.*

vent se croiser les membres de clans amis et même ennemis. Chacun dépose ses armes avant d'entrer.

Ces grands rassemblements rythment le calendrier et
servent souvent de repères chronologiques. Ils sont l'occasion d'annoncer publiquement les événements importants, éventuellement par crieur public – ici la nouvelle
des négociations matrimoniales, là celle des funérailles,
fait trois fois le tour de la place [1]. « Dans certaines régions
du Burkina Faso, note Guingane, chez les Turka, par
exemple, le marché remplit la fonction du journal officiel
où tous les actes jugés importants sont publiés. La céré-
monie du mariage comporte une partie où le marié, porté
sur le dos, puis sur les épaules de son ami, est suivi de la
population. Il fait le tour du marché. Après cela, personne
dans le pays, même les absents temporaires, n'est censé
ignorer [2]. » Des palabres informelles permettent de régler
de multiples affaires. Les jeunes hommes viennent de très
loin (20 à 30 km à pied) pour voir les jeunes filles dans
leurs plus beaux atours. « Les espaces de vente de dolo
[...] ou de noix de cola, indique Guingane, sont pris d'assaut, non pas parce qu'on a particulièrement soif ou envie
de croquer la cola, mais parce que ces zones sont des
lieux de rendez-vous amoureux [3]. » Cette dimension érotique semble plus prononcée encore pour les marchés
nocturnes, qui sont souvent l'occasion de transgressions,
ce qui expliquerait leur succès (nous en avons été nous-
même témoin en pays dogon) malgré les risques réels et
imaginaires que l'on court en s'y rendant. Avec la marchandise venue de loin arrive aussi l'étranger, à la fois
objet de méfiance et de fascination. Le marché africain,
extérieur à l'enceinte villageoise, est donc un lieu paci-

---

1. « Vivre, c'est donc aller au marché. Et si on cesse d'aller au marché,
c'est qu'on est mort », souligne J.-P. Guingane, *ibid.*
2. *Ibid.*
3. *Ibid.*

fique où se font le contact et l'apprentissage de l'autre. Les nouvelles du monde extérieur apportent la connaissance d'autres croyances et coutumes qui inquiètent, mais forcent à sortir de soi-même et à relativiser les choses. En ce sens, le marché est une école de tolérance.

Tout cela n'est pas spécifique à l'Afrique. Sarajevo, ville cosmopolite par excellence, s'est construite autour du marché (la Carsija), qui fait le lien entre les différents quartiers ethniques[1]. « C'est le lieu où, toute différence entre les cultures étant supprimée, celles-ci peuvent se rencontrer ; mieux encore, c'est le seuil par lequel il est possible d'entrer en contact avec elles si on le veut, si on en sent le besoin[2]. »

Si la principale denrée échangée dans ces rencontres est certainement la parole, la circulation des produits constitue tout de même la raison d'être de ces foires périodiques. Et, ici, on se heurte au paradoxe marchand en Afrique. À lire certains textes économiques, et en particulier les rapports de la Banque mondiale, on serait parfois tenté de croire que le marché est une réalité nouvelle au sud du Sahara. Ainsi, le rapport annuel pour l'année 2000 du FMI déclare à propos des pays africains qu'ils « n'ont pas encore réussi à s'intégrer aux marchés mondiaux ». L'insertion de l'Afrique dans l'économie mondiale serait même un projet d'avenir, comme si le commerce triangulaire, qui a saigné l'Afrique à blanc pendant plusieurs siècles, n'avait pas été une séquelle de la première mondialisation du XVIe siècle ! Le sous-continent noir en serait encore à découvrir les rapports marchands et les « lois » de l'économie moderne...

Il est vrai que, depuis des décennies, les experts en développement vitupèrent les liens de solidarité, les

---

1. D. Karahasan, *Il Centro del mondo*, Milan, Il Saggiatore, 1995.
2. P. Zanini, cité par F. La Cecla dans *Le Malentendu*, Balland, 2002, p. 113.

dépenses ostentatoires, la faible monétarisation du monde rural, l'absence de dynamique de création de besoins nouveaux, l'insuffisance de la production pour la vente. Tout cela constitue, selon eux, des *résistances* archaïques au libre jeu des mécanismes *naturels*, des *freins* insupportables à l'accumulation productive du capital et des *blocages* inadmissibles au (sacro-saint) développement. Et pourtant, l'existence d'un commerce intracontinental et de circuits caravaniers dirigés vers l'extérieur est attestée depuis fort longtemps. Hérodote, déjà, raconte les expéditions des Phéniciens et l'étrange troc muet qu'ils pratiquaient avec les populations des côtes de l'Atlantique. Les perles de verre bleues, dites « babyloniennes », de l'Antiquité se retrouvent dans les tombes préhistoriques des vallées du Niger. Les commerçants syro-libanais d'aujourd'hui ne font que renouer avec les pratiques de leurs lointains ancêtres... Du nord au sud du continent, pléthore d'ethnies et de groupes divers ont une réputation bien établie de « commerçants dans l'âme ». Certains sont spécialisés dans le commerce local, d'autres encore dans les transactions régionales, d'autres dans les trafics lointains. Au Maghreb, on connaît le dynamisme des Fassis et des Soussis marocains, celui des Mozabites d'Algérie, celui des commerçants de Sfax, en Tunisie. Chacun a ses spécificités, ses réseaux, y compris en Europe. Les épiceries arabes en région parisienne sont le monopole des immigrés du Souss, les pâtisseries tunisiennes celui des Djerbiens, etc. Plus au sud, les Maures sont les grands commerçants du Sahel. On les retrouve, parfois sous le nom de Sénégalais, jusque dans le bassin du Congo.

L'Afrique noire n'est pas moins bien pourvue en groupes spécialisés dans les trafics et l'échange : les Haoussa, les Yorouba, les Dioulas, les Beembe du Congo, les Soninké du Mali, les Bamileke du Cameroun, sans oublier la confrérie des Mourides, avec les Baol-Baol, du

Sénégal (car la religion joue souvent un rôle dans cette affaire), ni les Nana Benz du Togo (car les femmes ne sont pas en reste dans ces trafics). On ne compte plus les groupes ethniques, les sectes religieuses, les zones ou les localités dont les membres passent pour d'habiles commerçants et commerçantes, des hommes et des femmes d'affaires avisés ou des spéculateur(trice)s heureux. À travers l'ensemble du continent, on trouve d'innombrables souks et marchés, lieux d'échange et de rencontre, qui impliquent la totalité de la population. La prégnance de l'échange marchand est donc au moins aussi ancienne en Afrique qu'en Europe, et si la *marchandisation* y est sensiblement différente, ou moins forte, on assiste désormais à une *surmonétarisation* de la vie courante[1]. La monnaie intervient partout et pour tout, même si son statut n'est pas totalement « fonctionnel ».

Si les pays d'Afrique semblent « rester sur le quai » de l'actuelle mondialisation, c'est qu'ils subissent de plein fouet les effets d'éviction de l'ouverture des marchés. Saignés à blanc, ils n'ont plus grand-chose à offrir, et ce qu'ils offrent est toujours plus dévalué par les mécanismes diaboliques des plans d'ajustement structurel. La part de l'Afrique dans le commerce mondial est très faible (moins de 2 % en valeur), mais son intégration dans les circuits mondiaux est très forte. Toutefois, les marchés colorés et pleins d'odeurs constituent peut-être l'un des derniers remparts contre le Marché et ses effets destructeurs. Cette pratique d'échange de denrées mêlé à la parole, où chacun juge l'autre pour trouver le prix qui permet de maintenir la relation, est aux antipodes du *supermarché* vanté par Milton Friedman, dans lequel chacun paye et embarque la marchandise « sans qu'il soit

---

1. Sur cette distinction intéressante, voir l'article de J.-P. Olivier de Sardan, « L'économie morale de la corruption en Afrique », *Politique africaine*, Karthala, n° 63, octobre 1996, p. 97-116.

nécessaire que les gens se parlent, ni qu'ils s'aiment[1] ».
Point n'est besoin de se connaître pour faire du *business*.
« Donc Inno, dit Guingane, c'est pas un marché en fait,
ça ne peut pas être un marché, c'est des magasins [...].
C'est des chiffres, c'est ce que tu choisis et tu paies et tu
t'en vas[2]. »

On peut toucher du doigt, dans ce contexte, le fait en
apparence paradoxal que la diversité des cultures est sans
doute la condition d'un commerce social paisible. En
effet, chaque culture se caractérise par la spécificité de
ses valeurs. Même s'il régnait une monnaie et un langage
communs sur la planète, chaque culture leur accorderait
des significations propres et partiellement différentes. Si
les places de marché, les marchés-rencontres, ont été pendant des siècles sur presque tous les continents des lieux
d'échange pacifique, de règlement des conflits, de circulation matrimoniale entre voisins et même entre ennemis,
c'est parce que les transactions entre étrangers permises
par l'intermédiation de la monnaie conservaient, en dépit
de l'anonymat relatif de cette dernière, les qualités du don
réussi entre proches. Du fait des différences d'échelle de
valeurs, chacun en ressortait convaincu d'avoir fait une
bonne affaire, voire d'avoir roulé son partenaire, lui-
même persuadé d'avoir réussi la même chose ! Les
marchés africains illustrent abondamment cette ruse du
commerce pacifique entre cultures diverses. « En attri-
buant une valeur morale différente aux denrées échangées, écrit l'anthropologue Marco Aime, chacun des deux
protagonistes s'en sortira comme le vainqueur suivant ses
propres paramètres[3]. » Il en allait de même dans une cer-

---

1. M. et R. Friedman, *Free to Choose*, Harmondsworth, Penguin Books, 1983.

2. J.-P. Guingane, *op. cit.*

3. M. Aime, *La Casa di nessuno*, Turin, Bollati Boringhieri, 2002, p. 114.

taine mesure, selon l'auteur, du commerce entre l'Occident et les pays de l'Est avant la chute du mur de Berlin, commerce qui prenait souvent la forme d'un troc en raison de « l'existence de conceptions culturelles différentes des valeurs dans les deux systèmes économiques et [du] maintien d'une frontière entre les deux [1] ».

La théorie économique des prix se fonde aussi sur l'existence de l'avantage subjectif (la valeur d'usage et les surplus du consommateur) pour expliquer l'échange. Toutefois, le prix objectif tend à imposer une uniformité des valeurs qui finit par effacer le bénéfice psychologique de l'échange. Il faut multiplier les soldes pour arriver à faire revivre l'illusion des « bonnes affaires ». La barrière culturelle crée une différence infiniment plus forte, favorable à un commerce doublement fructueux. Ainsi, dans les îles montagneuses d'Indonésie, les côtiers considéraient les produits qu'ils recevaient des montagnards comme un tribut payé par des sujets, tandis que les montagnards, se sentant parfaitement libres, se félicitaient de recevoir, en échange de biens pour eux sans intérêt, des marchandises d'importation inaccessibles et très appréciées. Chacun interprétait la relation à son avantage et tous étaient satisfaits. En voulant *libérer* les prétendus sujets, missionnaires et colonisateurs hollandais ont rompu l'interdépendance harmonieuse des populations et, en imposant des valeurs uniformes, introduit des ferments de conflits insolubles.

Le malentendu interculturel est donc un « facilitateur » d'harmonie dans l'échange social puisqu'il fait régner chez chacun la conviction d'avoir obtenu son dû (voire un peu plus...). Montesquieu, en une formule souvent citée, a célébré le « doux commerce ». L'expression semble adaptée à ce type d'échange, et absolument pas au marché

1. *Ibid.*, p. 115.

mondial actuel. « Le commerce, écrit-il, guérit les pré-
jugés destructeurs ; et c'est presque une règle générale
que partout où il y a des mœurs douces, il y a du commerce ; et partout où il y a du commerce, il y a des mœurs
douces [1]. » Cette formule a fait les délices des libéraux.
Or on oublie souvent de citer la suite. Montesquieu ajoute
en effet : « Mais si l'esprit du commerce unit les nations,
il n'unit pas de même les particuliers. Nous voyons que
dans les pays où l'on n'est affecté que de l'esprit de
commerce, on trafique de toutes les actions humaines et
de toutes les vertus morales : les plus petites choses,
celles que l'humanité demande, s'y font ou s'y donnent
pour de l'argent [2]. » On ne saurait dire plus clairement,
commente fort justement Marcel Hénaff, que le rapport
marchand a tué la relation de don, celle qui cherche le
lien chaleureux et fort. Ici prévaut le calcul froid, ou du
moins indifférent [3]. « L'esprit de commerce, poursuit
Montesquieu, produit dans les hommes certain sentiment
de justice exacte [justesse], opposé d'un côté au brigan-
dage, et de l'autre à ces vertus morales qui font qu'on ne
discute pas toujours ses intérêts avec rigidité et qu'on peut
les négliger pour ceux des autres. » Quand on fait cela,
on introduit un peu de l'esprit du don dans l'échange marchand, ce qui s'appelle justement un geste « par-dessus le
marché ». Cette générosité s'est perdue dans les nations
très commerçantes, explique Montesquieu, et il ajoute :
« L'hospitalité, très rare dans les pays de commerce, se
trouve admirablement parmi les peuples brigands » [4].
Ainsi, même marchand, l'échange peut posséder les vertus du « doux commerce », à condition qu'il participe de

1. C. de Montesquieu, *De l'esprit des lois*, in *Œuvres complètes*, livre
XX, Gallimard, coll. « Bibliothèque de la Pléiade », t. 2, 1951, p. 585.
2. *Ibid.*
3. M. Hénaff, *op. cit.*, p. 472.
4. C. de Montesquieu, *op. cit.*, p. 585.

la logique du don, alors que le marché anonyme et abstrait est source inépuisable de frustrations, d'envie et de rivalités qui dégénèrent en conflits tribaux et purifications ethniques, quand ce n'est pas en guerres mondiales.

Cette participation à l'esprit du don se manifeste clairement dans la relation de clientèle. Les comptes ne sont jamais apurés entre les partenaires. Le rabais consenti sous la pression relationnelle (en faisant éventuellement intervenir des proches importants) est un don qui relancera ultérieurement un achat plus coûteux. D'autre part, après un âpre marchandage, un petit cadeau (une mesure de mil en plus ou un treizième œuf à la douzaine) vient atténuer la rigueur de la joute marchande. « Le cérémonial du marchandage, si âpre soit-il, note Guy Nicolas à propos des Hausa du Niger, conserve toujours quelque aspect oblatif. [...] L'aspect ludique du marchandage a quelque rapport avec celui du don[1]. » On ajoute toujours un petit plus pour en témoigner. Cela s'observe dans la plupart des pays d'Afrique. « Il n'est pas jusqu'à la pratique de l'usure, prétend-il, qui ne présente quelque aspect oblatif, dans la mesure où l'emprunteur s'estime redevable envers son usurier de lui consentir un prêt[2]. » Cette proximité des rapports du commerce de marchandage avec le don est encore accrue du fait que la monnaie n'a pas ordinairement, en Afrique, le statut d'un équivalent général abstrait, mais possède une réalité concrète qui en

---

1. G. Nicolas, *op. cit.*, p. 217. Notons aussi : « Quant à la pratique commerciale, on peut y déceler des aspects qui se rapprochent de ceux du don et divergent par rapport au schéma libéral de référence [...]. Il convient de signaler [...], dans la pratique marchande courante, des conduites relevant incontestablement du principe et du rite oblatif » (*ibid.*, p. 10).

2. *Ibid.*, p. 219. Cela rejoint la vision d'Aristote à propos de la vente à crédit. « La dette y est claire et indiscutable, remarque-t-il, mais il y a quelque chose d'amical *(philikon)* dans le délai consenti » (Aristote, *Éthique à Nicomaque*, *op. cit.*, VIII, 15, cité par D. Temple et M. Chabal, *op. cit.*, p. 200).

fait un objet de contre-don. Cela est particulièrement visible dans le cas de la dot, pour laquelle on exige souvent que le versement prenne des formes spéciales (cauris chez les Lobis du Burkina Faso, pièces d'argent, etc.). Lorsque l'argent et l'économie restent encastrés dans le social, ce qui est encore largement le cas, le premier est un quasi-objet beaucoup plus qu'une monnaie[1].

Ainsi, le marché-rencontre est un signe et une source incontestables de prospérité, dans tous les sens du terme. Comme les foires des SEL, il stimule non seulement les échanges, mais à travers eux la production de denrées et le dynamisme collectif, et ce sans l'aliénation propre au rapport marchand et à l'instrumentalisation de la production capitaliste.

Le marché comme pôle de pouvoir : l'anti-acropole

À Montpellier, en lisière de la ville historique, il y a deux nouveaux quartiers. Le premier s'appelle traditionnellement Polygone en raison de la présence ancienne d'une forteresse de style Vauban. À côté et en opposition s'est construit, sous la direction du grand architecte urbaniste catalan Ricardo Bofill, un ensemble tout neuf, Antigone, jouant volontairement avec toutes les connotations féminines et subversives que ce nom comporte. La place du marché – l'agora – apparaît, elle, comme un lieu antithétique, celui du pouvoir officiel et masculin représenté par l'acropole, lieu de la religion civique et des symboles impériaux de la cité.

Certes, on trouve en Afrique des chefs de marché, plus ou moins officiels, qui rendent compte en général au chef

---

1. « Pour les Fidjiens, la monnaie dans certains cas est moralement neutre, dans d'autres non. En Inde, par exemple, l'échange monétaire n'a pas du tout bouleversé les relations traditionnelles et les hiérarchies préexistantes entre les castes » (M. Aime, *op. cit.*, p. 128).

de village – lequel n'a pas le droit d'y pénétrer – de ce
qui se passe en cet endroit. Il y a surtout la sacralisation
du lieu, nécessaire à son succès et au déroulement pacifique des rencontres. Le marché est plein d'esprits, bons
et mauvais, qui peuvent prendre toutes les formes et qu'il
faut apaiser ou se concilier. Les morts reviennent le hanter, et ceux qui ont le don de double vue, les voyants,
les y croisent. Les cérémonies font souvent appel à des
pratiques archaïques et, parfois, dans les pays islamisés, à
des survivances païennes. Les pouvoirs locaux ne peuvent
refuser de se plier à ces exigences. « C'est simple, dit, de
sa façon truculente, Guingane, si vous ne faites pas ça et
qu'il y a des malheurs et des incendies, des ci, des ça, on
tape le maire qui n'a pas voulu respecter nos coutumes et
le maire aussi a peur. Je crois que personne ne peut installer aujourd'hui un marché et ne pas tenir compte de ces
aspects-là[1]. » Et le pouvoir central, colonial ou autoch-
tone, en voulant imposer ses propres vues, se heurte souvent à l'obstruction des populations. Au nord du Bénin,
la volonté de privilégier une localisation technocratique
et la destruction du marché traditionnel de Copargo ont
été la source d'émeutes qui ont obligé le gouvernement à
intervenir, à déplacer le sous-préfet et à rétablir l'état de
choses ancien. Guingane cite un cas comparable au Togo :
« Le gouvernement en place a construit carrément un
marché de toutes pièces et a voulu déplacer le marché
séculaire dont les gens se servent de père en fils, de mère
en fille depuis très longtemps. Il a voulu déplacer les gens
de force pour faire un grand marché. Il a créé un autre
grand marché, les gens ne se déplaçaient pas de l'ancien
marché auquel ils sont habitués, qui s'est créé spontanément, au marché de béton. Ils ont mis l'armée, ça n'a rien
changé. Ils ont tabassé les gens, ils les ont poursuivis,

---

1. J.-P. Guingane, *op. cit.*

ils les ont pourchassés, et ça n'a rien changé : les gens
demeurent toujours au marché qui s'est créé spontanément et qui existe depuis longtemps, de façon séculaire.
Donc ça, c'est un cas de figure où finalement le gouvernement, en porte à faux par rapport à ce qui se fait de
façon traditionnelle et spontanée, n'en démord pas pour
autant, et s'accroche à vouloir inciter les gens à changer [1]. » Au Mali, le cas du grand marché de Bamako en
est une autre illustration. Après l'incendie – volontaire ? –
de l'ancien marché, les habitants ont préféré s'agglutiner
dans les rues et les trottoirs avoisinants plutôt que de se
rendre sur le marché construit dans un autre site. Finalement, l'ancien marché a été restauré.

Aujourd'hui encore, dans la vie politique française, une
partie non négligeable des campagnes électorales se
déroule autour des marchés. On y distribue des tracts, les
candidats viennent y discuter leur programme, serrer la
main des commerçants et commerçantes et écouter leurs
revendications. En Afrique aussi, une part importante de
la politique de l'après-indépendance s'est faite sur et
autour des marchés. L'appui des associations de marché
reste souvent décisif. On comprend que les pouvoirs
publics soient toujours tentés de contrôler ces endroits où
se brassent tant de populations diverses et tant d'idées,
éventuellement subversives. Les marchés sont un exu-
toire, non seulement pour les transgressions sexuelles,
mais aussi pour toutes les tensions. « Il existe, note Guingane, une relative liberté pour les marginaux, malheureux
des carcans des coutumes et des traditions. Car une
société bien gérée, c'est celle qui sait prévenir les conflits,
et quand ils s'imposent leur trouver les solutions les meilleures [2]. » Ainsi, le fou se trouve à son aise au marché,

---

1. *Ibid.*, p. 13.
2. *Ibid.*, p. 9.

celui-ci exerçant une fonction quasi thérapeutique. Mais les marchés sont surtout des lieux de fronde potentielle. Des grèves ou des mouvements de commerçants ont déjà eu raison de certains gouvernements. « Encastré » dans la société africaine, le marché représente une sorte de contre-pouvoir. « Lieu neutre et pourtant politique, mais pas politisé[1]. » La distinction est importante. C'est le lieu par excellence de la « société civile », avec toute la complexité que recouvre ce concept dans le contexte africain, par opposition à la société politique, militaire ou religieuse liée au pouvoir officiel. Il se règle bien des conflits sur les marchés, avec la parole et parfois le recours à l'arbitrage des anciens et des sages ; toutefois, le marché n'est pas en lui-même la palabre, avec son rituel et sa solennité[2].

Il est grand temps de dévoiler l'autre face ou le vrai visage du marché en Afrique noire : il s'agit d'un lieu *féminin* par excellence. Les femmes en sont les acteurs clefs. Ce sont elles qui tirent les ficelles et qui dominent la scène marchande. Même si les multiples devoirs de l'épouse (la cuisine, les enfants, le mari) limitent sa disponibilité pour les trafics marchands, la répartition des tâches avec les coépouses, voire avec les enfants et les parents, lui permet de jouer à plein son rôle. Guy Nicolas cite même pour le Niger le cas de femmes qui reconstituent leur fond de roulement en accordant furtivement leurs faveurs à l'écart du marché, avant de revenir prendre leur place et de repartir d'un bon pied dans leurs petits trafics. Les pouvoirs que détiennent les femmes sur les marchés, plus ou moins consacrés par des titres ou des fonctions traditionnelles (elles peuvent dans certains cas être chefs de marché), et le rôle plus récent d'associations

---

1. M. Aime, *op. cit.*, p. 142.
2. Voir notre ouvrage *La Déraison de la raison économique, op. cit.*, chap. 2 : « La palabre, une forme de phronésis africaine. »

de commerçantes représentent un double défi pour les autorités locales et étatiques. Dans la plupart des pays africains, cette emprise sur la sphère commerciale constitue une forme de résistance symbolique et matérielle aux tentatives de contrôle économique de la part des gouvernements successifs. À travers la force tranquille de la protestation passive (mais aussi parfois très active) des marchés, c'est la société civile qui s'exprime et fait connaître les limites que le mépris du citoyen (et plus encore de la citoyenne) ne doit pas dépasser.

Finalement, le marché-rencontre tel qu'il existe encore en Afrique témoigne de la survivance d'un encastrement assez poussé de l'économie dans la société[1]. Certes, il faut introduire cette réserve importante que les situations actuelles sont hybrides puisque, l'Occident ayant pénétré partout, tous les marchés sont pervertis par le Marché, tous les « commerces » et « échanges » sociaux sont traversés par l'économique, et toutes les raisons par la rationalité calculatrice. Il n'en demeure pas moins – et c'est aussi une leçon que l'Afrique peut nous apporter – que la redécouverte du marché-rencontre fait partie de l'arsenal que la société civile devra sans doute restaurer pour sortir de la démesure de la société du Marché imposée par la mondialisation libérale, de même qu'elle devra mettre en œuvre des formes plus justes d'échange social.

Il peut paraître étrange que l'échange « juste » ainsi esquissé repose sur un malentendu, chacun des acteurs s'estimant vainqueur de la joute commerciale. Toutefois,

---

1. Mais alors la distinction de Karl Polanyi entre économie substantielle et économie formelle n'a plus lieu d'être, comme l'a bien remarqué Louis Dumont. L'économie est toujours formelle d'une certaine façon, et dire qu'elle est encastrée est une manière *occidentalocentrique* d'exprimer le fait qu'on n'a pas vraiment affaire à elle, mais à la société. Sur ce point, nous renvoyons le lecteur à l'annexe de notre livre *La Déraison de la raison économique, op. cit.*

la justice absolue n'étant pas de ce monde, la justice économique relative sera déjà réalisée si aucun des participants ne s'estime lésé ou victime d'une injustice. Ainsi, le marché-rencontre facilite l'avènement de l'échange juste grâce à un double mécanisme : l'incorporation de l'esprit du don dans le commerce, et la différence d'estimation des valeurs entre les échangistes.

La dimension du don n'est pas seulement souhaitable, elle existe réellement, à l'insu même des acteurs, en particulier dans l'achat-vente du travail. L'économie a réduit le travail à une grandeur homogène mais, en réalité, il n'existe pas de travail sans qualité. Tout travailleur possède des « dons » – habileté technique, savoir-faire, etc. –, lesquels existent bien sûr à des degrés divers, de l'ouvrier astucieux à l'artiste de génie. D'une certaine façon, le don ne s'achète pas, il n'a pas de prix. Le contrat de travail est toujours une rémunération forfaitaire et l'on attend du travailleur qu'il se « donne » à sa tâche, sans que l'on puisse préciser dans le détail le contenu du don. Certains économistes l'ont reconnu avec la théorie du salaire d'efficience, mais ils tentent évidemment, malgré tout, de réduire ce don à une forme de marché[1]. Cela explique pourquoi la réduction du travail complexe en travail simple est vouée à l'échec, que l'on tente de la mettre en œuvre avec les subtilités de la scolastique marxiste ou avec les raffinements de la théorie néoclassique du capital humain. Il existe dans l'échange du travail une fraction qui est « hors de prix ». Il ne peut donc pas y avoir de justice « scientifique », mathématiquement calculée. La prétention d'un Michael Eisner à valoir plus d'un million

---

1. Le texte de référence est l'article de G. Akerlof, « Labor contracts as partial gift exchange », *Quaterly Journal of Economics*, 1982. Pour une présentation synthétique, on pourra se reporter à H. Zajdela, « Que nous apprend la nouvelle économie du travail ? », *in* « Pour une autre économie », *Revue du MAUSS*, La Découverte, n° 3, 1994.

de fois son employé birman ne peut être fondée sur aucune analyse de la productivité du travail. Elle ne pourrait trouver un semblant de justification qu'en dehors de l'économie, dans le domaine de l'art, du talent, du don, du génie, qui n'ont pas de prix. Quelle est, en effet, la « vraie » valeur de Zidane, de Madonna, de Picasso ? Et donc, aussi bien, de Bill Gates, de George Soros ? L'économie politique est mise en échec dans sa prétention à tout réduire à une quantité homogène, et elle ne peut trouver au prix effectif d'autre justificatif que le simple fait qu'il existe. « Rien, note François-Régis Mahieu, ne peut empêcher les "fans" d'apporter à une vedette leurs dons, au-delà d'une redistribution équitable[1]. » C'est vrai. Encore faut-il qu'il s'agisse d'un don, ce qui n'est pas le cas de la rémunération de Michael Eisner. Prendre conscience de l'existence implicite du « hors de prix » pourrait aider à la décolonisation de l'imaginaire économique et faciliter la nécessaire introduction de l'esprit du don dans le commerce social. Le fait que le prix contienne toujours du « hors de prix » (du don) impose donc une solution politique à la détermination du juste rapport d'échange.

Cette première conclusion se trouve renforcée par le fait qu'il est injuste d'attribuer les performances productives à des individus particuliers. Comme le remarque judicieusement René Passet : « Le renforcement des liens d'interdépendance [fait] du produit national une sorte de bien collectif dans la formation duquel il est impossible de distinguer la part d'un agent particulier[2]. » L'accumulation des connaissances techniques, du savoir-faire des siècles antérieurs et des peuples divers est un fond patrimonial commun de l'humanité. Cela rend dérisoire la pré-

---

1. F.-R. Mahieu, *op. cit.*, p. 225.
2. R. Passet, *Éloge du mondialisme par un « anti » présumé, op. cit.*, p. 150.

tention de certains de s'attribuer la part du lion, grâce à une prise de brevet d'un détail ou à la faveur d'une compétence opportune, dans le partage des fruits d'un ouvrage collectif et anonyme. « Alors, conclut Passet, la question de la répartition ne peut plus se poser dans les termes traditionnels de "justice commutative" (la rémunération de chacun comme contrepartie de sa productivité). Elle se pose désormais en termes de "justice distributive", consistant à imaginer les normes de répartition d'un bien collectif, dans la production duquel il est impossible de déterminer la part qui revient à quelque facteur pris isolément. Le critère économique a disparu, il faut trouver autre chose. Encore une fois, la réponse ne peut être cherchée que sur le terrain des valeurs [1]. » Il appartient donc au politique de dire la loi et au collectif de définir un compromis pouvant tenir lieu de justice.

D'autre part, la transparence totale et une conception identitaire de l'égalité ne facilitent pas l'harmonie dans l'échange social. Les hommes sont ainsi faits qu'ils sont infiniment plus sensibles à l'injustice dont ils sont victimes, et révoltés par elle, qu'à celle dont ils profitent. En cas d'échange rigoureusement égal, chose bien difficile à réaliser, beaucoup sont même prêts à penser qu'ils ont été défavorisés. Pour que la paix règne dans la cité, il importe que les participants retirent de l'échange le sentiment de s'en sortir bien – les maîtres de la palabre africaine l'ont toujours compris. Ce n'est qu'ainsi que chacun pourra penser avoir reçu son dû, car tous ont tendance à se surestimer et à surestimer ce qu'ils donnent. Dans ces conditions, rendre une justice pacifique et faire régner le doux commerce entre les membres de la société humaine relèverait de la quadrature du cercle si les valeurs devaient être déterminées mathématiquement. Pour que la justice

---

1. *Ibid.*, p. 106.

objective soit compatible avec la justice *subjective*, il faut que les systèmes d'évaluation de chacun et de tous soient sensiblement différents. Autrement dit, que règne la plus grande diversité culturelle.

Cette double ruse – existence d'un esprit du don et différence entre les systèmes de valeurs – pour faciliter l'échange équitable est encore plus présente dans ces formes non marchandes du commerce social que sont les échanges entre les genres et entre les générations. La justice dans les rapports de la vie quotidienne, c'est peut-être d'abord au sein des couples, entre conjoints, au sein des familles, entre parents et enfants, qu'elle se pose et fait problème. On sent bien que, là, la recherche de la stricte égalité comptable est inconvenante. Comme dans le don réussi, chacun doit avoir l'impression de recevoir plus qu'il ne donne pour que règne l'harmonie. Le sentiment obsessionnel de s'être « fait avoir » ouvre généralement la voie aux divorces et aux ruptures. À l'opposé des tentatives des économistes ultralibéraux (comme Gary Becker), qui voudraient ramener les rapports de la socialité primaire (famille, parentèle, amitié...) à la logique du marché, la visée d'une justice économique possible suppose l'introduction d'un peu de cet « esprit de famille » dans les rencontres marchandes [1].

La société de Marché est certes une société de marchandisation, mais le Marché de la théorie comme conjonction d'une multitude d'offreurs et de demandeurs est un mythe. Les concentrations et les monopoles l'ont totalement éliminé ou détourné, si tant est qu'il ait jamais

---

1. Un fin connaisseur de l'esprit du don, Jacques Godbout, en apporte la confirmation : « Nécessaire pour rendre compte du sens d'une partie de ce qui circule entre les membres des réseaux familiaux, cette notion de dette mutuelle positive doit faire partie de la panoplie des concepts destinés à élaborer un modèle alternatif à celui du marché » (J. Godbout, *Le Don, la Dette et l'Identité : Homo donator vs homo œconomicus*, La Découverte, 2000, p. 58).

existé. En revanche, la place du marché, le marché comme lieu de rencontre et d'échange entre les citoyens, est à réinventer. Tout en reconnaissant la dualité nécessaire de la socialité primaire, ou communautaire, et secondaire, ou sociétale, il importe, pour réintroduire une dimension morale dans le trafic social, d'éviter l'hétéronomie de la société de Marché en assumant pleinement la médiation démocratique du rapport d'échange entre citoyens. Le retour de l'esprit du don dans la société postmoderne est une nécessité, mais il ne doit pas compromettre la persistance d'une socialité secondaire. On peut concevoir celle-ci comme fonctionnant à la citoyenneté fondée sur la bienveillance mutuelle – la sympathie ou la *philia* –, sans retomber dans le familialisme ou le clientélisme.

L'existence de la monnaie comme mesure neutre des valeurs et instrument de l'échange social des produits au niveau de la socialité secondaire est sans doute nécessaire et bonne (comme dans les systèmes d'échange local). Toutefois, cette monnaie aussi doit être réappropriée pour éviter l'hétéronomie. Échappant à la sacralisation primitive du bien cérémoniel qui polarise le désir, comme à la malédiction moderne qui en fait le signe et l'instrument de la banalité du mal, elle doit devenir le langage librement consenti dans lequel s'expriment les échanges entre des citoyens anonymes mais pas indifférents, appartenant à la fois à un monde commun et à des mondes divers.

La réappropriation de la monnaie et du marché signifie concrètement la réaffirmation de la nature radicalement politique de l'échange marchand, qui n'est qu'une forme du commerce social. Aussi, même s'il est souhaitable que persistent des marchés et des rapports marchands à côté de la redistribution et de la réciprocité, c'est l'imaginaire du Marché qui devrait d'abord être aboli pour rompre avec la logique de la démesure. C'est là une condition du retour de la justice au cœur de la vie en société.

Conclusion

Reconstruire un monde commun :
l'exigence morale
et le paradoxe éthique contemporain

> « On ne comprend absolument rien à la civilisation moderne si l'on n'admet pas d'abord qu'elle est une conspiration universelle contre toute espèce de vie intérieure [1]. »

> « Peut-être avons-nous besoin d'une façon de penser qui, au lieu de l'abandonner aux théoriciens moraux, introduise la question de qui nous sommes au cœur d'une pensée éthique posant en principe que l'injustice est ce qui vient d'abord et n'en finit jamais ; d'une éthique qui substitue à la quête de valeurs indépendantes de notre expérience les questions que nos souffrances et oppressions concrètes glissent dans nos prétentions à obtenir des droits, ou la justice ; d'une éthique qui fasse entrer la question de la légalité là où seule règne la loi, la question du gouvernement là ou seul le pouvoir s'exerce, la question de l'invention de soi là où seuls opèrent les mécanismes du savoir [2]. »

---

1. G. Bernanos, *op. cit.*, p. 84.
2. J. Rajchman, *Érotique de la vérité : Foucault, Lacan et la question de l'éthique*, PUF, 1994, p. 189.

L'humanité actuelle se trouve dans une situation tragique. Pour gagner leur vie, les individus et les groupes n'ont le plus souvent guère d'autres choix, chacun pour son compte, que de contribuer à la banalité du mal. Ils ne trouvent de travail qu'en s'engageant comme rouages de la mégamachine techno-économique. Pour survivre, le monde dans son ensemble est condamné à réinventer la justice. Cette situation est nouvelle. La finitude de la planète nous contraint à nous limiter tant sur le plan écologique que sur le plan des conflits. Les guerres anciennes provoquaient des morts et des désastres de toutes natures, mais ne mettaient pas en cause la perpétuation de la vie sur terre. Il n'en est plus ainsi aujourd'hui avec l'arsenal nucléaire qui dépasse plusieurs fois ce qui est requis pour faire sauter la planète. De leur côté, les pollutions et les atteintes à l'environnement, qui sont aussi anciennes que l'homme, étaient jusqu'à une période récente aisément digérées et recyclées par la biosphère. Les prédateurs de la nature pouvaient nuire tranquillement à leurs voisins ou infliger des blessures à l'environnement sans mettre véritablement en danger l'habitacle humain dans son ensemble. Ce n'est plus le cas maintenant. Avec les pollutions globales, un seuil a été franchi, et la biosphère tout entière est en danger. L'équité sociale et environnementale ou tout au moins un souci minimal de justice sont devenus une condition pour prolonger notre présence au monde et, sous cet angle, une urgence. Une autolimitation de la démesure des modes de production et de consommation dominants, qui sont surtout ceux des dominants, serait nécessaire pour éviter l'implosion du système. Il y a là un défi nouveau dans l'odyssée humaine, dont il est impossible de dire s'il sera relevé.

L'étude de l'histoire ne rend pas très optimiste sur les chances de voir la justice dicter son cours aux affaires humaines. La corruption des grands se répand plus que jamais et se diffuse chez les petits, avec l'excuse de la grandeur en moins. « Il faut malheureusement se l'avouer, écrit Paul Audi, quitte à en chagriner plus d'un : un monde gouverné par l'éthique n'a aucune chance de sur- gir – pas même à l'horizon le plus lointain de nos temps historiques [1]. » Faut-il pour autant en conclure avec Scho- penhauer : « Dans un monde où plus des cinq sixièmes des gens sont des gredins, des fous ou des imbéciles, les autres sont contraints de vivre à l'écart, surtout s'ils sont différents, et, plus la distance sera grande, mieux cela vaudra [2] » ? On reconnaîtra là la posture aristocratique, élitiste ou romantique d'un refus orgueilleux du monde. Elle n'est pas sans panache ; peut-être aurions-nous dû commencer cet essai par là et nous épargner ainsi la peine de l'écrire. Toutefois, ce serait aussi renoncer à tout projet politique. Or, quelles que soient la virulence de notre dénonciation de l'injustice du monde et les difficultés, que nous avons reconnues, à y porter remède, elles ne justifient pas l'abdication.

Si tous les hommes sont plus ou moins coupables ou capables de « scélératesse », ils ne sont pas tous ni tout le temps d'incorrigibles gredins. L'aspiration à la justice reste universellement partagée et rares sont les « scélé- rats » qui, tout en veillant à leurs intérêts, ne songent pas *aussi* à la justice et ne lui font pas à l'occasion quelque sacrifice. Aucune société n'est possible sans un minimum d'équité et, comme on l'a souvent remarqué, même les pires associations de brigands connaissent une certaine forme de justice. Du constat désabusé du règne de l'injus- tice dans le monde (sans d'ailleurs s'appesantir beaucoup sur l'injustice économique), Schopenhauer conclut logi-

---

1. P. Audi, *op. cit.*, p. 25.
2. Cité *ibid.*, p. 35.

quement : « La vie est une affaire qui ne couvre pas ses frais. » Ce jugement pessimiste reste une opinion défendable, mais personnelle et discutable. D'abord, la vie n'est pas (en tout cas pas seulement) une affaire. Au milieu des crimes et des monstruosités sans nombre qui ont marqué les siècles d'histoire des républiques italiennes, non seulement on voit fleurir des actes de bravoure superbes, des sacrifices dignes de mémoire et quantité de belles actions, mais on assiste dans les pires moments à une production artistique des plus extraordinaires[1]. S'il fallait tenter à tout prix un bilan (mais rien n'est moins sûr, et l'histoire n'a pas de comptes à rendre comme un épicier), alors il faudrait mettre aussi dans la balance tout ce qui nous a été donné et qui n'a pas de prix. Celui qui se sent transporté d'émotion en écoutant une sonate au clavecin de Scarlatti, en admirant la vocation de saint Matthieu (encore un financier douteux...) du Caravage, peut-il ne voir dans le monde que le triomphe de la banalité du mal ? On rétorquera peut-être qu'il s'agit là d'une fuite esthétisante de la réalité, comme la posture de retrait d'un Schopenhauer. Il faut tout de même convenir que cela fait obstacle à une généralisation hâtive de la dictature du mal et peut fonder quelque raison de ne pas désespérer. Sans doute y en a-t-il bien d'autres plus intimes, comme le dévouement d'une mère à ses enfants ou l'amour de deux êtres, même dans les pires circonstances. Mais, dans l'espace public, l'esthétique reste peut-être le dernier gage d'une vie éthique implicite. L'homme n'est jamais un pur rouage et la mégamachine reste une métaphore. Si l'esthétique, comme le soutient Theodor Adorno, a toujours une fonction critique, elle peut constituer le grain de sable qui bloque la mécanique suicidaire.

---

1. L'*Histoire des républiques italiennes au Moyen Âge*, de Jean-Charles Léonard Sismonde de Sismondi, chef-d'œuvre trop oublié, brosse cette fresque épique d'une portée universelle.

S'agissant de l'économie, que nous avons mise au principe de la production banalisée du mal, il y a certes, malheureusement, peu de chances pour que règne la justice dans l'échange, que ce soit à court, à moyen ou à long terme, d'autant plus que l'on ne sait pas précisément ce que cela signifierait. Toutefois, il n'est pas déraisonnable d'espérer que la question resurgisse, qu'il soit de nouveau légitime de la poser, autrement dit que la vie économique redevienne un domaine investi par l'interrogation éthique, ou, en d'autres termes, que l'économie réintègre la vie tout court. Le seul fait que la question puisse émerger, au-delà de l'écran de fumée de la médiatisation du thème, serait déjà un triomphe de la morale. Les hommes ne pouvant vivre sans un minimum de norme, l'échange social serait de nouveau soumis à l'horizon de la justice.

Un tel projet est politique au sens le plus radical du terme. Il ne s'agit de rien moins que de cette reconstruction d'un monde commun qu'Hannah Arendt appelait de ses vœux. Cette reconstruction est totale, en ce sens que le problème est moins de réhabiliter l'éthique que de poser les bases d'une société qui fasse place à un moment personnel, condition de toute vie morale, et qui organise la confrontation des opinions pour définir le juste. Le paradoxe éthique apparent de la situation actuelle réside dans ce fait que la construction morale de la personne est la condition d'un projet collectif pouvant se reconnaître ou se définir dans un horizon de justice. De ce point de vue, l'individualisme de la modernité a fait faillite. Le monde contemporain produit beaucoup de caractériels, certes, mais assez peu de véritables caractères. Cet échec fait ressortir la réussite relative et paradoxale des sociétés holistes. Sans idéaliser les sociétés anciennes, dont la violence et l'immoralité n'avaient rien à nous envier, il faut leur rendre raison sur un point : la fabrication sociale des personnes y armait les membres de façon remarquable pour affronter les défis du quotidien et participer à un monde étriqué sans doute, mais dont l'horizon était le bien de la communauté et la justice en son sein. En revanche, elles limitaient trop étroitement à nos yeux le domaine de la vie privée. La modernité occidentale a incontestablement libéré l'individu des contraintes collectives et arbitraires, pour le meilleur et pour le pire. Tant que l'héritage moral et civilisationnel ancien a fait sentir son poids pour limiter les ravages de l'*amour-propre*, l'éclosion de personnalités émancipées a produit la grande saison des Lumières, qui dans le fond a duré de la Renaissance au déclin du romantisme. L'échec des révolutions politiques (y compris et surtout celle de Lénine) à domestiquer l'imaginaire économique et la montée du capitalisme et de l'impérialisme ont fait éclater la crise de la raison. L'utilitarisme dominant de la société contemporaine tend à « neutraliser » le moment personnel du vécu collectif par l'instrumentalisation généralisée et la déresponsabilisation des sujets, engendrées par l'hypertrophie de la liberté d'entreprendre. Le calcul des intérêts individuels et l'indétermination des choix quant aux fins non calculables tendent à imposer un extraordinaire *conformisme*. Il faut faire comme les autres quand il n'y a pas d'intérêt en jeu, et les vogues médiatiques comme les sondages servent à produire la règle de conduite.

On doit reconnaître à Alexis de Tocqueville d'avoir observé, anticipé et analysé la naissance du phénomène aux États-Unis avec une exceptionnelle lucidité dans son enquête sur la démocratie en Amérique. On peut soutenir ce paradoxe qu'aucune société n'a jamais été autant soumise que la nôtre à la tyrannie de la mode et, de ce fait, livrée à la versatilité d'un arbitraire non assumé. Le tatouage et le *piercing* en fournissent une nouvelle et plaisante illustration. Les sociétés anciennes utilisaient ces mutilations corporelles, imposées pour fabriquer de l'identité. Ce marquage, souvent cruel, était le rituel d'initiation obligé pour accéder à la « tribalité » (l'équivalent de la citoyenneté pour les sociétés anciennes). C'est « librement », au contraire, que les jeunes (et moins jeunes...) d'aujourd'hui recherchent une originalité qui se perd dans une banalité anonyme et insignifiante. Ce conformisme peut prendre la forme du « néotribalisme » caricatural analysé par le sociologue Michel Maffesoli et destiné, selon Jean-Claude Michéa, « à assurer un abri humain provisoire aux multiples troupeaux, également pathétiques, de *ravers*, de *skaters*, de *crashers*, *rollers*, *otakers*, *teufeurs*, et autres invraisemblables figures modernes de l'*autisme grégaire*[1] ». La servitude moderne aux modèles conformes est volontaire, tandis que l'individualité des Anciens devait se conquérir contre le carcan de l'*ethos* tribal. Le joug de la fatalité pesait sur les destins individuels d'une façon que nous trouvons à bon droit insupportable, mais chacun, dans l'acceptation ou la révolte, était alors armé pour affronter sa destinée. L'individu moderne est le plus souvent tout juste cet atome hédoniste sans défense immunitaire que manipulent à loisir les médias, pour le fonctionnement économique et politique de la mégamachine, par la publicité et la propagande[2]. Cet inachèvement de la personne dans l'individu massifié et narcissique, fruit de carences affectives diverses, est

---

1. J.-C. Michéa, *Impasse Adam Smith : brèves remarques sur l'impossibilité de dépasser le capitalisme sur sa gauche*, Climats, 2002, p. 113.

2. « Le régime industriel ici brouille les cartes, en ce sens qu'il prétend miser sur l'accomplissement indéfini des désirs, de sorte que chaque individu est provoqué dans l'escalade du vouloir et de la toute-puissance. À la longue, personne ne sait plus très clairement distinguer si ce qu'il demande, il le demande, ou s'il ne fait en somme que répondre à une sollicitation du pouvoir qui lui demande de demander. Autrement dit, le pouvoir se fait méconnaissable et c'est devenu une règle, très intéressante à observer dans le marketing, de tabler sur l'indifférenciation entre le pouvoir et nous » (P. Legendre, *op. cit.*, p. 359).

précisément ce que requiert une économie en délire fondée sur la boulimie consumériste. Les sociétés traditionnelles, et plus encore les sociétés primitives, ignorent l'insatiabilité des besoins. L'envie et l'avidité y existent, comme partout, quand sont étalées sous les yeux hallucinés des indigènes les merveilles et les magies de la civilisation, mais le besoin sans cesse renaissant et jamais satisfait de produits toujours nouveaux qui paraissent nécessaires à la vie, des antidépresseurs aux téléphones portables, y est absent [1].

Le défi auquel nous sommes confrontés tient aussi dans cet effort de restauration de la personne et de la vie intime au sein d'une collectivité plurielle sans frontières. La réappropriation par les individus atomisés d'une capacité à s'accepter comme sujets sociaux et politiques, au double sens du terme « sujets » – assujettis à une histoire et à un héritage, et acteurs d'un destin –, est indispensable pour achever la décolonisation de l'imaginaire économique et résister à la banalité du mal. Le présent essai a tenté de préciser les dimensions et les conditions de ce double défi : changer le système pour transformer les hommes, et transformer les hommes pour changer le système. Sans doute est-il possible de soutenir que la construction d'une telle société, qui connaîtrait pleinement la légitimité du moment personnel, et donc de l'aspiration éthique, ne pourrait aboutir qu'à une certaine forme de démocratie travaillée par l'horizon commun d'une justice sans limites.

---

1. Toute la littérature des experts en développement est une longue lamentation sur cette absence cruelle de besoins dans les pays arriérés du Sud, qui fait obstacle à l'insertion dans les logiques marchandes. Pour accéder au bonheur moderne, il faut d'abord plonger les peuples archaïques dans le malaise, le manque et le mal-être, qui enclencheront la machine économique de l'accumulation.

ANNEXES

Annexe 1

Les faux problèmes de vocabulaire : « éthique », « déontologie », « morale » (et « axiologie ») d'une part, « éthique », « équité » et « justice » d'autre part

De quoi parlons-nous quand nous employons les mots « justice et éthique économiques » ? Liquidons, pour n'y plus revenir, la question terminologique à laquelle certains traités philosophiques consacrent de nombreuses pages.

La « déontologie » (littéralement, « science de ce qui convient ») est un concept forgé par Jeremy Bentham pour désigner, de la façon un peu pédante qu'il croyait scientifique, ce que la tradition appelait la « morale ». La « morale » elle-même (« science des mœurs ») est la traduction cicéronienne en latin de la forme grecque, l'« éthique » (« science du comportement »). Les trois termes, « éthique », « morale » et « déontologie », ont donc une même signification ou une même *dénotation*, mais des usages différents (et souvent contradictoires) leur ont donné des *connotations* variées et problématiques.

La déontologie désigne plus volontiers la codification des morales professionnelles : on parlera de la déontologie médicale, de celle des professeurs, des ingénieurs, des fonctionnaires, mais aussi des artisans, des employés ou des ouvriers. Les codes de bonne conduite et l'*éthique* des entreprises – des déclarations de bonnes intentions plus ou moins volontaires de certaines firmes aux règlements imposés au personnel – en font partie. Les prescriptions de ces morales « particulières » peuvent entrer en conflit avec des obligations éthiques plus générales. Il en est ainsi, par exemple, de la fameuse obligation de réserve des fonctionnaires quand elle amène à couvrir des agissements et des comportements franchement délictueux. Le journal *Libération* daté du 16 mai 2001 rapporte comment un policier qui a courageusement dénoncé le comportement raciste de ses collègues après l'interpellation musclée d'un jeune Maghrébin a été sanctionné par sa hiérarchie pour avoir « jeté le discrédit sur l'institution en manquant à l'obligation de réserve, violant le secret professionnel, s'impliquant personnellement dans une affaire » en prenant « l'initiative de le [la victime] faire examiner par un médecin légiste » et en se départissant « totalement de sa neutralité d'enquêteur au point de mettre la famille [...] en contact avec son propre avocat », selon les déclarations de l'IGPN (Inspection générale de la police nationale). Ce manquement déontologique est-il moralement condamnable [1] ?

L'« éthique » est souvent utilisée (et nous ne dérogerons pas à cette habitude) pour désigner le versant subjectif de la morale, tandis que celle-ci désignerait le côté objectif de l'éthique, mais l'inverse se rencontre aussi [2]. Quoi qu'il en soit, éthique, morale et déontologie sont étroitement liées à l'axiologie (la science des valeurs). Cette dernière se veut plus technique et entend discourir sur toutes les valeurs sans se prononcer sur celles que les sociétés ou les individus devraient privilégier. Il existe incontestablement des milieux qui valorisent le crime bien fait ou l'escroquerie parfaite, voire plus simplement l'égoïsme froid et calculateur. On hésite à parler d'éthique ou de morale pour désigner ces systèmes de valeurs, mais l'axiologie ne peut les négliger.

---

1. Le même journal, dans son édition du 17 octobre 2002, rapporte que deux archivistes sont toujours sanctionnés pour « délit d'obligation de secret » ; il leur est fait grief d'avoir transmis des copies des pièces relatives à l'ampleur du massacre des Algériens par la police parisienne à l'historien Jean-Luc Einaudi, poursuivi par Maurice Papon pour diffamation.

2. La tradition individualiste anglo-saxonne n'est pas étrangère à ce glissement sémantique.

La distinction entre « justice », « égalité » et « équité » donne lieu à des débats tout aussi abondants et stériles. Étymologiquement, « équité » et « égalité » sont rigoureusement synonymes. Quant à la « justice », elle consiste à rendre strictement son « dû » à chacun. Dans les *Institutes* de Justinien, la fonction du droit et de la justice est *suum cuique tribuere*, « rendre à chacun le *sien* ». Autrement dit : à chacun sa place [1]. L'égalité, avec tous les problèmes que pose cette notion, en constitue le nœud.

Depuis Aristote, il est d'usage de distinguer une justice corrective et une justice distributive. La première, égale pour tous, serait au cœur des sociétés démocratiques. La justice économique, celle qui préside aux échanges, distinguée à tort par saint Thomas d'Aquin sous le nom de « justice commutative », en fait partie. L'égalité y est conçue de façon horizontale ou mathématique, comme dans la loi du talion, sans considération du statut ou de la position des personnes. Le prix *correctif* d'un stationnement interdit est une amende de 15 euros pour Jean-Pierre, Jacques ou Lionel, comme le prix du kilo de tomates est le même pour tous les acheteurs du supermarché. Les instances chargées de rendre la justice doivent s'efforcer de faire prévaloir cette égalité dans les litiges entre citoyens comme dans ceux qui opposent les citoyens et l'État en tant que représentant de la société. Aristote oppose à cette justice corrective une justice distributive, moins familière à notre modernité dominée par un imaginaire démocratique réducteur pour lequel l'égalité tend à se ramener à l'identité. Or, pour rendre à chacun son dû, il faut aussi tenir compte de la différence d'état et de *situation* des personnes sinon la justice parfaite peut se transformer en son contraire, selon la formule de Cicéron : « *Summum jus, summa injuria* » (*De officiis*, I, 3). L'égalité est alors comprise de façon verticale.

L'imaginaire antique et médiéval était, à l'inverse du nôtre, familier de cette conception *inégalitaire* de l'égalité. Clavero en donne une heureuse formulation : « Il existait des égalités que l'on pouvait qualifier de proportionnelles : entre Dieu et

---

1. P. Legendre, *op. cit.*, p. 39.

les hommes, entre homme et femme, père et fils, clerc et laïc, chevalier et laboureur, citoyen et rustique, patron et facteur, seigneur et serviteur, etc. [...] Égalité et liberté étaient défendues de front : l'égalité entre les valeurs qui se négocient et s'échangent, la liberté des parties qui se font des cadeaux et se rendent des services. Elles articulent ensemble un système social [...]. La communauté s'engendrait elle-même : une communauté si librement inégalitaire qu'elle tenait ses proportions pour le canon de l'égalité elle-même [1]. »

Il faut bien se rendre compte que toute société – c'est là la rançon de son fondement holiste – se trouve confrontée au problème de la différence des personnes et des contextes dans la réalisation même d'une visée humaine de la justice. S'il est légitime de remettre en cause les échelles de valeurs d'antan, qui nous paraissent inacceptables et parfois monstrueuses, il serait déraisonnable d'escamoter la difficile question de la hiérarchie. Ainsi, si chacun doit contribuer aux charges de la République, ne convient-il pas que ce soit proportionnellement à ses ressources ? Le riche doit financer une part plus importante de l'entretien des routes, du fonctionnement de la police, de l'armée et de la justice, voire de l'éducation et de la santé, toutes choses dont il profite plus souvent que le pauvre. En conséquence, l'impôt proportionnel ou progressif réaliserait une sorte d'égalité différente, qui ne serait plus l'égalité mathématique simple mais une égalité proportionnelle du type $a/b = c/d$. Beaucoup d'auteurs préfèrent dans ce cas-là utiliser le terme « équité » plutôt que « justice » ou « égalité » [2]. Toutefois, on assiste alors à des dérives dangereuses. Le discours libéral invoque volontiers l'équité pour liquider l'égalité, compromettant ainsi la justice, tandis que le discours égalitaire, réduisant les différences à l'identité, écrase toute liberté et conduit au totalitarisme.

---

1. B. Clavero, *La Grâce du don : anthropologie catholique de l'économie moderne*, Albin Michel, 1996, p. 175.
2. Le droit romain tardif fait ainsi appel à l'équité jurisprudentielle pour tempérer la rigueur des lois fondée sur une justice commutative. F. Bellino, *op. cit.*, p. 32 et suivantes.

Comme on le voit dans les exemples choisis, l'économie a à voir avec les deux formes de justice, et pas seulement avec la justice corrective. La justice n'y est pas chose simple et soulève des problèmes ardus. Elle peut être comprise de manières différentes par les divers acteurs et les diverses sociétés en relation d'échange, et cela de façon tout à fait légitime. Il en résulte qu'il est très facile de brouiller les choses en usant de toutes sortes de sophismes, et les idéologues de l'économie ne s'en sont pas privés.

La morale et l'éthique, quant à elles, consistent à faire ou à réaliser le bien et à éviter le mal, soit, en première approximation, à vivre conformément à la justice. Toutefois, le bien et le mal ou le juste et l'injuste, varient en fonction des cultures, voire de la conscience de chacun. Le sens éthique des diverses parties influe sur la morale de la cité (ou sur celle des milieux plus restreints qui la composent éventuellement), et celle-ci à son tour ne peut manquer d'informer les idéaux éthiques de ses membres.

S'agissant de l'économie mondiale, il n'est pas évident de trouver un étalon moral qui fasse sens à la fois pour le paysan andin dont nous mangeons la quinoa, l'ouvrière philippine qui fabrique les chaussures que nous portons, le planteur ivoirien dont nous consommons le chocolat et la firme Microsoft qui nous fournit nos logiciels. La justice économique d'un système mondialisé requiert néanmoins de trouver une solution qui garantisse un ordre social satisfaisant pour tous. La diversité des cultures et des valeurs peut sembler rendre le problème inextricable. Pourtant, à la différence du l'universalisme qui nous enferme dans une impasse, cette diversité, source de malentendus, est peut-être une voie pour en sortir. L'interculturalité et une position « pluriversaliste » ne sont pas nécessairement incompatibles avec un commerce social paisible.

Annexe 2

Le diabolique docteur de paradoxes [1]

Il est impossible, s'agissant de Bernard de Mandeville, d'entrer dans l'intelligence de l'œuvre sans connaître un tant soit peu l'homme étonnant qui l'a produite. Hollandais de naissance (il est né en 1670), mais sans doute d'ascendance française, « Bernard Mandeville », comme il se désigne lui-même en abandonnant la particule, est le descendant d'une dynastie de médecins. Médecin à son tour, il s'installe en Angleterre en 1694, semble-t-il, année de son mariage à Londres. Spécialiste des maladies nerveuses, il publie en 1711 un *Traité des passions hypocondriaques et hystériques*. Il maîtrise l'anglais en un temps record (moins de trois mois), au point de traduire dans cette langue et en vers les principales fables de La Fontaine en 1703.

En 1705, il publie « La ruche contente ou les coquins devenus honnêtes », une fable de 433 octosyllabes qui constitue le premier noyau de sa thèse sur la prospérité du vice et l'infortune de la vertu. En 1714, cette première version est incorporée dans son grand ouvrage, *La Fable des abeilles, ou les vices privés font le bien public*. Un second tirage de la même année porte un sous-titre additionnel plus explicite encore sur le contenu : « Les défauts des hommes, dans l'humanité dépravée, peuvent être utilisés à l'avantage de la société civile et on

---

1. Cette présentation reprend pour l'essentiel notre contribution à A. Caillé *et al.*, *Histoire raisonnée de la philosphie morale et politique : le bonheur et l'utile*, La Découverte, 2001.

peut leur faire tenir la place des vertus morales. *Lux e tene-*
bris ». Tout est dans ce « faire tenir la place ».

Ce n'est qu'en 1723, avec la deuxième édition, qu'éclate
véritablement le scandale. Il est déclenché par l'ajout d'un
essai sur la charité, dans lequel le moraliste dénonce les écoles
pour les enfants des pauvres, instituées par de riches bienfaiteurs philanthropes. Ces écoles, selon Mandeville, sont nuisibles à la prospérité publique car elles constituent une entrave
aux lois du marché. De plus, les vertus des bonnes âmes qui
les financent sont suspectes. Le désir de gloire, la vanité terrestre et l'ostentation y ont plus de part que la véritable charité
chrétienne. Il s'agit déjà d'une attaque en règle, anticipant
Hayek, de ce que l'on appellera au xixe siècle l'« économie
sociale ».

Condamné une première fois en 1723 par le grand jury du
Middlesex, puis à nouveau en 1728, Mandeville, qui bénéficie
de puissantes protections, persiste et signe. Les rééditions nombreuses de son essai témoignent d'un succès croissant que les
traductions élargissent au continent (la traduction française
paraît en 1740 ; elle est mise à l'index et brûlée par le bourreau
en 1745).

En 1729, il publie la seconde partie de la fable, sous forme
d'un dialogue entre Cléomène, l'auteur lui-même, et Horace,
un ami admirateur du système optimiste et béat d'Anthony
Shaftesbury, le maître de Francis Hutcheson, lui-même inspirateur d'Adam Smith. Il y entreprend d'expliquer et de justifier
ses thèses. Notons qu'il introduit une distinction entre l'amour-
propre (*self-liking*, néologisme dont il revendique la discutable
paternité) et l'amour de soi *(self-love)*, proche de l'instinct de
conservation. Cette distinction, appelée à devenir célèbre avec
Jean-Jacques Rousseau, n'a pas chez Mandeville une très
grande portée. L'amour de soi est tout aussi opposé à la véritable vertu que l'amour-propre, mais il est utile et peut ainsi,
en tant qu'intérêt « éclairé » ou « bien compris », engendrer le
bien-être général.

Le « diabolique » docteur – sobriquet dont on l'affuble et
auquel son nom se prête *(man-devil)* – poursuit sa carrière de
grand pourfendeur de l'hypocrisie et de la fausse morale en

publiant une apologie des maisons de joie en 1729. Selon lui, une prostitution réglementée et organisée serait source de nombreux bienfaits. Il préconise aussi une réforme des systèmes criminel et pénitentiaire dans un sens utilitariste qui annonce Jeremy Bentham.

On a souvent présenté ce moraliste ambigu comme étant lui-même un tartufe. Benjamin Franklin, qui le rencontre en 1715, le décrit en effet comme « le compagnon le plus facétieux et le plus amusant ». Pourtant, il semble bien que cet augustinien aussi extrême que Pascal ait été un rigoriste authentique, dans la lignée de ces moralistes français qu'il traduit, imite et répand en Angleterre (en particulier le duc de La Rochefoucauld). Il s'élève fortement contre l'usage de gin et d'alcool, source d'immoralité ; mais, toujours paradoxal, il souligne, certes à regret, les bénéfices que le commerce retire de ce vice : « Le blasphème et l'ivrognerie sont des péchés scandaleux parmi les marins, et ce serait à mon avis une bénédiction pour la nation, et bien désirable, si c'était possible, de les en corriger. Mais tout ce temps il nous faut des marins ; et si on ne devait pas admettre à bord des navires du roi personne qui eût juré plus de mille jurons ou qui eût été saoule plus de dix fois dans sa vie, je suis bien sûr que la marine aurait beaucoup à souffrir de cette règle pleine de bonne intention [1]. » Pour comble, cet intégriste anti-alcool n'en est pas moins un bon vivant dont chacun se plaît à souligner la gaieté. En bref, un fanatique de l'austérité qui vit en parfait épicurien... Mais cela n'exclut pas un fort sentiment de culpabilité : il se sent maussade, irrésolu, et pour tout dire *heautontimoroumenos* (c'est-à-dire masochiste). Disons que, à traquer l'hypocrisie là où elle n'est pas nécessairement et à vouloir utiliser les défauts de l'humanité dépravée pour « leur faire tenir la place des vertus morales », il n'échappe pas lui-même à ce qu'il dénonce, une certaine morale du semblant qui sera aussi très présente dans le puritanisme (voir les déclarations explicites d'un Benjamin Franklin, par exemple).

---

1. B. Mandeville, *op. cit.*, t. 2, p. 275.

Incontestablement cynique, il pousse la lucidité et l'acuité d'un regard pascalien à son point extrême dans une Angleterre que le capitalisme industriel naissant plonge dans une prospérité inouïe et anarchique, à la différence de la France, ruinée à la fin du règne de Louis XIV.

Annexe 3

Le champ sémantique de l'économie

L'univers mental implicite, souche nourricière de la vision économique, qui rend pertinent le fonctionnement de l'économie comme pratique et la donne à voir comme réalité naturelle, s'organise autour de trois niveaux interdépendants : un niveau anthropologique, un niveau sociétal, un niveau physico-technique. Ce dernier se présente comme le premier et la base de l'ensemble dans l'idéologie économique. Toutefois, la déconstruction du dispositif discursif le révèle comme un *effet d'optique* des deux autres. Il est artificiellement créé par eux. C'est de l'intérieur de la vision économique que la « nature » se présente comme le fondement premier.

1. Le *niveau anthropologique* concerne la conception de l'homme sous-tendue par l'économie : l'*Homo œconomicus*. Cette conception est marquée par trois dimensions : le naturalisme, l'hédonisme et l'individualisme. Le *naturalisme* est la croyance selon laquelle l'homme a une nature et que celle-ci est « naturelle ». Il a donc, par nature, des *besoins* déterminés. Ce naturalisme est aussi un fonctionnalisme. L'*hédonisme* est la croyance selon laquelle le comportement humain obéit à la recherche du plaisir et à la fuite de la douleur. L'homme serait capable de faire le calcul de ses plaisirs et de ses peines. Cette vision a été développée et poussée à l'extrême au XVIIIe siècle, en particulier par l'utilitarisme moderne de Jeremy Bentham. L'*atomisme social* ou l'*individualisme* désigne la croyance selon laquelle l'homme naît comme individu ou atome du corps social. La société est donc seconde par rapport à ses

éléments. Elle est constituée d'une association d'atomes individuels.

2. Le *niveau sociétal ou socio-politique* concerne la conception de la société ou la sociologie implicite de l'économie. Cette conception peut, elle aussi, être caractérisée par trois dimensions : le contractualisme, l'intérêtisme et le privatisme. Le *contractualisme* est la croyance selon laquelle l'État-société comme organisme social et politique résulte d'un contrat passé entre les individus. Il s'est imposé en Europe à l'âge classique avec Thomas Hobbes, John Locke et Jean-Jacques Rousseau. L'*intérêtisme* est la croyance selon laquelle l'association des hommes est intéressée. Sa finalité n'est pas seulement la sécurité et la paix, mais aussi le plus grand bonheur possible. C'est une association à but lucratif. La division, l'organisation du travail et la coopération instituent et constituent une société civile pour remplir cet objet. Le *privatisme* est la croyance selon laquelle l'homme est propriétaire de la nature, qu'il a la mission d'en être maître et dominateur. Cela se traduit notamment par la reconnaissance juridique de la propriété privée, ou appropriation privative, comme fondement de l'État de droit et source de toutes richesses (John Locke). La brevetabilité actuelle du vivant est dans la droite ligne de cette croyance.

3. Le *niveau physico-technique* concerne la conception de la nature reconstruite à partir des deux autres niveaux. On peut caractériser celle-ci par trois traits : la rareté, le technicisme et le travaillisme. La *rareté* pointe la conviction selon laquelle la nature est avare : les objets de la satisfaction des besoins ne sont pas donnés, et les moyens pour les obtenir ne sont pas abondants. Il faut donc produire[1]. Le *technicisme* est la croyance selon laquelle l'homme doit user de sa force physique et de son ingéniosité pour tirer parti des moyens (la terre, les matières premières, les forces naturelles). Le calcul technique et le calcul économique sont fondés en tant que nécessité pour combiner ces moyens et exigences de la situation de l'homme dans la nature. Le *travaillisme* désigne l'exaltation d'une trans-

---

1. Dans le même temps, la nature est sans valeur et constitue un réservoir illimité, ce qui va poser des problèmes sérieux pour l'environnement.

formation laborieuse et obligée de la nature. L'appropriation de la nature pour la transformer et l'adapter à nos besoins, c'est le travail. Le travail est ainsi la source mythique de la privatisation de la nature.

Cette vision de l'homme, de la société et de la nature qui prend place entre la Renaissance et les Lumières donne sens à l'ensemble des catégories économiques et les fait apparaître comme une évidence descriptive. Toutefois, il s'agit d'une sphère de significations parfaitement autoréférentielle. Ainsi, la *production* est le fruit du *travail* appliqué à la nature pour satisfaire les *besoins* ; la *division du travail* est la combinaison de l'ingéniosité appliquée à la *production* ; l'*échange* est la conséquence nécessaire de la *division du travail*, pour permettre à chaque individu de satisfaire ses besoins. Le *troc*, suite normale de l'*échange*, est le point de départ de la genèse de la monnaie. La *monnaie* est la conséquence de l'échange, par spécialisation fonctionnelle d'une marchandise. Le *salaire* enfin consiste dans l'échange de la *force de travail* contre des *moyens de subsistance*, pour ceux qui n'ont pas la *propriété* de moyens de production ; c'est donc le *prix* du travail, sous sa forme monétaire. On pourrait prolonger la démonstration à partir des vingt ou trente concepts significatifs de la théorie économique. Retenons que ce n'est ni la « réalité » naturelle ni la réalité matérielle qui imposent et déterminent ce cadre, pas plus qu'un choix conventionnel. Même si cette construction de sens est le fruit d'usages, de représentations et de conventions inscrits dans une histoire séculaire, c'est l'imaginaire structurant de la modernité. Ce résultat remarquable n'a été possible à obtenir que grâce à un travail historique long, patient, complexe et prodigieux : la mise en place des présupposés *idéologiques* d'aperception du monde sous la forme du triangle naturalisme/hédonisme/individualisme [1].

---

1. Notons que l'une des bases de ce triangle n'est autre que cette croyance clef de la métaphysique occidentale qui scinde l'être entre matière et esprit. La croyance en l'existence d'un monde matériel et en son autonomie trouve en effet son accomplissement dans l'économie, conçue alternativement et complémentairement comme écologie humaine ou comme axiomatique de l'intérêt. Nous nous permettons de renvoyer sur ce

Les deux « paradigmes » (ou modèles) de la science économique, le modèle classique et le modèle néoclassique, s'enraci-
nent bien dans ce terreau commun. Pour les classiques,
l'économie politique est la recherche des *lois* de la *reproduction* de la base *matérielle* de la société par la production, la
répartition, la distribution et la consommation des « richesses »
(tout ce qui satisfait les besoins de la consommation et de la
production...). La « naturalité » de ces lois résulte du fonctionnement logique et mécanique du modèle dans le cadre de ses
présupposés. Leur existence même démontre l'*harmonie naturelle des intérêts* et, par conséquent, le bien-fondé du cadre qui
repose sur elle. Pour les néoclassiques, le champ de l'économie
n'a plus de contenu spécifique, toute relation, objet de calcul,
fait partie de *droit* du champ économique. La science économique est la recherche des lois de l'allocation des ressources
rares à usage alternatif. Il s'agit d'une *axiomatique* de la vie
sociale et de l'action rationnelle. Toutefois, le résultat est un
état d'équilibre interindividuel « naturel » et optimal. Le
dogme de l'harmonie naturelle des intérêts en sort confirmé.

sujet à notre livre *L'Invenzione dell'economia*, *op. cit.* L'introduction a été
publiée en français sous le titre « La construction de l'imaginaire économique », dans *Vie et Sciences économiques*, 1994.

Bibliographie

AIME, Marco, *La Casa di nessuno*, Turin, Bollati Boringhieri, 2002.

AKERLOF, Georges, « Labor contracts as partial gift exchange », *Quaterly Journal of Economics*, 1982.

AMSELLE, Jean-Loup, *Branchements : anthropologie de l'universalité des cultures*, Flammarion, 2001.

ARENDT, Hannah, *Eichmann à Jérusalem : rapport sur la banalité du mal*, Gallimard, 1997.

ARGHIRI, Emmanuel, *L'Échange inégal*, Maspero, 1969.

ARISTOTE, *Éthique à Nicomaque*, Vrin, 1972.

AUBERTIN, Catherine, « Johannesburg : retour au réalisme commercial », *Écologie et Politique*, n° 26, 2002.

AUDI, Paul, *Supériorité de l'éthique : de Schopenhauer à Wittgenstein et au-delà*, PUF, 1999.

AZAM, Geneviève, « De l'économie sociale au tiers-secteur. Les théories économiques à l'épreuve de la coordination marchande », thèse soutenue à l'université de Toulouse, 2001.

—, « Économie sociale : quel pari ? », *Économie et Humanisme*, n° 347, décembre 1998-janvier 1999.

BAIROCH, Paul, *The Economic Development of the Third World since 1900*, Londres, Methuen, 1975.

BARCELLONA, Pietro, *Dallo stato sociale allo stato immaginario : critica della « ragione funzionalista »*, Turin, Bollati Boringhieri, 1994.

BARRILLON, Michel, *ATTAC : encore un effort pour réguler la mondialisation !?*, Climats, 2001.

BASTIAT, Frédéric, *Harmonies économiques* (1849), Guillaumin, 6ᵉ édition, 1870.

BECKER, Gary, « Altruism in the family and selfishness in the market place », *Economica*, vol. 48, février 1981.

BELLINO, Francesco, *Giusti e Solidali : fondamenti di etica sociale*, Rome, Dehoniane, 1994.

BENOIST, Alain de, « Quand triomphent l'économie et la morale, la politique est-elle encore possible ? », *Éléments*, n° 105, juin 2002.

BERNANOS, Georges, *La France contre les robots*, Le Livre de poche, 1999.

BERTRAND, Agnès, et KALAFATIDES, Laurence, *OMC, le pouvoir invisible*, Fayard, 2002.

BEZIADE, Monique, *La Monnaie et ses mécanismes*, La Découverte, 1995.

BLOCH-LAINÉ, François, « Le fait associatif est-il de lui-même porteur de démocratie ? », *Économie et Humanisme*, n° 332, 1995.

BLUM, William, *L'État voyou*, Parangon, 2002.

BOLOGNA, Gianfranco (dir.), *Italia capace di futuro*, Bologne, WWF-EMI, 2001.

BONAÏUTI, Mauro, « À la conquête des biens relationnels », *Silence*, n° 280, février 2002.

BONSACK, François, *Symposium : spéculation financière et économie productive*, Institut de la méthode, août 1995.

BRY, Françoise de, « L'entreprise et l'éthique », *Gazette du palais*, n°ˢ 355-356, 22 décembre 2001.

—, « Le paternalisme entrepreneurial, égoïsme éclairé ou altruisme rationnel ? », *in* F.-R. Mahieu et H. Rapoport (dir.), *Altruisme : analyses économiques*, Economica, 1998.

BUCI-GLUCKSMANN, Christine, « La troisième critique d'Arendt », *in Ontologie et Politique : Hannah Arendt*, Deuxtemps Tierce, 1989.

BURET, Eugène, *De la misère des classes laborieuses en Angleterre et en France*, Paulin, 1840.

BUTLER, Rex, « Acheter le temps », *Traverses*, n°ˢ 33-34 : *Politique fin de siècle*, 1982.

CAILLÉ, Alain, « Décalogue éthico-politique à l'usage des modernes », *Revue du MAUSS*, La Découverte, n° 20, 2ᵉ semestre 2002.

— *et al.*, *Histoire raisonnée de la philosophie morale et politique : le bonheur et l'utile*, La Découverte, 2001.

—, *Le Paradigme du don*, Desclée de Brouwer, 2000.

—, « Critique de la raison libérale critique », in *Splendeurs et Misères des sciences sociales : esquisse d'une mythologie*, Droz, 1986.

CAREY, Henri Charles, *Principles of Political Economy* (1837-1840), trad. fr. : *Principes de la science sociale* (1861).

CARRIVE, Paulette, *Bernard Mandeville : passions, vices, vertus*, Vrin, 1980.

CASSEN, Bernard, « Inventer ensemble un protectionnisme altruiste », *Le Monde diplomatique*, février 2000.

CASTORIADIS, Cornélius, *Les Carrefours du labyrinthe*, t. 4 : *La Montée de l'insignifiance*, Seuil, 1996.

CHANIAL, Philippe, *Justice, don et association : la délicate essence de la démocratie*, La Découverte, 2001.

CLAIRMONT, Frédéric, « Le goulag économique. Sortir de l'imposture économique », in *Actes du colloque de Lyon 1997*, La Ligne d'horizon.

CLAVERO, Bartolomé, *La Grâce du don : anthropologie catholique de l'économie moderne*, Albin Michel, 1996.

COBB, C., HALSTEAD, T., ROWE, J., *The Genuine Progress Indicator : Summary of Data and Methodology*, San Francisco, Redefining Progress, 1995.

—, « If the GDP is up, why is America down ? », *Atlantic Monthly*, n° 276, octobre 1995.

COLLIN, Françoise, « Du privé et du public », *Les Cahiers du GRIF, Spécial Hannah Arendt*, Deuxtemps Tierce, 1986.

CORDONNIER, Laurent, *Pas de pitié pour les gueux : sur les théories économiques du chômage*, Raisons d'agir, 2000.

DECAILLOT, Maurice, *Demain l'économie équitable : bases, outils, projets*, L'Harmattan, 2001.

DESJOURS, Christophe, *La Souffrance en France, ou la Banalisation de l'injustice sociale*, Seuil, 1998.

DRAPERI, Jean-François, « De nouvelles relations entre l'économie et la société », *RECMA*, nᵒˢ 275-276, 2000.

DUCLOS, Denis, « La cosmocratie, nouvelle classe planétaire », *Le Monde diplomatique*, août 1997.

DUMAS, Alexandre, *Ange Pitou*, in *Œuvres complètes*, A. Le Vasseur et Cie, t. 6, s.d.

DUMAY, Jean-Michel, « Enseigner l'éthique des affaires », *Le Monde*, 27 septembre 1994.

DUMONT, Louis, préface à Karl Polanyi, *La Grande Transformation : aux origines politiques et économiques de notre temps*, Gallimard, 1983.

DUNLAP, Albert J., avec ANDELMAN, Bob, *MEAN Business : How I Save Bad Companies and Make Good Companies Great*, New York, Times Books, 1996.

DUNOYER, Charles, *De la liberté du travail* (1849), Liège, Librairie Leroux.

DUPUY, Jean-Pierre, *Le Sacrifice et l'Envie : le libéralisme aux prises avec la justice sociale*, Calmann-Lévy, 1992.

Économie domestique, Hatier, 1930.

EME, Bernard, « Les associations ou les tourments de l'ambivalence », *in* Jean-Louis Laville *et al.*, *Association, démocratie et sociétés civiles*, La Découverte-MAUSS-CRIDA, 2001.

—, « L'économie sociale, entre fonctionnalité et autonomie de projet », *Économie et Humanisme*, nᵒ 347, décembre 1998-janvier 1999.

ENJOLRAS, Bernard, « Crise de l'État-providence, lien social et associations : éléments pour une socio-économie critique », *Revue du MAUSS*, La Découverte, nᵒ 11, 1ᵉʳ semestre 2000.

EVEN-GRANBOULAN, Geneviève, *Éthique et Économie*, L'Harmattan, 1998.

EWALD, François, *L'État-Providence*, Grasset, 1986.

FACCARELLO, Gilbert, *Pierre de Boisguilbert : aux origines de l'économie politique libérale*, Anthropos, 1987.

FARRACHI, Armand, « Silence, on souffre ! Pitié pour la condition animale », *Le Monde diplomatique*, août 2001.

FAVRE, Daniel, et FOUCOU, Philippe, « La crise économique : un problème d'économie ou d'épistémologie ? », *in* F. Bonsack,

Symposium : spéculation financière et économie productive, Institut de la méthode, août 1995.

FERNANDEZ, Dominique, et FERRANTI, Ferrante, *L'Or des tropiques : promenades dans le Portugal et le Brésil baroques*, Grasset, 1993.

FONTENELLE, Bernard Le Bovier de, *Entretiens sur la pluralité des mondes habités* (1686).

FOTOPOULOS, Takis, *Vers une démocratie générale : une démocratie directe, économique, écologique et sociale*, Seuil, 2002.

FOTTORINO, Éric, GUILLEMIN, Christophe, ORSENNA, Erik, *Besoin d'Afrique*, Fayard, 1992.

FRANQUEVILLE, André, *Du Cameroun à la Bolivie : retours sur un itinéraire*, Karthala, 2000.

FRIEDMAN, Milton et FRIEDMAN, Rose, *Free to Choose*, Harmondsworth, Penguin Books, 1983.

FRIEDMAN, Milton, *New York Times*, 13 septembre 1970.

GAMBINO, Antonio, *L'Imperialismo dei diritti umani : caos o giustizia nella società globale*, Rome, Editori Riuniti, 2001.

GAUMONT, J., *Histoire générale de la coopération en France*, Fédération nationale des coopératives de consommation, 1923.

GEFFROY, Laurent, *Garantir le revenu : histoire et actualité d'une utopie concrète*, La Découverte, 2002.

GÉLINIER, Octave, *L'Éthique des affaires : halte à la dérive*, Seuil, 1991.

GÉRANDO, Jean-Marie de, *Le Visiteur du pauvre* (1820), *Les Cahiers de Gradhiva*, Éd. Jean-Michel Place, n° 15, 1991.

GESELL, Silvio, *L'Ordre économique naturel*, Bruxelles, Vromant, 1918.

GESUALDI, Francesco, *Manuale per un consumo responsabile : dal boicottaggio al commercio equo e solidale*, Milan, Feltrinelli, 1999.

GHERARDI, Sophie, « Inde : du non-alignement au libre-échange », *Le Monde*, 26 novembre 1993.

GIDE, Charles, *Le Programme coopératiste et l'Économie politique libérale*, Association pour le développement de la coopération, 1923-1924.

GILDER, George, *Richesse et Pauvreté*, Albin Michel, 1981.

GODBOUT, Jacques, *Le Don, la dette et l'identité : Homo donator vs homo œconomicus*, La Découverte, 2000.

GOUX, Jean-Joseph, « La monnaie ou l'argent », *in* Serge Latouche (dir.), *L'Économie dévoilée : du budget familial aux contraintes planétaires*, Autrement, 1995.

—, « L'utilité, équivoque et démoralisation », *Revue du MAUSS*, La Découverte, n° 6, 2e semestre 1995.

GRÉVIN, José et Chantal, « Libres de donner. L'économie de communion », *Feu et Lumière*, n° 181.

GUINGANE, Jean-Pierre, « Le marché africain comme espace de communication », conférence-débat, document personnel.

HABEL, J., « L'OMC ou la déraison du plus fort », *Le Monde*, 23 mai 1997.

HALÉVY, Elie, *La Formation du radicalisme philosophique*, PUF, 1995.

HARRIBEY, Jean-Marie, *La Démence sénile du capital : fragments d'économie critique*, Éd. du Passant, 2002.

—, postface *in* Jacques Nikonoff, *La Comédie des fonds de pension*, Arléa, 1999.

—, « Répartition ou capitalisation, on ne finance jamais sa propre retraite », *Le Monde*, 3 novembre 1998.

HÉNAFF, Marcel, *Le Prix de la vérité : le don, l'argent, la philosophie*, Seuil, 2002.

HIRSCHMAN, Albert O., *Les Passions et les Intérêts : justifications politiques du capitalisme avant son apogée*, PUF, 1980.

HOTTOIS, Gilbert, « Jeux de langage et pratiques technoscientifiques. La science postmoderne », in *Richard Rorty : ambiguïtés et limites du postmodernisme*, Vrin, 1994.

HOURS, Bernard, *L'Idéologie humanitaire ou le Spectacle de l'altérité perdue*, L'Harmattan, 1998.

HUGUES, Philippe d', *L'Envahisseur américain : Hollywood contre Billancourt*, Favre, 1999.

HUME, David, *Sur le raffinement des arts* (1741).

IACONO, Alfonso M., *Tra individui et cose*, Rome, Manifestolibri, 1995.

INDELLICATO, Michele, *La Persona e l'Impegno etico : Mounier e le sfide della complessità. Ethos 21*, Bari, Levante Editori, 2001.

JOFFRIN, Laurent, « Messier-Minc : capitalistes de tous les pays... », *Le Nouvel Observateur*, 14-20 septembre 2000.

JONAS, Hans, *Le Principe responsabilité : une éthique pour la civilisation technologique*, Cerf, 1997.

JOURDAIN, Stéphène, et DURIEUX, Albert, *L'Entreprise barbare*, Albin Michel, 1999.

KANT, Emmanuel, *Fondements de la métaphysique des mœurs*, Vrin, 1992.

—, *Critique de la raison pratique*, Félix Alcan, 1906.

KARAHASAN, Dzevad, *Il Centro del mondo*, Milan, Il Saggiatore, 1995.

KEYNES, John Maynard, *La Pauvreté dans l'abondance*, Gallimard, 2002.

—, *Théorie générale de l'emploi, de l'intérêt et de la monnaie*, Payot, 1959.

LAACHER, Smaïn, « Solidarités informelles. Les deux monnaies des systèmes d'échange local », rapport au ministère de la Culture, janvier 2001.

LABARDE, Philippe, et MARIS, Bernard, *Malheur aux vaincus : ah ! si les riches pouvaient rester entre riches*, Albin Michel, 2002.

LA CECLA, Franco, *Le Malentendu*, Balland, 2002.

LACROIX, Jean, *Force et Faiblesse de la famille*, Seuil, 1957.

LAÏDI, Zaki, « Mondialisation : entre réticences et résistances », *Revue du MAUSS*, La Découverte, n° 20, 2e semestre 2002.

LA METTRIE, Julien Offray de, *L'Homme-Machine* (1737).

LAPIERRE, Nicole, « L'illusion des cultures pures », *Le Monde*, 4 mai 2001.

LASH, Christopher, *La Société du narcissisme*, Climats, 2000.

LATOUCHE, Serge, « Éthique et économie », *Gazette du palais*, nos 355-356, 22 décembre 2001.

—, *La Déraison de la raison économique : du délire d'efficacité au principe de précaution*, Albin Michel, 2001.

—, *L'Invenzione dell'economia*, Bologne, Arianna Editrice, 2001.

—, « Mandeville ou le tournant de la philosophie morale occidentale », repris *in* A. Caillé *et al.*, *Histoire raisonnée de la philosophie morale et politique : le bonheur et l'utile*, La Découverte, 2001.

—, « L'économie est-elle morale ? », *Revue du MAUSS*, La Découverte, n° 15, 1ᵉʳ semestre 2000.

—, « De l'éthique sur l'étiquette au juste prix. Aristote, les SEL et le commerce équitable », *Revue du MAUSS*, La Découverte, n° 15, 1ᵉʳ semestre 2000.

—, « Le retour de l'ethnocentrisme. Purification ethnique *versus* universalisme cannibale », *Revue du MAUSS*, La Découverte, n° 13, 1ᵉʳ semestre 1999.

—, *L'Autre Afrique : entre don et marché*, Albin Michel, 1998.

—, « La monnaie au secours du social ou le social au secours de la monnaie : les SEL et l'informel », *Revue du MAUSS*, La Découverte, n° 9, 1ᵉʳ semestre 1997.

—, « La mondializzazione contro l'etica », in *Miseria della mondializzazione*, Rome, Strategia della Lumaca, 1997.

—, Colloque Louvain-la-Neuve, in *L'Éthique de l'espace politique mondial*, Bruxelles, Bruylant, 1997.

—, « La mondialisation contre l'éthique », *Agone*, n° 16 : « Misère de la mondialisation », 1996.

—, « Augustinisme et utilitarisme : le retournement éthique de l'*amor sui* », colloque de Lille des 25 et 26 janvier 1996 (actes à paraître).

—, « Utilitarisme noble et anti-utilitarisme des nobles : l'ambiguïté du duc de La Rochefoucauld », *Revue du MAUSS*, La Découverte, n° 6, 1995.

–, « L'éthique contre l'esthétique », *Revue du MAUSS*, La Découverte, n° 8, 2ᵉ trimestre 1990.

—, « Éthique et esprit scientifique », *L'Homme et la Société*, vol. 2, n° 84, 1987.

—, « De la signification éthique du développement. Une réflexion sur le processus économique » (séminaire Waigani, *The Ethics of Development*, Port Moresby, 11 septembre 1986), *Bulletin du MAUSS*, n° 24, décembre 1987.

Lavergne, Bernard, « L'École coopérative par rapport à la doctrine libérale », *Revue d'économie coopérative*, n° 85, décembre 1951.

LAVILLE, Jean-Louis, *et al.*, *Association, démocratie et sociétés civiles*, La Découverte-MAUSS-CRIDA, 2001.

LEGENDRE, Pierre, *Leçons*, t. IV, 1 : *L'Inestimable Objet de la transmission : étude sur le principe généalogique en Occident*, Fayard, 1985.

LEROUX, Pierre, in « Trente-cinq années de colloques sur le socialisme républicain de Pierre Leroux aux dreyfusards », *Le Bulletin des amis de Pierre Leroux*, Aix-en-Provence, n° 14, 1998.

LESER, Éric, « Haliburton, le problème de Dick Cheney », *Le Monde*, décembre 2002.

LEVASSEUR, E., *Histoire des classes ouvrières et de l'industrie en France de 1789 à 1870*, Arthur Rousseau, 2e édition, 1904.

LÉVINAS, Emmanuel, *Entre nous : essais sur le penser-à-l'autre*, Grasset, 1991.

LÉVI-STRAUSS, Claude, *Anthropologie structurale*, Plon, t. 2, 1973.

LIST, Friedrich, *Système national d'économie politique*, Gallimard, 1998.

LORDON, Frédéric, *Fonds de pension, piège à cons : mirage de la démocratie actionnariale*, Raisons d'agir, 2000.

LOVELOCK, James, *Le Nuove Età di Gaia : una biografia del nostro mondo vivente*, Turin, Bollati Boringhieri, 1991.

—, *La Terre est un être vivant : l'hypothèse Gaïa*, Éd. du Rocher, 1989.

LYOTARD, Jean-François, « Le survivant », in *Ontologie et Politique : Hannah Arendt*, Deuxtemps Tierce, 1989.

MACFIE, A., « The invisible hand of Jupiter », *Journal of the History of Ideas*, n° 4, 1971.

MADDISON, Angus, *L'Économie mondiale : une perspective millénaire*, OCDE, 2001.

MAHIEU, François-Régis, et RAPOPORT, Hillel (dir.), *Altruisme : analyses économiques*, Economica, 1998.

MAHIEU, François-Régis, *Éthique économique : fondements anthropologiques*, L'Harmattan, 2001.

MAILLARD, Jean de, *Le marché fait sa loi : de l'usage du crime par la mondialisation*, Mille et Une Nuits, 2001.

MALINOWKSI, Bronislaw, *Les Argonautes du Pacifique occidental*, Gallimard, 1963.

MANDEVILLE, Bernard, *La Fable des abeilles*, t. 1 et 2, Vrin, 1988 et 1991.

MARTIN, Hervé René, *La Mondialisation racontée à ceux qui la subissent*, Climats, 1999.

MARX, Karl, *Le Capital*, t. III, livre I, Éd. sociales, 1950.

MASULLO, Andrea, *Il Pianeta di tutti : vivere nei limiti perchè la terra abbia un futuro*, Bologne, EMI, 1998.

MATTELARD, Armand, « Multimédia et communication à usage humain », *Dossier pour un débat*, fondation pour le progrès de l'homme, n° 56, 1996.

—, *Multinationales et Systèmes de communication*, Anthropos, 1976.

MERCIER, Samuel, *L'Éthique dans les entreprises*, La Découverte, 1999.

MESAROVIC, Mihaljo, et PESTEL, Eduard, *Strategie per sopravvivere*, Milan, Mondadori, 1974.

MESSIER, Jean-Marie, « Vivre la diversité culturelle », *Le Monde*, 10 avril 2001.

MICHÉA, Jean-Claude, *Impasse Adam Smith : brèves remarques sur l'impossibilité de dépasser le capitalisme sur sa gauche*, Climats, 2002.

MILL, John Stuart, *De la liberté*, Gallimard, 1990.

MONTELEONE, Renato, *Le Radici dell'odio : Nord e Sud a un bivio delle storia*, Bari, Dedalo, 2002.

MONTESQUIEU, Charles de, *De l'esprit des lois*, in *Œuvres complètes*, Gallimard, coll. « Bibliothèque de la Pléiade », t. 2, 1951.

MOUSSE, Jean, « Éthique et profit aujourd'hui », *Revue française de gestion*, n° 112, janvier-février 1997.

MOUVEMENT DES FOCOLARI, *Économie de communion : dix ans de réalisations*, Nouvelle Cité, 2001.

MOYA, Ismael, *Démesure, jeu et ironie : argent et don au féminin à Dakar*, document EHESS, 2002.

MUMFORD, Lewis, *Le Mythe de la machine*, t. 2 : *Le Pentagone de la puissance*, Fayard, 1974.

NICOLAS, Guy, *Don rituel et Échange marchand dans une société sahélienne*, Institut d'ethnologie, 1986.

NORBERG-HODGE, Helena, *Quand le développement crée la pauvreté : l'exemple du Ladakh*, Fayard, 2002.

OLIVIER DE SARDAN, Jean-Pierre, « L'économie morale de la corruption en Afrique », *Politique africaine*, Karthala, n° 63, octobre 1996.

PANIKKAR, Raimundo, « Les fondements de la démocratie », *Interculture*, Montréal, n° 136, avril 1999.

PASSET, René, *Éloge du mondialisme par un « anti » présumé*, Fayard, 2001.

—, *L'Illusion néo-libérale*, Fayard, 2000.

PATAR, Benoît, « Le juste prix ? », *Catholica*, automne 1998.

PERROT, Jean-Claude, *Une histoire intellectuelle de l'économie politique : XVIIe-XVIIIe siècle*, EHESS, 1992.

PERROT, Marie-Dominique, « Les empêcheurs de développer en rond », *Ethnies*, vol. 6, n° 13, 1991.

PIERONI, Osvaldo, *Fuoco, Acqua, Terra e Aria : lineamenti di una sociologia dell'ambiente*, Rome, Carocci, 2002.

PIETTRE, André, *Pensée économique et Théories contemporaines*, Dalloz, 1959.

PLASSARD, François, *Le Développement durable et le Temps choisi*, document personnel.

POLANYI, Karl, *La Grande Transformation : aux origines politiques et économiques de notre temps*, Gallimard, 1983.

POSTMAN, Neil, *Technopoly : The Surrender of Culture to Technology*, New York, A. Knopf, 1992.

PRAT, Frédéric, « Europe et OGM : Bruxelles, le passage en force », *Courrier de l'environnement de l'INRA*, n° 46, juin 2002.

PRIMAVERA, Heloisa, « Les réseaux de troc en Argentine », in *Défaire le développement, refaire le monde*, Parangon, 2002.

Quand l'entreprise apprend à vivre : une expérience inspirée du compagnonnage dans un réseau d'entreprises alternatives et solidaires, Éd. Charles Léopold Mayer, 2002.

RAINELLI, Michel, *Le GATT*, La Découverte, 1993.

RAJCHMAN, John, *Érotique de la vérité : Foucault, Lacan et la question de l'éthique*, PUF, 1994.

RAWLS, John, *Théorie de la justice*, Seuil, 1987.

REBÉRIOUX, Madeleine, « Naissance de l'économie sociale », *La Revue de l'économie sociale*, n° 1, juillet-septembre 1994.

RÉMY, Jean-Philippe, « Les Massaïs du Kenya pleurent les vaches folles d'Europe », *Le Monde*, 27 mars 2001.

La Rete di Lilliput : alleanze, obiettivi, strategie, Bologne, Editrice Missionaria Italiana, 2002.

RICARDO, David, *Principes de l'économie politique et de l'impôt*, Costes, 1933.

RIVERA, Annamaria, « La construction de la nature et de la culture par la relation homme-animal », *in* Claude Calame et Mondher Kilani (dir.), *La Fabrication de l'humain dans les cultures et en anthropologie*, Payot-Lausanne, 1999.

ROSANVALLON, Pierre, *Le Libéralisme économique : histoire de l'idée de marché*, Seuil, 1987.

ROSPABÉ, Philippe, *La Dette de vie : aux origines de la monnaie*, La Découverte, 1995.

ROTHBARD, Murray, *An Austrian Perspective on the History of Economic Thought*, t. 1 : *Economic Thought before Adam Smith*, Aldershot, Edward Elgar, 1995.

ROTHKOPF, David, « In praise of cultural imperialism ? », *Foreing Policy*, n° 107, été 1997.

SACHS, Wolfgang, *in* Wuppertal Institut, *Futuro sostenibile*, Bologne, EMI, 1997.

SAJOUS-DORIA, Michèle, « La bienfaisance ressuscitée », in *Des mots en liberté : mélanges Maurice Tournier*, t. 1, ENS, 1998.

SALIN, Pascal, « Pourquoi le chômage ? », *L'Économie*, n° 1373, 9 avril 1979.

SALMEN, Lawrence, *Rapport de la Banque mondiale du 29 août 1991*.

SALOMON, Lester M., et ANHEIER, Helmut K., « Le secteur de la société civile : une nouvelle force sociale », *Revue du MAUSS*, La Découverte, n° 11, 1er semestre 2000.

SAPIR, Jacques, *Les Trous noirs de la science économique : essai sur l'impossibilité de penser le temps et l'argent*, Albin Michel, 2000.

SCHILLER, Herbert I., « Décervelage à l'américaine », *Manière de voir*, n° 57, mai-juin 2001.

SCHOPENHAUER, Arthur, *Le Monde comme volonté et comme représentation*, PUF, 1989.

SCHUMPETER, Joseph Alois, *Histoire de l'analyse économique*, t. 1 : *L'Âge des fondateurs : des origines à 1790*, Gallimard, 1983.

SEN, Amartya, *L'économie est une science morale*, La Découverte, 1999.

—, *Éthique et Économie*, PUF, 1993.

SÉRIS, Jean-Pierre, *La Technique*, PUF, 1994.

SHAKESPEARE, William, *La Vie de Timon d'Athènes*.

SHIVA, Vandana, *Le Terrorisme alimentaire : comment les multinationales affament le tiers-monde*, Fayard, 2001.

—, *Éthique et Agro-industrie : main basse sur la vie*, L'Harmattan, 1996.

SIMMEL, Georg, *Philosophie de l'argent*, PUF, 1987.

SIMONNOT, Philippe, « Un désastre nommé Adam Smith », *Le Monde*, 23 mai 1996.

SINGLETON, Mike, « Patrimoine (in)humain ? », in *Patrimoine et Co-développement durable en Méditerranée occidentale*, Tunis, octobre 2001.

SISMONDE DE SISMONDI, Jean-Charles Léonard, *Histoire des républiques italiennes au Moyen Âge*.

SMITH, Adam, *Enquête sur la nature et les causes de la richesse des nations*, PUF, 1995.

—, « The history of astronomy », in *Essays on Philosophical Subjects*, Oxford, Clarendon Press, 1980.

—, *Théorie des sentiments moraux* (1759), Barrois l'Aîné, 1830.

SPENGLER, Oswald, *L'Homme et la Technique*, Gallimard, 1958.

STEEL, Ronald, in *The New York Times*, repris dans *Courrier international*, n° 300, 1er-21 août 1996.

STIGLITZ, Joseph E., *La Grande Désillusion*, Fayard, 2002.

SUÉTONE, *Vies des douze Césars*, Le Livre de poche, 1990.

TARDELLA, Armand, « Transformer l'argent spéculatif en argent citoyen », note du SEL de Saint-Quentin.

—, « Construire la société du 3ᵉ type sur les ruines du collectivisme et du capitalisme », Parti pris d'action citoyenne et solidaire, 1998.

TEMPLE, Dominique, et CHABAL, Mireille, *La Réciprocité et la Naissance des valeurs humaines*, L'Harmattan, 1995.

TESTART, Alain, *Des dons et des dieux : anthropologie religieuse et sociologie comparative*, Armand Colin, 1993.

TEUNE, Henry, *Growth*, Londres, Sage Publications, 1988.

THUILLIER, Pierre, *La Grande Implosion*, Fayard, 1995.

TOUSSAINT, Éric, « Briser la spirale infernale de la dette », *Le Monde diplomatique*, septembre 1999.

TRAORÉ, Aminata, *L'Étau : l'Afrique dans un monde sans frontières*, Actes Sud, 1999.

VAGGI, Gianni, « L'etica del Politico e l'etica del Santo », *Piroga, la rivista senza Sud*, Milan, 2-3 février 2002.

VAILE, Mark, « L'Europe étrangle les pays pauvres », *Le Monde*, 29 novembre 2002.

VASCONCELOS, Antonio Pedro, rapport de la cellule de réflexion sur la politique audiovisuelle dans l'Union européenne, Luxembourg, 1994, repris *in* A. Mattelard, *Multimédia et Communication à usage humain*, Anthropos, 1976.

VATIN, François, « Le travail, la servitude et la vie : avant Marx et Polanyi, Eugène Buret », *Revue du MAUSS*, La Découverte, nᵒ 18, 2ᵉ semestre 2001.

VEBLEN, T.B., *Théorie de la classe de loisir*, Gallimard, 1979.

VERNA, Gérard, et BOIRON, Olivier, « Éthique de la compétence et gestion stratégique de l'incompétence dans une économie mondialisée », *Revue du MAUSS*, La Découverte, nᵒ 15, 1ᵉʳ semestre 2000.

VERSCHAVE, François-Xavier, *L'Envers de la dette : criminalité politique et économique au Congo-Brazza et en Angola*, Agone, 2002.

VEYNE, Paul, *Le Pain et le Cirque : sociologie historique d'un pluralisme politique*, Seuil, 1976.

VILLENEUVE-BARGEMONT, Jean-Paul Alban de, *Économie politique chrétienne ou Recherches sur les causes du paupérisme en France* (1834).

VILLERMÉ, Louis René, *Tableau de l'état physique et moral des ouvriers dans les fabriques de coton, de laine et de soie* (1840).

VILLETTE, Michel, *Le Manager jetable : récits du management réel*, La Découverte, 1996.

VITALIS, André, « Raison technoscientifique et raison humaine. À propos de l'*ultima ratio* de Bernard Charbonneau », *in* Jacques Prades (dir.), *Bernard Charbonneau : une vie entière à dénoncer la grande imposture*, ERES, 1997.

VIVIEN, Franck-Dominique, et PIVOT, Agnès, « À propos de la méthode d'évaluation contingente », *Natures, sciences, sociétés*, vol. 7, n° 2, 1999.

WALKER, Perry, et GOLDSMITH, Edward, « Le monde de la table de cuisine », *Silence*, n°s 246-247, juillet-août 1999.

WALRAS, Léon, *Éléments d'économie pure ou théorie de la richesse sociale*, Pichon et Durand-Auzias, 1926.

WEBER, Max, *Le Savant et le Politique*, UGE, coll. « 10/18 », 2002.

—, *L'Éthique protestante et l'Esprit du capitalisme* (1905), Plon, 1967.

WILLIGER, Marc, « La méthode d'évaluation contingente : de l'observation à la construction des valeurs de préservation », *Natures, sciences, sociétés*, vol. 4, n° 1, 1999.

ZAJDELA, Hélène, « Que nous apprend la nouvelle économie du travail ? », *in* « Pour une autre économie », *Revue du MAUSS*, La Découverte, n° 3, 1994.

JOURNAUX ET REVUES

Alternatives économiques, *Le Canard enchaîné*, *Le Figaro*, *Le Monde*, *Le Monde de l'économie*, *Le Monde diplomatique*, *Manière de voir*, *Revue du MAUSS*, *Libération*, *The Ecologist*, *Politis*, *Silence*, *Transversales Science Culture*, *Natures, sciences, sociétés*.

Table des matières

Impression réalisée sur Cameron par Bussière Camedan Imprimeries en avril 2003.
35-57-1699-4/01. ISBN 2-213-61499-7
Dépôt légal : avril 2003. N° d'édition : 30848. N° d'impression : 031554/4.
Imprimé en France